Premiere Pro
パーフェクトガイド

Perfect Guide
Premiere Pro
Revised 2nd edition
Yuta Obara

小原裕太 著

改訂2版

技術評論社

◎サンプルファイルのダウンロードについて

本書の解説に使用している

・素材動画ファイル(.MTS,.MOV,.MP4,.AVI)

を、下記のページよりダウンロードできます。ダウンロード時は圧縮ファイルの状態なので、展開してから使用してください。

http：//gihyo.jp/book/2021/978-4-7741-12185-3/support

【免責】
本書に記載された内容は、情報の提供のみを目的としています。したがって、本書を用いた運用は、必ずお客様自身の責任と判断によって行ってください。これらの情報の運用の結果、いかなる障害が発生しても、技術評論社および著者はいかなる責任も負いません。

本書記載の情報は、2021年6月現在のものを掲載しております。ご利用時には、変更されている可能性があります。また、OSやソフトウェアに関する記述は、特に断りのない限り、2021年6月現在での最新バージョンをもとにしています。OSやソフトウェアはバージョンアップされる場合があり、本書での説明とは機能内容や画面図などが異なってしまうこともあり得ます。本書ご購入の前に、必ずバージョン番号をご確認ください。OSやソフトウェアのバージョンが異なることを理由とする、本書の返本、交換および返金には応じられませんので、あらかじめご了承ください。

以上の注意事項をご承諾いただいた上で、本書をご利用願います。これらの注意事項に関わる理由に基づく、返金、返本を含む、あらゆる対処を、技術評論社および著者は行いません。あらかじめ、ご承知おきください。

【動作環境】
本書は、Premiere Pro 2021を対象にしています。その他のPremiere Proのバージョンでは、一部利用できない機能や操作方法が異なる場合があります。
また、お使いのパソコン特有の環境によっては、本書の操作が行えない可能性があります。本書の動作は、一般的なパソコンの動作環境において、正しく動作することを確認しています。

動作環境に関する上記の内容を理由とした返本、交換、返金には応じられませんので、あらかじめご注意ください。

■本書に掲載した会社名、プログラム名、システム名などは、米国およびその他の国における登録商標または商標です。
　本文中ではTM、®マークは明記しておりません。

はじめに

SNSやYouTubeなどを使ったコミュニケーション、情報発信の手段として、動画は完全に定着しました。その背景には、スマートフォンやミラーレスカメラなどの撮影機材の高性能化と普及で、誰でも簡単に高精細な動画撮影、編集ができるようになったことがありますが、同時により本格的な動画編集に対するニーズも高まっています。

動画編集に必要なすべての機能が備わった「Premiere Pro」は、そうしたニーズに応えてくれます。簡単さ、手軽さ重視のスマートフォンアプリに比べて、コマ単位でのきめ細かい編集ができ、多種多様な演出効果を駆使して、動画をオリジナリティ溢れる「作品」に仕上げられる点が、その魅力といえるでしょう。

映像制作の現場でも使われるPremiere Proですが、そのぶんビギナーには敷居が高い面があります。1から学習しようにも、ウェブの記事は断片的なうえ、難解な用語のオンパレード。解説書は「ある程度知っている人」がターゲットのものがほとんどで、独学でのマスターが困難という状況は、筆者がこのアプリを使い始めたころから変わっていません。

だからこそ本書の制作にあたっては、すべての機能を分かりやすく、見やすく提示することに徹底的にこだわりました。結果、かなりのボリュームになりましたが、基本からステップアップテクニックに至るまで網羅した、これまでにないリファレンスが完成しました。末永く活用いただければ幸甚です。

小原 裕太
obayou@gmail.com

Premiere Proを入手する

Premiere Proを入手するには、公式サイトでコンプリートプランか単体プランの購入手続きをします。購入手続きを進めるには、Adobe IDの登録が必要です。手続きが済んだら、Creative Cloudアプリを使ってアプリをダウンロードします。

▶ Creative Cloud を購入する

Premiere Proは、Adobe Creative Cloudに含まれる1アプリです。Adobe Creative Cloudにはすべてのデスクトップアプリとモバイルアプリ、クラウドドライブなどが含まれる「コンプリートプラン」と、アプリ単位で課金する「単体プラン」が用意されているので、目的に合わせてプランを選びます。プランの購入には、Adobe ID（任意のメールアドレスとパスワードの組み合わせ）の登録が必要です。

1 公式サイトにアクセスする

ブラウザを使って、Adobe Creative Cloudの公式サイト（https://www.adobe.com/jp/creativecloud.html）にアクセスし**1**、＜購入する＞をクリックします**2**。

2 プランを選択する

目的のプランの＜購入する＞をクリックします。続いて表示される画面で、支払プランを選択して、購入手続を進めます。

CHECK!

Adobe Creative Cloudの支払プランには、年間プラン（月々払い／一括払い）、月々プランの3種類があります。年間プランを選択した場合、1年未満で解約すると、違約金が発生します。

POINT

家電量販店やオンラインショップで購入する

Amazonなどのオンラインショップや、家電量販店などでは、Adobe Creative Cloudのプリペイドカードが販売されています。このカードに記載されているコード番号を入力して、各プランを購入することもできます。

▶ アプリをダウンロードする

購入手続が済んだら、アプリをダウンロードできるようになります。最初にアプリのダウンロードやアップデートの管理を一括で行えるツール「Creative Cloud」をダウンロード・インストールしておくと、その後の運用がしやすくなります。Creative Cloud ツールは、購入したプランにかかわらず、無料でダウンロードできます。

1 Adobeのサイトにアクセスする

ブラウザでAdobeのサイト（https://creativecloud.adobe.com/cc/）にアクセスし**1**、Adobe Creative Cloud購入時と同じAdobe IDでサインインしておきます。＜アプリ＞をクリックします**2**。

2 アプリが一覧表示される

Adobe Creative Cloudに含まれるアプリが一覧表示されます。ここでは、「Creative Cloud」の＜ダウンロード＞をクリックして入手し、インストールします。

3 アプリを使ってインストールする

インストールしたCreative Cloudアプリを起動して、＜アプリ＞をクリックします**1**。使用できるアプリが一覧表示されるので、目的のアプリの＜インストール＞をクリックします**2**。

POINT

アプリをアップデートする

Creative Cloudアプリでは、アプリのインストールだけでなく、アップデートも行えます。最新のアップデートの配信が開始されると、通知が表示されるので、これをクリックしてCreative Cloudアプリを起動し、目的のアプリの＜アップデート＞をクリックします。

CONTENTS【目次】

はじめに 003
Premiere Pro を入手する 004

Premiere Pro の基本

SECTION 01	Premiere Proについて理解する	016
SECTION 02	Premiere Proを起動／終了する	018
SECTION 03	画面各部の名称を知る	020
SECTION 04	ワークスペースを切り替える	022
SECTION 05	パネルを表示する／閉じる	024
SECTION 06	パネルをグループ化する	025
SECTION 07	パネルを並べ替える	026
SECTION 08	パネルをウィンドウ表示にする	027
SECTION 09	パネルの配置を移動する	028
SECTION 10	パネルグループのサイズを変更する	029
SECTION 11	パネルグループの表示形式を切り替える	030
SECTION 12	ワークスペースを初期化する	031
SECTION 13	ワークスペースをプリセットとして保存する	032
SECTION 14	ワークスペースを削除／並べ替える	033
SECTION 15	ビデオの形式を理解する	034
SECTION 16	フレームとフレームレートを理解する	036
SECTION 17	タイムラインを理解する	038
SECTION 18	ビデオの解像度を理解する	040
SECTION 19	動画制作のワークフローを理解する	042

CHAPTER 01 クリップ管理

- SECTION 01 「クリップ管理」機能を理解する　046
- SECTION 02 プロジェクトを作成する　048
- SECTION 03 ビデオをパソコンに取り込む　050
- SECTION 04 ファイルをプロジェクトに読み込む　052
- SECTION 05 連番の写真をビデオとして読み込む　054
- SECTION 06 クリップを再生する　056
- SECTION 07 クリップをフレーム単位で再生する　057
- SECTION 08 再生画面を拡大表示する　058
- SECTION 09 再生画面の表示品質を変更する　059
- SECTION 10 再生画面のボタンをカスタマイズする　060
- SECTION 11 クリップ名を変更する　061
- SECTION 12 クリップのアイコン表示／リスト表示を切り替える　062
- SECTION 13 クリップの表示サイズを変更する　063
- SECTION 14 ビンを作成して素材を整理する　064
- SECTION 15 ビンの中身を表示する　066
- SECTION 16 クリップにラベルを付ける　068
- SECTION 17 ラベルの初期設定を変更する　069
- SECTION 18 クリップやビンを削除する　070
- SECTION 19 クリップやビンを非表示にする　071
- SECTION 20 クリップの情報を確認する　072
- SECTION 21 プロジェクトを保存する／読み込む　073
- SECTION 22 プロジェクトの自動保存を設定する　074
- SECTION 23 作業ファイルの保存先を指定する　075
- SECTION 24 プロキシワークフローで編集負荷を軽減する　076
- SECTION 25 既存のクリップからプロキシを作成する　078
- SECTION 26 プロキシの映像を再生する　079
- SECTION 27 クリップのリンクを確認する　080

CHAPTER 02 カット編集

- SECTION 01 「カット編集」機能を理解する ... 082
- SECTION 02 プリセットからシーケンスを作成する ... 084
- SECTION 03 クリップに合わせたシーケンスを作成する ... 086
- SECTION 04 クリップをドラッグ&ドロップで挿入する ... 087
- SECTION 05 クリップを再生ヘッドの位置に挿入する ... 088
- SECTION 06 クリップを別のトラックに配置する ... 089
- SECTION 07 クリップを別トラックの指定した位置に配置する ... 090
- SECTION 08 クリップを上書きする ... 091
- SECTION 09 クリップをクリップ間に挿入する ... 092
- SECTION 10 クリップの長さを変えずに置き換える ... 093
- SECTION 11 ツールを利用する ... 094
- SECTION 12 クリップを選択する ... 095
- SECTION 13 クリップをまとめて選択する ... 096
- SECTION 14 クリップを移動する ... 097
- SECTION 15 クリップを分割する ... 098
- SECTION 16 クリップを複製する ... 099
- SECTION 17 選択ツールでトリミングする ... 100
- SECTION 18 <リップルツール>でトリミングする ... 102
- SECTION 19 <ローリングツール>でトリミングする ... 104
- SECTION 20 <スリップツール>でトリミングする ... 106
- SECTION 21 <スライドツール>でトリミングする ... 108
- SECTION 22 <ソース>パネルでトリミングする ... 110
- SECTION 23 <プログラム>パネルでトリミングする ... 112
- SECTION 24 クリップをタイムラインから削除する ... 115
- SECTION 25 クリップ間のスペースを削除する ... 116
- SECTION 26 タイムラインの映像から元クリップを探す ... 117
- SECTION 27 重複したクリップをピックアップする ... 118
- SECTION 28 タイムラインの時間軸／トラックの幅を変更する ... 119
- SECTION 29 トラックを追加／削除する ... 120
- SECTION 30 トラックをロックする ... 121
- SECTION 31 長尺のクリップから短いクリップを作成する ... 122
- SECTION 32 複数のクリップをネスト化してまとめる ... 124
- SECTION 33 タイムラインに目印を付ける ... 126
- SECTION 34 操作を取り消す／やり直す ... 128

CHAPTER 03 エフェクト

SECTION	タイトル	ページ
01	「エフェクト」機能を理解する	130
02	クリップにエフェクトを適用する	132
03	エフェクトの効果を調整する	134
04	エフェクトの調整をリセットする	135
05	エフェクトを削除／非表示にする	136
06	複数のエフェクトを適用する	137
07	エフェクトの適用順を変更する	138
08	同じエフェクトをほかのクリップに適用する	139
09	映像の一部分にエフェクトを適用する	140
10	フリーハンドでマスクを描く	142
11	調整レイヤーにエフェクトを適用する	144
12	映像の雰囲気を一変させる 〜スタイライズ	146
13	映像を歪ませる 〜ディストーション	148
14	映像を隠す 〜トランジション	150
15	映像を変形させる 〜トランスフォーム	151
16	映像のノイズを補正する／強調する 〜ノイズ&グレイン	152
17	映像にテキストを重ねて表示する 〜ビデオ	153
18	映像の明るさやコントラストを調整する 〜SDR最適化	154
19	被写体の輪郭や境界線をくっきりさせる 〜シャープ	155
20	映像にソフト効果を加える 〜ブラー	156
21	映像に新たな要素を加える 〜描画	157
22	映像の外枠を立体的に見せる 〜遠近	158

CHAPTER 04 カラー調整

SECTION	タイトル	ページ
01	「カラー調整」機能を理解する	160
02	カラー調整用のパネルの見方を理解する	162
03	Log撮影された動画のカラー調整を理解する	164
04	Log動画にLUTを適用する	166
05	白い部分を基準に色合いを補正する	168
06	ホワイトバランスを手動で補正する	169
07	色かぶりを補正する	170
08	映像全体の明るさを調整する	171
09	コントラストを調整する	172
10	明るい部分だけを調整する	173
11	暗い部分だけを調整する	174

SECTION 12	色の鮮やかさを調整する	175
SECTION 13	＜エフェクトコントロール＞パネルで調整する	176
SECTION 14	プリセットで写真の色合いを一変させる	177
SECTION 15	シャープや彩度を調整する	178
SECTION 16	ハイライト／シャドウごとに色を変化させる	179
SECTION 17	RGBカーブを理解する	180
SECTION 18	RGBカーブで直観的に明るさを補正する	181
SECTION 19	RGBチャンネルごとに明るさを調整する	182
SECTION 20	色相／彩度カーブを理解する	183
SECTION 21	色相／彩度カーブで色ごとに彩度を補正する	184
SECTION 22	階調ごとに色を置き換える	185
SECTION 23	指定した色だけを調整／加工する	186
SECTION 24	周辺光量を増減させる	188
SECTION 25	＜Lumetriプリセット＞エフェクトで調整する	189
SECTION 26	そのほかのカラー調整エフェクトを利用する	190
SECTION 27	映像全体／一部をモノクロにする	192
SECTION 28	カラー調整設定をプリセットとして保存する	194
SECTION 29	カラー調整設定をファイルとして保存する	195

CHAPTER 05 演出効果

SECTION 01	「映像の演出」機能を理解する	198
SECTION 02	クリップをスロー／早送り再生する	200
SECTION 03	レート調整ツールでスロー／早送り再生する	201
SECTION 04	クリップを逆再生する	202
SECTION 05	目的の場面で一時的に停止させる	203
SECTION 06	トランジションを適用する	204
SECTION 07	トランジションを置き換える	206
SECTION 08	トランジションを削除する	207
SECTION 09	トランジションの効果時間を変更する	208
SECTION 10	トランジションの効果時間をドラッグで変更する	209
SECTION 11	トランジションの位置を変更する	210
SECTION 12	トランジションの位置をメニューで調整する	211
SECTION 13	トランジション開始／終了時の効果を確認する	212
SECTION 14	トランジションのアニメーション方向を変更する	213
SECTION 15	トランジションでフェードイン／フェードアウトを設定する	214
SECTION 16	モーションで動画を移動する	216
SECTION 17	モーションで動画を拡大／縮小する	219
SECTION 18	モーションで動画を回転する	220
SECTION 19	モーションで動画を徐々に透明にする	221

SECTION 20	モーションで映像の再生速度を変化させる	222
SECTION 21	モーションを取り消す	225
SECTION 22	モーションでエフェクトを動かす	226
SECTION 23	パン&ズームで映像を演出する	230
SECTION 24	被写体の動きに合わせてエフェクトを移動させる	234

CHAPTER 06 合成

SECTION 01	「合成」機能を理解する	238
SECTION 02	小さな枠に別の映像を重ねる	240
SECTION 03	ワイプをドロップシャドウで立体的にする	242
SECTION 04	ワイプをボタン状にして立体的にする	243
SECTION 05	ワイプを3D風に変形する	244
SECTION 06	傾けたワイプに影を付ける	245
SECTION 07	ピクチャインピクチャのプリセットを使う	246
SECTION 08	不透明度と描画モードで合成する	247
SECTION 09	映像の一部を切り取って合成する	248
SECTION 10	トランジションのエフェクトで合成する	250
SECTION 11	特定の色を透明にして合成する　〜Ultraキー	252
SECTION 12	特定の色を透明にして合成する　〜カラーキー	254
SECTION 13	暗い部分を透明にして合成する　〜ルミナンスキー	255
SECTION 14	マット画像をPhotoshopで作成する	256
SECTION 15	マット画像を合成する　〜アルファチャンネルキー	260
SECTION 16	図形で映像を切り抜いて合成する　〜イメージマットキー	262
SECTION 17	図形のクリップで映像を切り抜いて合成する　〜トラックマットキー	264
SECTION 18	カラーマットを合成する　〜異なるマット	266
SECTION 19	赤以外の色を透明にして合成する　〜赤以外キー	268

CHAPTER 07 タイトル

SECTION 01	「タイトル」機能を理解する	270
SECTION 02	テキストボックスを作成する	272
SECTION 03	サイズが固定されたテキストボックスを作成する	274
SECTION 04	テキストを削除する	275
SECTION 05	テキストを移動する	276
SECTION 06	テキストボックスを拡大／縮小する	277
SECTION 07	テキストボックスを回転する	278
SECTION 08	テキストボックスを映像の中央に揃える	279
SECTION 09	テキストボックス内のテキストの配置を揃える	280

SECTION 10	インデントの幅を調整する	281
SECTION 11	文字間隔を調整する	282
SECTION 12	行間隔を調整する	283
SECTION 13	テキストのフォントを変更する	284
SECTION 14	テキストを透過させる	285
SECTION 15	テキストカラーを変更する	286
SECTION 16	テキストに縁取りを付ける	288
SECTION 17	テキストに影を付ける	289
SECTION 18	テキストボックスをグループ化する	290
SECTION 19	同じ書式をほかのテキストにも適用する	291
SECTION 20	テキストをグラデーションで塗る	292
SECTION 21	テキストを立体的にする	294
SECTION 22	テキストの中に映像を合成する	295
SECTION 23	テキストが徐々に現れる／消えるようにする	296
SECTION 24	図形を描く	297
SECTION 25	フォントを追加する	298
SECTION 26	テンプレートでタイトルを作成する	299
SECTION 27	スタッフロールを作成する	300
SECTION 28	テロップをスクロールさせる	302
SECTION 29	タイトルをファイルとして保存する	305
SECTION 30	モーショングラフィックステンプレートを追加する	307

CHAPTER 08 オーディオ

SECTION 01	「オーディオ」機能を理解する	312
SECTION 02	クリップの音量を調整する	314
SECTION 03	<エフェクトコントロール>パネルで音量を調整する	315
SECTION 04	<オーディオトラックミキサー>パネルで音量を調整する	316
SECTION 05	チャンネルごとに音量を調整する	317
SECTION 06	<オーディオクリップミキサー>パネルでチャンネルごとに音量を調整する	318
SECTION 07	チャンネルのバランスを調整する	319
SECTION 08	映像にBGMを付ける	320
SECTION 09	音声クリップをトリミングする	321
SECTION 10	クリップを映像と音声に分離する	322
SECTION 11	波形の表示／非表示を切り替える	323
SECTION 12	キーフレームでフェードイン／フェードアウトを設定する	324
SECTION 13	トランジションでフェードイン／フェードアウトを設定する	326
SECTION 14	クリップの音量を必要に応じて上げ下げする	328
SECTION 15	エフェクトで音を変化させる	330
SECTION 16	エフェクトを専用画面で調整する	331

SECTION 17	エフェクトの効果を同一クリップ内でオン／オフにする	332
SECTION 18	プリセットで音声の内容に応じた補正をする	334
SECTION 19	音声だけを再生する	335
SECTION 20	指定した範囲だけを再生する	336
SECTION 21	音声クリップの編集をリセットする	337
SECTION 22	音声を一時的に消す／特定トラックの音声だけを残す	338
SECTION 23	すべてのクリップの音量を揃える	339
SECTION 24	シーケンス全体の音量を調整する	340
SECTION 25	シーケンス全体にエフェクトを適用する	341
SECTION 26	ナレーション録音の準備をする	342
SECTION 27	ナレーションを録音する	344

CHAPTER 09 エンコード

SECTION 01	「エンコード」機能を理解する	348
SECTION 02	シーケンスをファイルとして書き出す	350
SECTION 03	エンコードの画質を調整する	352
SECTION 04	エンコード時に解像度を変更する	353
SECTION 05	エンコード時にエフェクトを適用する	354
SECTION 06	エンコード時に音質を変更する	355
SECTION 07	ファイルに所有者情報を含める	356
SECTION 08	エンコード設定を保存する	357
SECTION 09	動画をSNSに投稿する	358
SECTION 10	Media Encoderでシーケンスをまとめて書き出す	360
SECTION 11	Media Encoderでエンコード設定を変更する	362
SECTION 12	Media Encoderでプリセットをキューに適用する	363
SECTION 13	プリセットをファイルとして書き出す	364

CHAPTER 10 VR動画編集

- SECTION 01 「VR」を理解する ... 366
- SECTION 02 VR動画を編集可能な形式に変換する ... 368
- SECTION 03 動画をVRビデオモードで表示する ... 370
- SECTION 04 視界が自動的に移動するモーションを設定する ... 372
- SECTION 05 VR素材の解像度を揃える ... 376
- SECTION 06 VR動画にトランジションを設定する ... 377
- SECTION 07 VR動画にタイトルを付ける ... 378
- SECTION 08 VR動画をエンコードする ... 379

Appendix 外部ツール連携

- SECTION 01 「Adobe After Effects」を理解する ... 382
- SECTION 02 After Effectsに素材を読み込む ... 384
- SECTION 03 コンポジションをPremiere Proのクリップにする ... 386
- SECTION 04 Premiere Proのクリップをコンポジションにする ... 389
- SECTION 05 After Effectsでエフェクトを適用する ... 390
- SECTION 06 アニメーションにするエフェクトを適用する ... 391
- SECTION 07 After Effectsで再生速度を変化させる ... 392
- SECTION 08 After Effectsでトランジションを適用する ... 394

索引 ... 396

CHAPTER

THE PERFECT GUIDE FOR PREMIERE PRO

[Premiere Proの
     基本]

SECTION 01 | CHAPTER 00 ▶ Premiere Proの基本

Premiere Proについて理解する

まずはPremiere Proがどんなアプリで、何ができるのかを理解しておきましょう。多彩な機能を備えるPremiere Proなら、イメージどおりの映像を作ることができます。

▶ 動画編集アプリとは？

動画編集アプリの役割は、デジタルビデオカメラなどで撮影した動画をまとめて、1本の映像作品に仕上げることです。ビジネス用のPR動画を制作する、YouTube用のユニークな映像コンテンツを制作する、家族や友人に配るホームムービーを制作するなど、動画編集アプリの役割とニーズは、日増しに高まりつつあります。

動画編集アプリの役割

- 動画ファイルの管理 — フォルダ管理
- 動画の編集 — カット編集など
- 動画のアレンジ — エフェクトなど
- 動画の書き出し — ファイル、DVDなど
- 動画の公開・共有 — YouTube、SNSアップなど
- VR動画の編集 — 360度動画の編集

さまざまな動画が制作可能

- 会社PR動画 — 会社案内、インタビュー
- サービス紹介動画 — 新製品、アプリの使い方
- ホームムービー — 結婚式、成長記録

▲録り貯めた映像素材をそのまま再生するだけでは、視聴者にテーマが伝わらない。動画編集アプリで編集して、主題のはっきりした映像作品にすることによって、さまざまな用途に利用できる。現在の動画編集アプリでは、VR映像の作成なども可能になっている。

▶ Premiere Pro ではどんなことができる？

Premiere Pro は、テレビ局や番組の制作スタジオなどの現場でも利用されている本格的な動画編集アプリです。動画の管理、カット編集、アレンジなど、多彩な機能を備え、プロフェッショナルに限らず、誰でもイメージどおりの映像作品を作ることができます。

プロジェクトで素材を管理

▲パソコンに取り込んだ映像素材は、「プロジェクト」単位でアプリ内管理できる。必要なときにすばやく映像素材を取り出したり、映像の内容を確認したりでき、フォルダーによる整理も可能だ。

ドラッグ＆ドロップでカット編集

▲個々の映像（クリップ）は、タイムラインと呼ばれる領域に並べてつなぎ合わせる。つなぎ合わせや不要部分のカットなど、編集の大部分の操作はドラッグ＆ドロップで直観的に行える。

動画アレンジも自由自在

▲映像間の切り替えアニメーション、テロップやタイトルの表示、色合いの調整など、映像に対するさまざまなアレンジができる。そのため、テレビ番組や映画のような凝った演出が可能だ（上は画面切り替え、下はカラー調整）。

音声も細かく調整できる

▲映像に含まれる音声の音量を調整したり、不要な音声をカットしたりできる。また、映像にBGMを重ねてドラマティックに演出することも可能。

POINT

Premiere Pro なら動画編集が軽快に

動画編集と聞くと、パソコンの処理速度に不安を覚える人も多いでしょう。かつての動画編集では、もとの映像素材をそのまま扱うため、どうしても処理の負荷が高く、高性能なパソコンが必要でした。Premiere Pro では、事前に元素材のプレビューデータを自動生成し、それを編集する仕組みになっているため、パソコンの負荷は少なく済み、一般的な性能のパソコンでも軽快に動画編集できます。

SECTION 02

CHAPTER 00 ▶ Premiere Proの基本

Premiere Proを起動／終了する

Premiere Proはほかの一般的なアプリと同様に、スタートメニューから起動します。動画編集を中断してアプリを終了させる場合は、メニューからコマンドを選択するか、ウィンドウを閉じます。

▶ Premiere Proを起動する

Premiere Proを起動すると＜スタート＞ウインドウが表示されます。ここで新規プロジェクト（P.048参照）を作成するか、既存のプロジェクトを選び、作業を開始します。

1 スタートメニューを表示する

画面左下の＜スタート＞をクリックして■、スタートメニューを表示します。スタートメニュー左のアプリ一覧から、＜Adobe Premiere Pro 2021＞をクリックします■。

CHECK!

ここで解説しているのはWindowsの手順です。MacではLaunchpadでPremiere Proのアイコンをクリックします。

2 ＜新規プロジェクト＞をクリックする

＜スタート＞ウインドウが表示されます。ここでは、＜新規プロジェクト＞をクリックします。作成済みのプロジェクトで作業の続きをする場合は、ここに表示される履歴から目的のプロジェクトをクリックします。

3 プロジェクトの名前を付ける

＜名前＞にプロジェクトに付ける名前を入力して**1**、＜ OK ＞をクリックします**2**。

4 Premiere Proが起動する

Premiere Pro が起動して、作成したプロジェクトで作業できるようになります。

▶ Premiere Pro を終了する

Premiere Pro の作業が完了した場合、あるいは作業を中断する場合は、アプリを終了させます。終了させるには、メニューからコマンドを選ぶか、ウィンドウの＜閉じる＞をクリックします。このとき、それまで作業していたプロジェクトに変更を加えている場合は、確認のメッセージが表示されます。

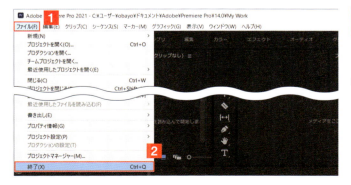

1 メニューをクリックする

＜ファイル＞メニューをクリックして**1**、＜終了＞（Mac では＜ Premiere Pro を終了＞）をクリックします**2**。あるいは、ウインドウの＜閉じる＞をクリックしてもアプリを終了できます。

SECTION 03 画面各部の名称を知る

CHAPTER 00 ▶ Premiere Proの基本

アプリを使用するうえで、画面各部の名称や、それぞれがどのような役割を持っているのかを最初に理解することが重要です。ここでは、Premiere Proの最も基本的な編集画面（ワークスペース）について解説します。

▶ Premiere Proのメイン画面

Premiere Proのメイン画面は、複数の小型のウィンドウ（パネル）で構成されています。パネルによっては、「タブ」によって切り替えられる複数のパネルが一体化したものがあります。目的に応じたパネルの組み合わせを「ワークスペース」と呼び、既定では＜編集＞ワークスペースが表示されます。

ワークスペースの画面各部の名称

1 タイトルバー アプリ名と、現在編集中のプロジェクトのファイル名、保存場所のパスが表示される領域です。

2 メニューバー Premiere Proのすべての機能がまとめられた「メニュー」が表示される領域です。

3 ＜ワークスペース＞パネル ワークスペース（P.022参照）を切り替えるためのタブがまとめられた領域です。既定では＜編集＞ワークスペースが選択されています。

4 ＜ソース＞パネル ＜プロジェクト＞パネル内で選択した映像や静止画、音声などのクリップをプレビューするためのパネルです。上部のタブでパネルの内容を切り替えられます。

5 ＜プログラム＞パネル タイムラインの動画をプレビュー再生するためのパネルです。動画の再生品質や拡大率などを変更したり、目的の位置にマーカーを付けたりできます。

6 ＜プロジェクト＞パネル プロジェクトに読み込んだ動画、静止画、音声など、動画編集に必要な素材を閲覧、管理するためのパネルです。素材は「ビン」で整理することができます（P.047参照）。

7 ＜ツール＞パネル クリップ全体や一部を選択、素材をトリミング、文字入力などをするための「ツール」がまとめられた領域です。

8 ＜タイムライン＞パネル 素材を並べ、1本の作品にするための領域です。映像、静止画、音声などの素材の構造や再生順序、編集状態などがひと目でわかるような表示になっています。

9 オーディオメーター プロジェクトの音声レベルをリアルタイムで表示します。

10 ステータスバー 選択・操作中のオブジェクトや各種警告などが表示される領域です。

▶ 主要なパネルの各部名称

とくに使用頻度の高いパネルの各部名称を覚えておきましょう。Premiere Pro には下記以外にもさまざまなパネルが用意されていますが、それらについては以降のページで解説します。また、動画編集の主要な作業領域となる<タイムライン>パネルについては、P.039 で改めて詳しく解説しています。

<プロジェクト>パネル

- タブ
- 検索ボックス
- クリップのサムネイル
- ツールボタン

<ソース>パネル／<プログラム>パネル

- プレビュー
- 表示の拡大／縮小
- 再生ヘッドの位置
- 再生ヘッド
- 各種設定
- 総再生時間
- 再生品質の変更
- 再生・マーカーコントロール

<タイムライン>パネル

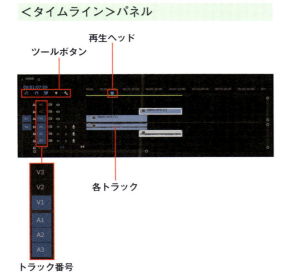

- ツールボタン
- 再生ヘッド
- 各トラック
- トラック番号

<ツール>パネル

- 選択ツール
- トラックの前方／後方選択ツール
- リップル／ローリング／レート調整ツール
- レーザーツール
- スリップ／スライドツール
- ペン／長方形／楕円ツール
- 手のひら／ズームツール
- 横書き／縦書き文字ツール

SECTION **04**

CHAPTER 00 ▶ Premiere Proの基本

ワークスペースを切り替える

「ワークスペース」は作業内容に応じて選べる、パネルの組み合わせや配置のプリセットです。初期設定では10種類のワークスペースが用意され、タブをクリックすることで切り替えることができます。

▶ ワークスペースを切り替える

ワークスペースを切り替えるには、画面上中央の＜ワークスペース＞パネルで目的のワークスペース名が表示されたタブをクリックします。なお、タブとして表示されていないワークスペースに切り替えるには、＜ワークスペース＞パネル右端の ≫ をクリックして、表示されたメニューから目的のワークスペースをクリックします。

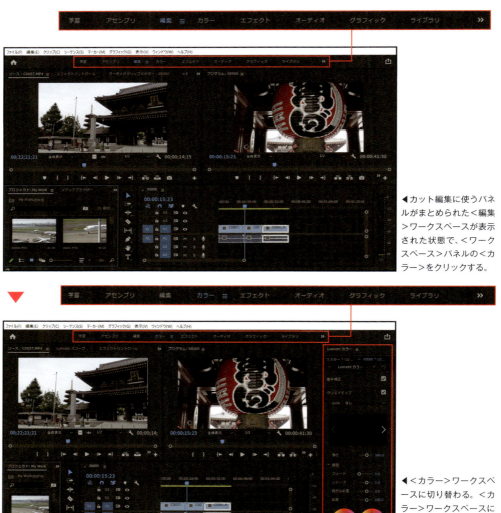

◀カット編集に使うパネルがまとめられた＜編集＞ワークスペースが表示された状態で、＜ワークスペース＞パネルの＜カラー＞をクリックする。

◀＜カラー＞ワークスペースに切り替わる。＜カラー＞ワークスペースには、動画の色補正などが可能な＜Lemetriカラー＞パネルなどが表示される。

▶ 既定のワークスペース

初期設定では、全10種類のワークスペースが用意されています。作業内容に応じて適切なワークスペースに切り替えることで、動画編集の作業を劇的に効率化できます。なお、＜すべてのパネル＞ワークスペースは1画面ですべてのパネルを表示でき、パネル名をクリックしてその内容を表示します。

アセンブリ

▲＜プロジェクト＞パネルと＜プログラム＞パネル、＜タイムライン＞パネルが表示されるワークスペース。シンプルな構成でカット編集をするのに向いている。

エフェクト

▲＜編集＞ワークスペースのパネルに加え、動画に特殊効果を加えるためのツールがまとめられた＜エフェクト＞パネルを表示する。

オーディオ

▲動画の音声編集をするためのオーディオクリップミキサー、オーディオトラックミキサーに加え、音声をアレンジするための＜エッセンシャルサウンド＞パネルが表示される。

グラフィック

▲動画に挿入できるグラフィックステンプレートがまとめられた＜エッセンシャルグラフィックス＞パネルを表示するワークスペース。Mac版にはこのワークスペースは用意されていない。

ライブラリ

▲パソコン内の画像や音声、動画など、さまざまなメディアを一元管理して呼び出せる＜ライブラリ＞パネルを表示するワークスペース。メディアのプロジェクトへの読み込み時に使用する。

メタデータ編集

▲動画の撮影日やファイル名、フレームレートなどを表示・編集するための＜メタデータ＞パネルを表示するワークスペース。

SECTION 05 パネルを表示する／閉じる

CHAPTER 00 ▶ Premiere Pro の基本

Premiere Proには、多くのパネルが用意されており、ワークスペースの切り替えだけでは表示されないパネルもあります。このようなパネルを表示するには、メニューから目的のパネルを選択します。

▶ メニューからパネルを表示する／閉じる

ワークスペースを切り替えても表示されないパネルは、＜ウィンドウ＞メニューから目的のパネル名の項目をクリックすると、独立したウィンドウで表示されます。クリックしたパネルが現在表示中のパネルグループ（P.025参照）に含まれている場合は、パネルグループの表示がそのパネルに切り替わります。

1 パネルを選択する

＜ウィンドウ＞メニューをクリックして①、目的のパネル名の項目をクリックします②。

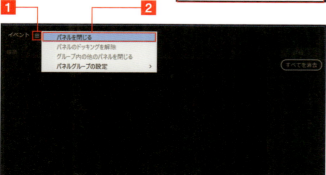

2 パネルが表示される

独立したウィンドウでパネルが表示されます。パネル名右の■をクリックして①、表示されるパネルメニューから＜パネルを閉じる＞をクリックすると②、パネルが非表示になります。

SECTION 06

CHAPTER 00 ▶ Premiere Proの基本

パネルをグループ化する

よく使うパネル、同じ系統の機能のパネルは、ドッキングしてまとめることができます。まとめたパネルはパネルグループと呼び、パネル名のタブをクリックすることでパネルを切り替えることができます。

▶ ドラッグ＆ドロップでドッキングする

パネルをパネルグループにまとめるには、目的のパネルを、もう一方のパネルのタブ付近にドラッグ＆ドロップします。

1 パネルを選択する

ドッキングするパネルのタブを、もう一方のパネルのタブ付近にドラッグ＆ドロップします。

2 パネルグループになる

パネルがドッキングされ、1つのパネルグループになります。パネルを切り替えるには、目的のパネル名が表示されたタブをクリックします。

CHECK!

ドッキングしたパネルを分離するには、パネルメニュー（P.027参照）の＜パネルのドッキングを解除＞をクリックします。

SECTION 07 パネルを並べ替える

ワークスペースによって、表示されるパネルグループとその配置は異なります。このパネルグループ内のパネルの配置は、自由に変更することができるので、使いやすいレイアウトにしましょう。

▶ パネルグループ内のパネルの並び順を変更する

パネルグループにはそれぞれ、複数のパネルが結合され、各ワークスペースごとに既定の並び順で配置されています。このパネルグループ内のパネルの並び順を変更するには、目的のパネルのタイトル部分（パネルタイトル）を目的の位置にドラッグ＆ドロップします。

1 パネルタイトルをドラッグする

パネルグループ内の目的のパネルのパネルタイトルをドラッグ＆ドロップします。

2 パネルの並び順が変わる

ドロップした位置にパネルが移動します。

SECTION 08 パネルをウィンドウ表示にする

CHAPTER 00 ▶ Premiere Proの基本

パネルグループから特定のパネルを分離したい場合は、ドッキングを解除します。解除したパネルは、独立したウィンドウ形式で表示され、移動したり、ほかのパネルグループにドッキングさせたりできます。

▶ メニューからドッキングを解除する

パネルのドッキングを解除するには、パネルメニューから＜パネルのドッキングを解除＞をクリックします。なお、パネルメニューで＜パネルを閉じる＞をクリックすると、そのパネルが非表示になり、＜グループ内の他のパネルを閉じる＞をクリックすると、そのパネル以外のすべてのパネルが非表示になります。

1 メニューをクリックする

分離するパネルの■をクリックして**1**、パネルメニューを表示し、＜パネルのドッキングを解除＞をクリックします**2**。

2 パネルが分離される

手順**1**で表示していたパネルがパネルグループから分離され、独立したウィンドウ形式で表示されます。

SECTION 09 パネルの配置を移動する

CHAPTER 00 ▶ Premiere Proの基本

パネルの表示位置はドラッグ＆ドロップで移動できるので、使いやすい配置にしておくことで作業効率が上がります。移動方法は、固定されたパネル、独立したウィンドウ形式のパネル、ともに同じです。

▶ ドラッグ＆ドロップでパネルを移動する

パネルはドラッグ＆ドロップで目的の位置に移動できます。パネルグループ、ウィンドウ形式のパネルのいずれの場合も目的のパネルのタブをドラッグ＆ドロップします。下記のCHECK!のように、パネルは画面の上下左右のいずれかに移動させることもできます。

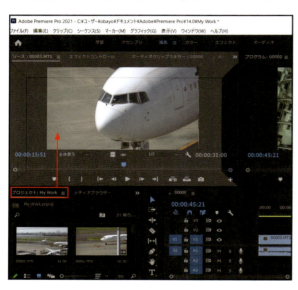

1 ほかのパネルグループにドラッグ＆ドロップする

＜プロジェクト＞パネルのタブをドラッグして、ほかのパネルグループの上下左右端のいずれかにドロップします。

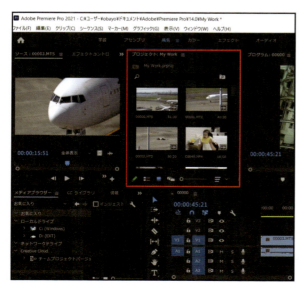

2 パネルが移動する

パネルの配置が移動します。移動後のパネルの配置は、ドラッグした位置によって異なります。手順1でパネルグループ中央にドラッグすると、パネルがパネルグループに結合されます。

CHECK!

パネルは画面の上部や下部、左右にも移動できます。例えばパネルを画面上部にドラッグすると、緑色のガイドが表示されるので、そのままドロップします。

SECTION 10 パネルグループのサイズを変更する

CHAPTER 00 ▶ Premiere Pro の基本

パソコンの画面解像度によっては、パネルの表示領域が小さくなってしまい、パラメータや設定項目などの一部が隠れてしまいます。このような場合は、パネルやパネルグループのサイズを大きくします。

▶ ドラッグしてパネルのサイズを変更する

パネル、およびパネルグループのサイズを変更するには、パネルの四辺いずれかにポインタを合わせて、目的の大きさになるまでドラッグします。このとき、隣接するパネル、およびパネルグループのサイズは、サイズを変更したパネルに合わせて自動的に変化します。パネルが狭くて使いづらい、大きすぎてほかのパネルが見づらいといった場合にこの操作を行いましょう。

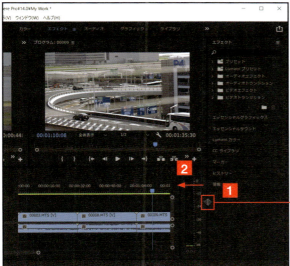

1 四辺にポインタを合わせる

サイズを変更するパネルグループの四辺いずれかにポインタを合わせると❶、ポインタの形状がのように変わります。この状態でドラッグします❷。

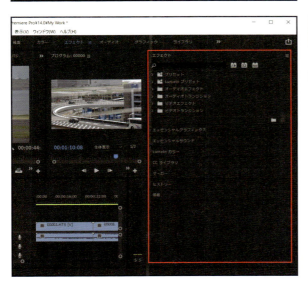

2 パネルのサイズが変わる

ドラッグに合わせて、パネルグループのサイズが変わります。

SECTION 11 パネルグループの表示形式を切り替える

CHAPTER 00 ▶ Premiere Proの基本

パネルグループの表示形式は、タブ型とボタン型があります。タブ型はタブでパネルを切り替える既定の表示形式で、ボタン型ではパネル名が表示されたボタンをクリックしてパネルを切り替えます。

▶ ボタン型の表示形式に切り替える

パネルグループの表示形式をボタン型に切り替えるには、パネルメニューで＜パネルグループの設定＞→＜パネルを上下に重ねて表示＞をクリックします。タブ型の表示形式に戻すには、再度同じメニュー項目をクリックします。なお、タブの表示を大きくするには、同じメニュー項目内の＜小さいタブ＞をクリックします。

1 メニューをクリックする

パネルの ≡ をクリックして❶、パネルメニューを表示し、＜パネルグループの設定＞→＜パネルを上下に重ねて表示＞をクリックします❷。

2 ボタン型の表示形式に切り替わる

パネルグループの表示がボタン型に切り替わります。ボタン型表示では、各パネルがボタンで表示され、クリックするごとに内容の表示／非表示が切り替わります。

クリックするとパネルの内容が表示される

SECTION 12 ワークスペースを初期化する

CHAPTER 00 ▶ Premiere Proの基本

ワークスペースのレイアウトをあれこれ変更しているうちに、結局使いづらくなってしまった。そのような場合は、ワークスペースを初期化して、表示しているパネルの種類や配置を初期設定の状態に戻します。

▶ パネルの配置を初期設定に戻す

ワークスペースのレイアウトは、＜ワークスペース＞パネルで目的のワークスペースのメニューを表示して、＜このワークスペースへの変更を保存＞をクリックすると保存できます。保存前であれば、同じメニューから＜保存したレイアウトにリセット＞をクリックすると、既定のレイアウトに戻すことができます。

1 メニューをクリックする

＜ワークスペース＞パネルで、レイアウトをリセットするワークスペース名をクリックして■、横の■をクリックし■、＜保存したレイアウトにリセット＞をクリックします■。

2 レイアウトがリセットされる

ワークスペースのパネルのレイアウトがリセットされます。

SECTION

CHAPTER 00 ▶ Premiere Pro の基本

13 ワークスペースを プリセットとして保存する

使いやすいパネルのレイアウトが決まったら、オリジナルのワークスペースとして保存しましょう。保存したワークスペースは、＜ワークスペース＞パネルからかんたんに呼び出すことができます。

▶ オリジナルのワークスペースを作成する

パネルのレイアウトは、オリジナルのワークスペースとして保存しておくことで、いつでもすばやく呼び出して画面に再現できます。オリジナルのワークスペースを保存するには、ワークスペースのメニューから＜新規ワークスペースとして保存＞をクリックします。

1 メニューをクリックする

自分が使いやすいようにパネルをレイアウトしておき、＜ワークスペース＞パネルの ≡ をクリックして**1**、＜新規ワークスペースとして保存＞をクリックします**2**。

2 名前を付ける

オリジナルのワークスペース名を入力して**1**、＜ OK ＞をクリックします**2**。

3 ワークスペースが保存される

ワークスペースが保存され、＜ワークスペース＞パネルにオリジナルのワークスペースのタブが追加されます。以降はこれをクリックすると保存時のパネルのレイアウトが再現されます。

CHECK!

手順**1**で＜このワークスペースへの変更を保存＞をクリックすると、その時点でのレイアウトが既存のワークスペースに上書き保存されます。

SECTION 14 ワークスペースを削除／並べ替える

CHAPTER 00 ▶ Premiere Proの基本

＜ワークスペース＞パネルに表示される各ワークスペースの並び順は、入れ替えることができます。また、不要なワークスペースを削除したり、非表示にしたりして、よく使うものだけを厳選できます。

▶ ＜ワークスペース＞パネルをカスタマイズする

＜ワークスペース＞パネルの各ワークスペースの表示順は、＜ワークスペースを編集＞ウィンドウでワークスペース名をドラッグ＆ドロップして並べ替えることができます。＜オーバーフローメニュー＞にドラッグ＆ドロップすると、＜ワークスペース＞パネルで≫をクリックすると表示されるメニューにワークスペースを移動できます。

1 メニューをクリックする

≡をクリックして**1**、＜ワークスペースを編集＞をクリックします**2**。

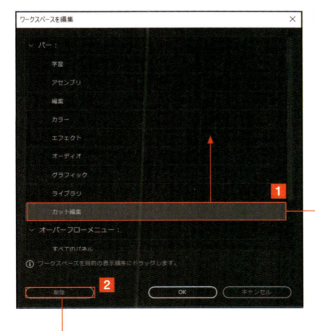

2 ＜ワークスペースを編集＞ウィンドウが表示される

ワークスペース名を＜バー＞の項目内でドラッグ＆ドロップすると、並び順を入れ替えできます**1**。ワークスペース名をクリックして＜削除＞をクリックすると**2**、選択中のワークスペースを削除できます。

ドラッグ＆ドロップで並び順を入れ替える

クリックして削除できる

> **CHECK!**
> ＜ワークスペースを編集＞ウィンドウで、目的のワークスペースを＜表示しない＞の項目にドラッグ＆ドロップすると、以降そのワークスペースは＜ワークスペース＞パネルに表示されなくなります。

SECTION 15 ビデオの形式を理解する

CHAPTER 00 ▶ Premiere Pro の基本

動画ファイルにはさまざまな形式が存在しますが、一般的なデジタルビデオカメラ、デジタルカメラで撮影したものであれば、ほとんどがPremiere Proに読み込んで、素材として使うことができます。

▶ Premiere Pro が対応するファイル形式

Premiere Pro に読み込んで素材として利用できる主なファイル形式は下表のとおりです。さらにMedia Encoder（P.078参照）を使うことで、Premiere Proで作成した動画作品をさまざまな形式で書き出すこともできます。

動画ファイル

ファイル形式	拡張子	Windows	Mac
3GP	*.3gp	◎	◎
3G2	*.3g2	◎	◎
ASF	*.asf	◎	—
AVI	*.avi	◎	◎
DV	*.dv	◎	◎
F4V	*.4fv	◎	◎
アニメーション GIF	*.gif	◎	◎
HEVC／H.265	*.mov	◎	◎
MPEG-1	*.m1v／*.mpe／*.mpeg／*.mpg	◎	◎
MPEG-2	*.m2t／*.m2ts／*.m2v／*.mpe／*.mpeg／*.mpg	◎	◎
M2TS	*.m2ts／*.mp4	◎	◎
MPEG-4	*.m4v	◎	◎
MOV	*.mov	◎	◎
AVCHD	*.mts	◎	◎
MXF	*.mxf	◎	◎
ARRIRAW	*.ari	◎	◎
Phantom Cine RAW	*.cine	◎	◎
CinemaDNG	*.dng	◎	◎
R3D	*.r3d	◎	◎
VOB	*.vob	◎	◎
WMV	*.wmv	◎	—

静止画ファイル

ファイル形式	拡張子	Windows	Mac
Adobe Illustrator	*.ai／*.eps	◎	◎
BMP	*.bmp／*.dib／*.rle	◎	◎
DPX	*.dpx	◎	◎
EPS	*.eps	◎	◎
GIF	*.gif	◎	◎
HEIF	*.heif／*.heic	◎	◎
Icon	*.ico	◎	—
JPEG	*.jpeg／*.jpg／*.jpe／*.jfif	◎	◎
PICT	*.pict	◎	◎
PNG	*.png	◎	◎
Photoshop	*.psd	◎	◎
Adobe Premiere 6 ストーリーボード	*.psq	◎	◎
Adobe Premiere タイトル	*.ptl／*.prtl	◎	◎
Targa	*.tga／*.icb／*.vda／*.vst	◎	◎
TIFF	*.tif／*.tiff	◎	◎

音声ファイル

ファイル形式	拡張子	Windows	Mac
AAC	*.aac	◎	◎
AC3	*.ac3	◎	◎
AIF	*.aif／*.aiff	◎	◎
ASND	*.asnd	◎	◎
AVI	*.avi	◎	◎
BWF	*.bwf	◎	—
MPEG-4 オーディオ	*.m4a	◎	◎
MP3 オーディオ	*.mp3	◎	◎
WMA	*.wma	◎	◎
WAV	*.wav	◎	◎

▶ 主要な動画ファイル形式について理解する

左ページの表のとおり、Premiere Pro では数多くの動画ファイル形式、静止画ファイル形式、音声ファイル形式の読み込みに対応しています。その中でも、デジタルカメラやデジタルビデオカメラでの動画記録に使われる代表的なファイル形式は、以下のとおりです。

なお、最新のプロ向け、ハイエンドカメラでは、高圧縮率と高画質を実現するため、新たな動画ファイル形式が採用されることがあります。このような場合でも、Premiere Pro をアップデートすることにより読み込み、編集が可能になります。

MPEG-2

SD、HD、フル HD 解像度の地上波、衛星デジタルテレビ放送向けに策定されたファイル形式。一般的な DVD ソフト（DVD-Video）の映像規格にも採用されている。

MPEG-4／H.264 AVC

MPEG-2 の上位ファイル形式で、より高圧縮率、高画質を実現している。4K 以上の高解像度動画にも対応し、現在では多くのデジタルカメラ、デジタルビデオカメラ、スマートフォンなどで採用されている。MPEG-4 をベースにした拡張規格として、H.264 AVC がある。

AVCHD

フルハイビジョン（フル HD）解像度の映像の記録コンテナとして策定されたもので、現在では一部のカメラで AVCHD を独自に 4K 映像の記録向けに転用したものが使われている。ファイルの実体は MPEG-2 あるいは MPEG-4、H.264 のいずれかの形式になっている。

H.265／HEIC

H.264 AVC 形式の後継となる動画ファイル形式で、同じ映像品質であれば H.264 AVC の約半分のファイルサイズになるほどの高圧縮率が特徴。4K の倍の解像度である 8K の動画記録にも対応し、現在販売されているハイエンド以上のカメラやスマートフォンの一部に採用されている。

POINT

プロ向け機材のファイル形式

とくにハイエンドクラスのカメラでは、メーカー独自のファイル形式や、他社では採用例が少ないファイル形式を採用していることがあります。これは高品質とファイルサイズ低減を両立させることを目的としていて、代表的なものには、ソニーが採用する独自規格 XAVC／XAVCS、パナソニックが採用する IPB、キヤノンが採用する MotionJpeg、Apple が提唱する ProRes4444 などがあり、その多くは Premiere Pro で読み込むことができます。

SECTION 16 フレームとフレームレートを理解する

CHAPTER 00 ▶ Premiere Pro の基本

動画編集の基本となるのが「フレーム」です。フレームはパラパラ漫画の1コマに該当するもので、コマ数が多いほど滑らかな動きになります。1秒当たりのコマの密度を示すのが「フレームレート」です。

▶ フレームとは？

動画が動いているように見えるのは、動きのある被写体を連写した静止画を、高速で連続再生しているためです。このとき、連写した静止画1枚1枚が「フレーム」に該当します。実際には静止画を連続再生するだけでは滑らかな動きにはならず、フレーム間を滑らかに見せるように補完する処理が加えられていますが、Premiere Pro での最小の編集単位として、フレームを意識するようにしましょう。

◀1本の動画は、多数の静止画（フレーム）で構成され、パラパラ漫画のようにフレームを連続再生することで動いているように見せている。フレーム間の補完処理により、動きが自然で滑らかになる。

▶ タイムコードの見方を理解する

Premiere Pro の＜タイムライン＞パネルや＜プログラム＞パネルには、「タイムコード」と呼ばれる数値が常に表示されます。タイムコードでは動画の再生経過時間とともに、現在は何フレーム目を表示しているのかがわかるようになっています。編集時の目安として役立てましょう。

▲タイムコード末尾がフレームの番号になる。動画のフレームレートが29.97fpsの場合、末尾の値が「29」の次は「00」になり、秒の数値が1つ上がる。

▶ フレームレートとは？

「フレームレート」は、動画の動きの滑らかさの指標です。フレームレートは1秒間当たりのフレーム数を「fps（frame per second）」で示し、数値が大きくなるほどフレームの密度が高く、より滑らかな動きになります。通常の撮影では、29.97fpsというフレームレートで動画が記録されます。これはデジタルテレビ放送と同じ値です。また、映画などの映像作品では24fpsでの記録が一般的です。

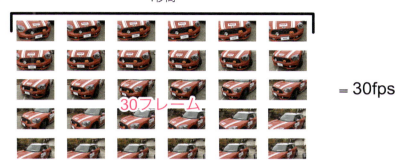

▲「1秒間にいくつのフレームを表示するか」を示すのがフレームレート。フレームレートが高いほど滑らかな表示になる。デジタルビデオカメラや動画対応デジタルカメラでは、24／30（29.97）／60のフレームレートが選択可能で、ハイエンド機種ではより高いフレームレートでの映像記録に対応するものもある。

POINT

60fps以上の動画について

ハイエンドクラスのデジタルカメラ、デジタルビデオカメラでは、60fps以上のフレームレートで撮影できる機種も増えつつあります。60fpsの動画の場合、被写体の動きをより滑らかに捉えられるようになる反面、データ量も29.97fpsに比べて倍近くになります。

なお、120fpsなど、さらに高いフレームレートに対応する機種もありますが、60fpsを越えて動画を記録する用途はほとんどの場合、スローモーション再生です。たとえば、秒間120フレームを1秒間撮影し、一般的な29.97fpsのフレームレートで再生すると、120÷29.97≒およそ4秒間のスローモーションになります。

▲使用する素材に合わせて、シーケンス（P.082参照）作成時に60fpsも選択できる。

SECTION 17 | CHAPTER 00 ▶ Premiere Proの基本

タイムラインを理解する

動画の編集に欠かせない概念として「経過時間」があります。動画は静止画とは異なり、時間の経過とともに内容が変化するためです。この経過時間をわかりやすく視覚化したものが「タイムライン」です。

▶ タイムラインとは？

「タイムライン」とは、動画の編集時に映像の流れを時系列で表示するためのインターフェイスです。経過時間という概念がある動画編集では、被写体、タイトルテキスト、BGMが登場するタイミングを時系列で視覚的に把握することが必要になります。タイムラインによって、ユーザーは映像全体の流れを把握しながら編集・加工できます。

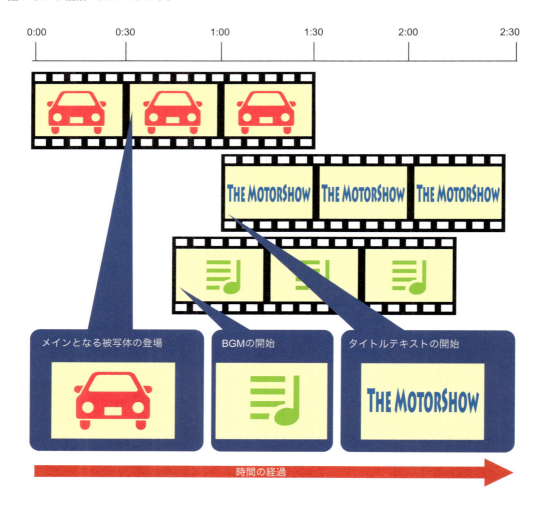

▲動画やタイトル、テロップ、BGMなどの表示・再生のタイミングや時系列を視覚的に把握できるのがタイムラインのメリット。動画編集のほとんどの作業は、このタイムライン上で行うことになる。

▶ Premiere Pro のタイムラインを理解する

Premiere Pro でタイムラインを利用するには、＜タイムライン＞パネルを表示します。タイムラインはシーケンス（P.082 参照）ごとに用意され、画面左端を起点とした横軸が経過時間になり、縦軸はトラックになります。Premiere Pro では、ここに動画や BGM 音声などをドラッグ＆ドロップして再生順に並べ、必要に応じて動画の不要部分のカットなどが行えます。

＜タイムライン＞パネルの各部名称

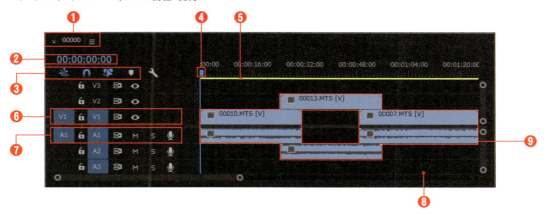

❶ **シーケンスタブ** クリックして編集するシーケンスのタイムラインを切り替えます。
❷ **タイムコード** 再生ヘッドの位置のタイムコード（P.036 参照）が表示されます。
❸ **ツールボタン** ＜シーケンスの挿入／上書き＞＜スナップ＞＜リンクのオン／オフ＞＜マーカー＞＜タイムライン表示設定＞の各ボタンがまとめられています。
❹ **再生ヘッド／編集ライン** 現在再生中、あるいは編集対象となっているフレームの位置を示します。左右にドラッグしてタイムライン内を移動させることができます。
❺ **時間スケール** タイムラインの経過時間を示す目盛りです。
❻ **V1トラック** メインの動画（クリップ）を配置するトラックです。トラックは動画や音声などのメディアごとに用意された入れ物のようなものです。
❼ **A1トラック** メインの音声を配置するトラックです。
❽ **タイムライン** 作品全体の時間経過を表した表示領域です。横軸が経過時間になります。
❾ **クリップ** タイムラインに配置された動画や音声、タイトルテキスト、トランジションなどのオブジェクトです。

POINT

トラックの幅を変更する

＜タイムライン＞パネルに配置されたトラックの幅は変更できます。小さすぎて操作しづらい場合は大きく、トラック全体を見通したい場合は小さくしましょう。大きさの変更は、をクリックすると表示されるメニューから、＜すべてのトラックを拡大表示＞あるいは＜すべてのトラックを最小化＞をクリックします。また、スライダーを調整して変更することもできます（P.119 参照）。

▲＜すべてのトラックを拡大表示＞では、クリップが大きくなる。

SECTION 18 ビデオの解像度を理解する

CHAPTER 00 ▶ Premiere Pro の基本

SDやフルHD、4Kは、動画の「解像度」を示します。解像度は動画の精細さの指標となるもので、解像度が高いほどよりきめ細やかな映像になります。動画編集では解像度を理解しておくことが大切です。

▶ 解像度とは？

デジタル映像はすべて、細かい点（ドット）で構成されています。映像を構成する総ドット数を、長辺×短辺で示したものが「解像度」です。テレビやパソコンディスプレイなどの映像機器での表示を目的とした解像度には、SD（640 × 480 ドット）、フルHD（1,920 × 1,080 ドット）があり、現在では 4K（3,840 × 2,160 ドット）が主流となりつつあります。テレビ放送やハイエンドビデオカメラの世界では、8K（7,680 × 4,320 ドット）も登場し始めています。ドット数が多い＝解像度が高いほど、高精細かつ色が滑らかな映像になります。

4K
(3,840×2,160ドット)

フルHD
(1,920×1,080ドット)

SD
(640×480ドット)

▲構成するドット数が多いほど、映像の見た目が大きくなると誤解されがちだが、同じ画面サイズのテレビなどで再生すれば、SD、フルHD、4Kのいずれの解像度の映像でも見た目の大きさは変わらない。解像度で違いが出るのは、より大きな画面で映像を再生したときのきめ細かさ、グラデーションの色の変化の滑らかさになる。

POINT

4Kの「K」とは？

4K の「K」は、1,000 を表す略語です。4K は 3,840 × 2,160 ドットで構成されており、長辺が約 4,000 となることから、このような名称になっています。そのため、フル HD（長辺 1,920 ドット）の解像度のことを 2K と表記することがあります。

▶ アスペクト比とは？

アスペクト比は、動画の解像度を示す長辺×短辺の比率のことです。SD解像度であれば4:3となり、フルHDや4Kの映像のアスペクト比は16:9とやや横長になるため、映像に収まる範囲(画角)が広く、臨場感が増す効果があります。そのため、動画では16:9のアスペクト比が一般的ですが、撮影に使用するカメラによっては、被写体や撮影内容に応じて3:2や1:1などにアスペクト比が切り替えられるものがあります。なお3:2は、デジタルカメラで静止画を撮影する際の一般的なアスペクト比です。

アスペクト比「16:9」

▶デジタルビデオカメラなどの映像入力機器、テレビやパソコンディスプレイなどの出力機器のほとんどで採用される、映像向けの標準的なアスペクト比。

アスペクト比「4:3」

▲フルHD登場以前の標準だったアスペクト比。画角が狭いぶん、16:9に比べてより被写体を強調して見せる効果がある。

アスペクト比「1:1」

▲SNSの投稿用動画としてよく利用されているアスペクト比。スマートフォンで撮影されることが多く、機種によっては39:18といった変則的なアスペクト比になることもある。

アスペクト比「3:2」

▶一般的なデジタルカメラでの標準的な静止画向けアスペクト比。

SECTION

CHAPTER 00 ▶ Premiere Pro の基本

19 動画制作のワークフローを理解する

動画制作が可能な環境を整えたら、いよいよワークフロー（作業の流れ）についてを考えてみましょう。素材の準備と取捨選択、作品のストーリー決定などの事前準備を経て、動画を編集・アレンジするのが一般的な流れになります。

▶ 作品完成までに必要なステップは？

実際に動画制作を始める前に、まずどんな作品を作りたいのか、そのためにどんな手順を踏む必要があるのかを考えてみましょう。考えをまとめることがそのまま動画制作のワークフローになります。以下はPremiere Proを中心に据えたワークフローの例ですが、これは必要最小限のものです。作品の内容によっては、スタッフの手配やストーリー（台本）作成のステップが必要になることもあります。

制作準備
動画や写真の撮影
音声の録音
BGMの準備
パソコンへの各素材の読み込み

素材の配置・組み立て
Premiere Pro へ必要な素材の読み込み
素材の取捨選択
シーケンスへのクリップの配置
クリップの再生順序の組み立て

動画の編集・アレンジ
不要な部分をカットするトリミング編集
トランジションによる特殊効果
エフェクトによる特殊効果
タイトルを使ったアレンジ
カラー調整

作品の仕上げ
用途に応じた形式への書き出し
ウェブサイトでの公開
オーサリング
VR動画対応
外部アプリを使ったさらなるアレンジ

▲Premiere Proを使う場合のワークフロー例。各種素材の準備、素材の取捨選択からスタートして、それらをPremiere Proで組み立て、アレンジするまでの基本的なワークフローは、どのような内容の作品を作る場合でも変わらないはずだ。

▶ 制作準備

動画の制作には、動画はもちろん、必要に応じて音声、写真など、さまざまな素材が必要になります。最初にテーマを決めておけば、素材を効率的に収集できるはずです。収集した素材は、Premiere Proがインストールされているパソコンからアクセスできるよう、デジタルデータとして保存しておきましょう。

▲Premiere Proでは、動画をはじめとするさまざまなメディアファイルを作品の素材として使える。事前にパソコンに読み込んでおこう。

▶ 素材の配置と組み立て

準備ができたら、いよいよPremiere Proでの作業に入ります。まずは動画や音楽、写真などの素材をPremiere Proのプロジェクトに読み込みます。読み込んだ素材の取捨選択に便利なのが、＜プロジェクト＞パネルや＜メディアブラウザー＞パネルです。ここから使用する素材を＜タイムライン＞パネルのシーケンスにドラッグ＆ドロップし、再生順に動画を配置します。

▲素材の取捨選択とシーケンスへの配置といった作業をする場合は、プロジェクトの読み込んだ素材を大きなサムネイルで表示してくれる＜アセンブリ＞ワークスペースがおすすめだ。

編集とアレンジ

素材を再生順に並べるだけでは、視聴者に訴求する作品にはなり得ません。場面転換時にアニメーション効果を付けたり、必要な部分にテロップを表示したりしてアレンジすることで、作品の訴求力は格段にアップします。Premiere Proには、多彩なアレンジ機能が搭載され、ドラッグ＆ドロップ主体の操作で動画に彩りを加えることができます。

▲エフェクトやトランジション、カラー調整といった機能を使って、動画の雰囲気を一変させるようなアレンジができる。

▲動画上にテキストを入力することもできる。さらに、テキスト自体にアニメーション効果を設定することも可能。

作品の仕上げ

Premiere Proで制作した動画作品は、視聴者に見てもらう形式に書き出すことで完成します。Media Encoder（P.078参照）を使うことで、さまざまな形式に書き出すことができます。また、ワンランク上の仕上がりにしたい場合は、Adobe After Effectsなどの外部アプリを利用することも有用です。

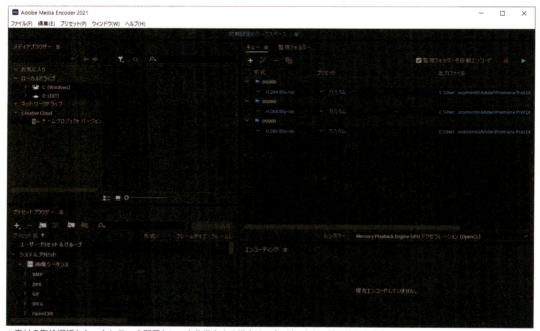
▲素材の取捨選択とシーケンスへの配置といった作業をする場合は、プロジェクトの読み込んだ素材を大きなサムネイルで表示してくれる＜アセンブリ＞ワークスペースがおすすめだ。

CHAPTER
▼
01

THE PERFECT GUIDE FOR PREMIERE PRO

[クリップ管理]

SECTION CHAPTER 01 ▶ クリップ管理

01 「クリップ管理」機能を理解する

Premiere Proでの作業の基本単位となるのが「プロジェクト」です。また、映像や音声、静止画などの素材のことを「クリップ」といいます。どちらも操作説明の際に頻出する用語なので、覚えておきましょう。

▶「プロジェクト」とは？

Premiere Proで最初に作成する「プロジェクト」は、作品の素材となる動画を集めて整理し、再生順に並べる、加工する、ファイルとして書き出すという、一連の作業のための専用スペースと理解しておきましょう。プロジェクトを保存しておくことで、次回以降も、同じ環境、同じ素材を使って作業を続けることができます。なお、プロジェクトは拡張子が「.prpproj」のファイルとして保存されます。

▲Premiere Proで、動画などの素材の読み込みから管理、編集、加工、書き出しなどの一連の作業をするための環境のことを「プロジェクト」と呼ぶ。本章で解説する素材の管理や設定はすべて、プロジェクト単位で行う。

▶「クリップ」とは？

P.034で解説したとおり、Premiere Proでは動画や音声、静止画といった素材を自由に組み合わせて、1つの映像作品を作ることができます。これらの個々の素材のことを、動画編集アプリでは「クリップ」といいます。Premiere Proでは、＜プロジェクト＞パネルに使用するクリップを読み込み、管理、利用できます。

◀ Premiere Proでは、＜プロジェクト＞パネルにクリップを読み込んでから編集作業を行う。

Premiere Proでクリップとして読み込む素材

映像（＋音声）　　静止画　　音声

▲Premiere Proでクリップとして読み込めるのは、映像、静止画（写真）、効果音やBGM用音楽の3種類。それぞれの対応ファイルについては、P.034を参照。

▶「ビン」とは？

1つのプロジェクトに読み込んだクリップの数が多くなると、目的のクリップを見つけづらくなります。そのような場合は、「ビン」を使ってクリップを整理しましょう。ファイルとフォルダーの関係にたとえると、ファイルはクリップ、ビンはフォルダーになり、クリップを整理するための「入れ物」と考えるとよいでしょう。

ビン　　クリップ

▲ビンはクリップを入れて整理できる「入れ物」。ファイルに対するフォルダーと同じで、＜プロジェクト＞パネルで作成することができる（P.064参照）。

SECTION 02

CHAPTER 01 ▶ クリップ管理

プロジェクトを作成する

Premiere Proでは、初めて起動したときだけでなく、以降も自由にプロジェクトを作成できます。現在とは別のクリップを使った映像を制作したい場合などは、以下のように操作してプロジェクトを新規作成し、必要に応じて切り替えるとよいでしょう。

▶ プロジェクトを新規作成する

プロジェクトを作成するには、以下のように操作します。なお、Premiere Pro CCを起動したときに表示される＜スタート＞ウィンドウから新規作成することもできます。プロジェクトを作成すると、拡張子が「.prproj」のプロジェクトファイルが生成されます。以降はプロジェクトファイル単位で素材管理や編集を行います。

1 メニューをクリックする

＜ファイル＞メニューをクリックして❶、＜新規＞→＜プロジェクト＞をクリックします❷。Ctrl+Alt+Nキー（Macではcommand+option+Nキー）を押しても同様です。

2 ファイル名を入力する

＜名前＞にプロジェクトファイル名を入力して❶、＜場所＞にプロジェクトファイルの保存先を指定し❷、＜OK＞をクリックします❸。

CHECK!

初期設定では、プロジェクトファイルの保存先として、＜ドキュメント＞フォルダー内のフォルダーが指定されています。これを変更するには、左図で＜参照＞をクリックして、目的のフォルダーを指定します。

3 プロジェクトが作成される

新たなプロジェクトが作成され、そのプロジェクトが開いた状態になります。タイトルバーや＜プロジェクト＞パネルのタブに、プロジェクト名が表示されます。

新しいプロジェクトに切り替わる

▶ 別のプロジェクトに切り替える

現在作業中のプロジェクトを、別のプロジェクトに切り替えたい場合は、以下のように操作します。なお、作業中のプロジェクトが保存されていない状態で以下の手順1の操作をすると、直後に保存するかどうかを確認するメッセージが表示されます。その場合は、＜はい＞をクリックして作業状態を保存してから別のプロジェクトに切り替えるようにしましょう。

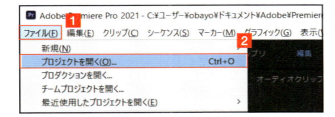

1 プロジェクトを開く

＜ファイル＞メニューをクリックして1、＜プロジェクトを開く＞をクリックします2。Ctrl+Oキー（Macの場合はcommand+Oキー）を押しても同様です。

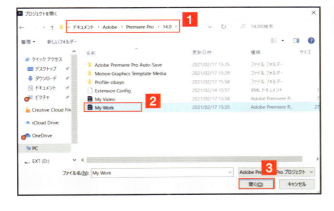

2 ファイルを選択する

プロジェクトファイルの保存先フォルダーを指定し1、目的のファイルをクリックして2、＜開く＞をクリックします3。

POINT

レンダラーの切り替え

前ページ手順2の画面では、＜レンダラー＞のリストからレンダラーを切り替えることができます。レンダラーとは動画の再生を担うプログラムのことです。お使いのパソコンが搭載しているグラフィックスプロセッシングユニット（GPU）によって、選択できるレンダラーは異なります。使用可能な場合は、GPU対応レンダラーを選ぶと、Premiere Proでの処理が高速化されます。

SECTION 03 / CHAPTER 01 ▶ クリップ管理

ビデオをパソコンに取り込む

撮影した動画や写真などをクリップとして使うには、カメラやメモリーカードからパソコンの内蔵ドライブ、あるいは外付けの作業用ドライブなどにそれらをコピーしておきましょう。

▶ メモリーカード内の動画ファイルの保存先を開く

現在市販されているカメラのほとんどは、SDHCカードやXQDカードなどのメモリーカードに動画や写真を記録する仕組みになっています。ただし、メーカーごと、あるいは動画のファイル形式ごとに、メモリーカード内で動画が保存されているフォルダーが異なることがあるので、使用するカメラのマニュアルなどを確認しましょう。以下はソニーのカメラで使用したメモリーカードの場合の操作方法です。

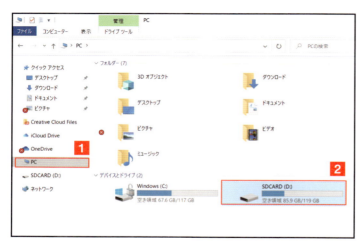

1 メモリーカードをセットする

パソコンにメモリーカード、あるいはカメラを接続し、エクスプローラーのサイドバーの＜ PC ＞をクリックして①、メモリーカードのアイコンをダブルクリックします②。

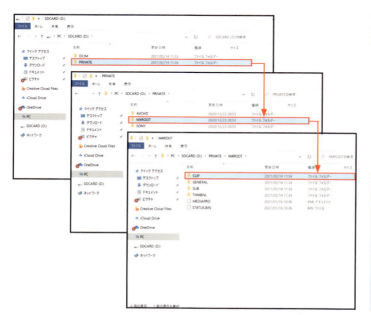

2 フォルダーを開く

ソニーのカメラの場合、静止画は＜ DCIM ＞フォルダー、動画（MPEG-4形式）は＜ PRIVATE ＞→＜ M4ROOT ＞→＜ CLIP ＞フォルダーに保存されているので、目的のフォルダーを開きます。

POINT

AVCHD の場合
AVCHD（P.035参照）で撮影した動画は、メモリーカード内の＜ AVCHD ＞→＜ BDMV ＞→＜ STREAM ＞フォルダーに保存されています。

▶ メモリーカードから動画ファイルをコピーする

メモリーカード内の動画や静止画などの素材は、そのままでも Premiere Pro に読み込んで使用できますが、メモリーカード上のデータを直接編集することは、データ消失やメモリーカード破損の原因となるため、推奨されません。以下のように操作して、パソコンの内蔵ディスクなどにコピーしておきましょう。以下の手順は Windows パソコンでのものですが、Mac ではファイルをドラッグ＆ドロップしてコピーします。

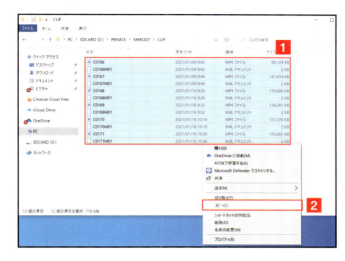

1 ファイルを選択してコピーする

メモリーカード内のファイルを選択して **1**、右クリックすると表示されるメニューから、＜コピー＞をクリックします **2**。

POINT

XML ファイル
カメラの機種によっては、動画ファイルと同名の XML 形式のファイルが保存されています。このファイルは動画のメタデータを格納しているもので、専用アプリでの動画編集時に必要になることがあります。

2 パソコン内のフォルダーに貼り付ける

パソコンの内蔵ドライブ、あるいは外付けドライブ内の任意のフォルダーをエクスプローラーで開き、ウィンドウ内を右クリックして **1**、表示されるメニューから＜貼り付け＞をクリックします **2**。

3 メモリーカードからコピーされる

メモリーカードから動画ファイルがコピーされます。

SECTION 04 ファイルをプロジェクトに読み込む

CHAPTER 01 ▶ クリップ管理

パソコンに保存された動画ファイルを素材として使うには、プロジェクトに読み込みます。読み込まれた素材はクリップとなり、以降はPremiere Pro上で利用、管理します。

▶ ファイルを読み込む

プロジェクトに動画などのファイルを読み込むには、以下のように操作します。読み込みといっても、プロジェクトにもとの動画ファイルへのリンクが作られるだけで、元ファイルが別の場所に移動されたり、コピーされたりするわけではありません。そのため、読み込み先のプロジェクトファイルのファイルサイズが肥大化することもありません。

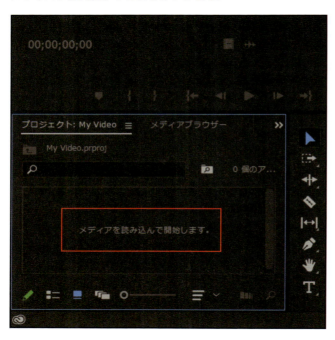

1 <プロジェクト>パネルをダブルクリックする

プロジェクトパネルの余白部分をダブルクリックします。または、<ファイル>メニューをクリックして、<読み込み>をクリックしても同様です。

2 動画ファイルを選択する

<読み込み>ウィンドウが表示されるので、動画ファイルの保存先を指定し 1 、読み込む動画を選択して 2 、<開く>をクリックします 3 。なお、複数の動画を選択するには、Ctrl (Mac では command) キーを押しながらアイコンをクリックします。

3 プロジェクトに読み込まれる

手順 2 で選択した動画ファイルが＜プロジェクト＞パネルに読み込まれます。それぞれの動画ファイルの名前とサムネイル、再生時間が表示されます。

CHECK!

ここでは動画ファイルをプロジェクトに読み込んでいますが、音声ファイルや静止画ファイルの場合も操作方法は同じです。ただし、読み込めるのは Premiere Pro が対応しているファイル形式のみです（P.034 参照）。

▶ フォルダーごと読み込む

動画や静止画、音声のファイルは、ファイル単位だけでなく、フォルダー単位で Premiere Pro のプロジェクトに読み込むことができます。この場合、＜プロジェクト＞パネルにはもとのフォルダー名と同じ名前のビン（P.047 参照）が自動作成され、その中にフォルダー内のファイルが読み込まれます。

1 ＜読み込み＞を表示する

前ページ手順 1 と同様に操作して＜読み込み＞ウィンドウを表示しておきます。読み込むフォルダーを選択して 1、＜フォルダーを読み込み＞（Mac の場合は＜読み込み＞）をクリックします 2。

2 ビンが作成される

手順 1 で選択したフォルダーと同名のビンが＜プロジェクト＞パネルに作られます。この中に元フォルダー内の動画や音声ファイルが読み込まれています。

POINT

プロジェクトファイルを読み込む

動画や静止画などのファイルと同様の操作で、Premiere Pro で作ったプロジェクトファイル（P.046 参照）も＜プロジェクト＞パネルに読み込むことができます。読み込み時に＜読み込まれたアイテム用のフォルダーを作成＞をオンにすると、プロジェクト名のビンが作成され、その中に Premiere Pro で編集済みのクリップが保存されます。

SECTION | CHAPTER 01 ▶ クリップ管理

05 連番の写真をビデオとして読み込む

複数の静止画ファイルに連番を付けて読み込めば、静止画が番号順に再生される動画のクリップになります。連続撮影した写真を結合したり、写真をスライドショー化したりする用途に利用するとよいでしょう。

▶ 読み込みの準備をする

複数の写真を連続再生する動画として読み込むには、事前にファイル名に再生順の連番を付けておきます。ファイル名に連番を付けるには、Windowsでは連番でリネームする機能を備えたフリーウェアを使うと便利ですが、MacではFinderの標準機能で連番を付けることができます。また、必要に応じて読み込む動画のフレームレート（P.037参照）も指定しておきます。

1 連番ファイルを用意する

左の図のように、「Car-001.jpg」「Car-002.jpg」「Car-003.jpg」のような、名前に連番の付いたファイルを用意します。

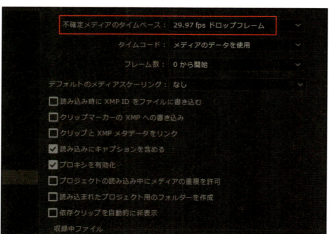

2 読み込み時のフレームレートを指定する

＜編集＞（Macでは＜Premiere Pro CC＞）メニューの＜環境設定＞→＜メディア＞とクリックすると表示される画面の＜不確定メディアのタイムベース＞で、目的のフレームレートを選択します。

CHECK!

Macでは、Finderの＜ファイル＞メニューから＜●項目の名前を変更＞をクリックすると表示される画面で、ファイル名の連番を付けることができます。

▶ 複数の静止画を読み込む

連番を付けた静止画ファイルを用意したら、Premiere Pro のプロジェクトに読み込みます。読み込み方法は動画ファイルや通常の静止画ファイルなどと同様ですが、＜読み込み＞ウィンドウで＜画像シーケンス＞にチェックを入れてから読み込むことで、連番の順番で再生される動画のクリップとなります。

1 メニューをクリックする

＜プロジェクト＞パネルの余白部分をダブルクリックするか、＜ファイル＞メニューの＜読み込み＞をクリックします。

2 ＜画像シーケンス＞にチェックを入れる

連番のファイルが保存されたフォルダーを指定して **1**、連番先頭のファイルを選択します **2**。＜画像シーケンス＞にチェックを入れ **3**、＜開く＞をクリックします **4**。

3 動画として読み込まれる

＜プロジェクト＞パネルに 1 つの動画として読み込まれます。初期設定では、読み込んだ静止画の枚数×1 秒が、動画の再生時間となります。

CHECK!

Mac では、手順 **2** の画面で＜オプション＞をクリックすると＜動画シーケンス＞が表示されるので、これにチェックを入れてから、Windows と同様の操作で連番の静止画ファイルを読み込みます。

SECTION 06 クリップを再生する

CHAPTER 01 ▶ クリップ管理

クリップは＜プロジェクト＞パネル内でそのまま再生できますが、サムネイルをダブルクリックすると、＜ソース＞パネルでも再生できます。＜ソース＞パネルでは、より大きな表示で再生できます。

▶ ＜ソース＞パネルで再生する

＜プロジェクト＞パネルの動画や静止画は、＜ソース＞パネルで再生できます。動画の内容を確認したり、細部までチェックしたりしたい場合は、大きく表示しながら再生できる＜ソース＞パネルでの再生が最適です。なお、＜プロジェクト＞パネル内でも動画の再生はできますが、表示サイズが小さいため、簡易的な再生用途になります。

1 サムネイルをダブルクリックする

＜プロジェクト＞パネルの動画のサムネイルをダブルクリックします。なお、サムネイルをクリックすると表示される＜再生＞をクリックしても簡易再生できます。

CHECK!

簡易再生ボタンが表示されない場合は、≡をクリックして表示されるメニューから＜すべてのポインティングデバイスのサムネールコントロール＞をクリックしてチェックを入れます。

2 ＜ソース＞パネルで再生される

＜ソース＞パネルに動画が表示されるので、＜再生／一時停止＞をクリックすると再生が開始されます。

SECTION 07 クリップをフレーム単位で再生する

動画の編集では、フレーム単位で被写体の動きを確認する場合もあります。フレーム単位で動画を動かすには、＜ソース＞パネルのタイムコードや再生ヘッドを左右にドラッグします。

▶ フレーム単位で再生する

1フレーム単位で動画の場面を切り替えるには、以下のように再生ヘッドをドラッグします。この操作は＜ソース＞、＜プログラム＞、＜タイムライン＞の各パネルで共通です。また、再生ヘッドをクリックして選択した状態で ← → キーを押すと、フレーム単位で再生できます。このように、再生ヘッドや ← → キーを使ってフレーム単位で再生することを「スクラブ再生」といいます。

1 動画を表示する

P.056と同様の操作で動画を＜ソース＞パネルに表示しておき、再生ヘッドをドラッグします。

2 フレーム単位で場面が切り替わる

再生ヘッドを移動した位置に場面が切り替わります。タイムコードをドラッグしても、同様にフレーム単位の場面切り替えが可能です。

― ズームスクロールバー
― タイムコード

CHECK!
ズームスクロールバーは、動画全体の経過時間を表す横軸の棒です。再生ヘッドがズームスクロールバー左端にある場合は動画の先頭、右端にある場合は動画の末尾となります。

CHECK!
ズームスクロールバーを右にドラッグすると、＜ソース＞パネルや＜プログラム＞パネルで時間軸を示す目盛りの幅が広くなるため、再生ヘッドのドラッグによるフレーム移動の操作がしやすくなります。

SECTION 08 再生画面を拡大表示する

CHAPTER 01 ▶ クリップ管理

動画の細部を確認したい場合は、ズーム機能で表示を拡大します。初期設定では動画の全体が表示されていますが、ズーム機能で最大400%の大きさまで拡大できます。

▶ 拡大／縮小表示する

＜ソース＞パネルの動画は、好きな場面で一部を拡大／縮小表示できます。場面の細部をチェックしたり、補正結果を確認したい場合などに表示倍率を切り替えます。あらかじめ拡大したい場面をスクラブ再生で表示しておき、＜ズームレベルを選択＞のリストから目的の表示倍率を選択します。なお、初期設定では＜ソース＞パネル内に全体を表示する＜全体表示＞が選択されています。

1 ＜ズームレベルを選択＞をクリックする

表示倍率を変えたい場面をスクラブ再生で表示しておき、＜ズームレベルを選択＞をクリックし■、目的の表示倍率をクリックします■。

2 動画が拡大される

指定した倍率で動画の中央部付近が拡大表示されます。表示位置を移動するには、＜ツール＞パネルで＜手のひらツール＞をクリックして、動画上をドラッグします。

SECTION 09 再生画面の表示品質を変更する

CHAPTER 01 ▶ クリップ管理

＜ソース＞パネルなどで動画を拡大表示したとき、動画が実際よりも悪い画質で表示されるのが気になる場合は、フル画質表示に切り替えます。ただし、フル画質表示にすると、動作が重くなる場合があります。

▶ 表示品質を変更する

4Kや8Kといった高精細動画を編集する場合、＜ソース＞パネルではシステムの負荷を低減するため、動画を低解像度に自動変換して表示します。もとの高精細な表示を確認したい場合は、＜再生時の解像度＞のリストから＜フル画質＞を選択します。また、より低負荷で再生したい場合は、＜1／4＞などの低解像度を選択するとよいでしょう。

1 ＜再生時の解像度＞から＜フル画質＞を選択する

＜ソース＞パネルの＜再生時の解像度＞をクリックして 1、表示されるリストから＜フル画質＞をクリックします 2。

2 ＜フル画質＞が設定される

＜フル画質＞が設定されました。

SECTION 10 再生画面のボタンをカスタマイズする

CHAPTER 01 ▶ クリップ管理

＜ソース＞パネルにははじめからいくつかのボタンが表示されていますが、ほかにもボタンは用意されていて、あとから追加できます。また、ボタンの配置を並べ替えることもできます。

▶ ボタンを追加する

＜ソース＞パネルのボタンは、追加／削除したり、配置を変えたりして自由にカスタマイズできます。ボタンのカスタマイズは、＜＋＞をクリックすると表示されるボタンエディターから操作します。ボタンエディターの表示中は、ドラッグ＆ドロップでボタンを並べ替えることができます。

1 ＜＋＞をクリックする

＜ソース＞パネルの＜＋＞をクリックします。

2 ボタンエディターが表示される

ボタンエディターから追加したいボタンを青い枠内にドラッグ＆ドロップして 1、＜OK＞をクリックします 2。

CHECK!

ボタンエディターで追加したボタンを削除するには、ボタンエディターの表示中に削除するボタンをパネル外にドラッグ＆ドロップします。

SECTION 11 クリップ名を変更する

CHAPTER 01 ▶ クリップ管理

Premiere Proに読み込んだクリップの名前は、もとの動画ファイルの名前がそのまま付けられますが、この名前は変更できます。クリップの編集がしやすいように、必要に応じて変更しましょう。

▶ ＜プロジェクト＞パネルでクリップの名前を変更する

Premiere Proに読み込んだクリップの名前は、＜プロジェクト＞パネルで変更できます。変更するには目的のクリップを選択しておき、パネルメニューの＜名前の変更＞をクリックします。なお、この方法で＜プロジェクト＞パネル内のクリップ名を変更しても、もとのファイルの名前は変更されません。

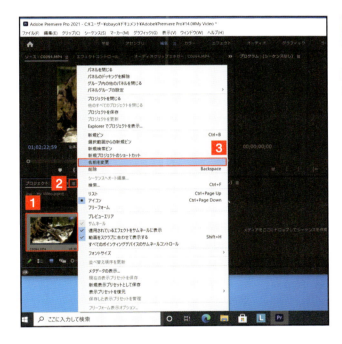

1 パネルメニューを表示する

＜プロジェクト＞パネルでクリップを選択し ①、パネルの ≡ をクリックして ②、＜名前を変更＞をクリックします ③。

2 名前が変更できる状態になる

手順①で選択したクリップの名前が変更可能な状態になります。このままクリップ名を入力して、[Enter]（Macでは[return]）キーを押します。

CHECK!

＜プロジェクト＞パネルでクリップ名部分をクリックしても、名前を変更可能な状態になります。

SECTION **12** CHAPTER 01 ▶ クリップ管理

クリップのアイコン表示/リスト表示を切り替える

＜プロジェクト＞パネルに読み込んだクリップの表示形式は、3種類用意されています。表示形式の切り替えは、＜プロジェクト＞パネル下部にあるボタンをクリックします。

▶ ＜プロジェクト＞パネルの表示形式を切り替える

＜プロジェクト＞パネルの画面下部にある＜リスト表示＞、＜アイコン表示＞、＜フリーフォーム表示＞のボタンをそれぞれクリックすると、表示形式が切り替わります。既定では、動画や静止画の内容をサムネイルでプレビューできるアイコン表示になっています。クリップやビンを一覧して見たい、フレームレートや再生時間を確認したい場合はリスト表示が、自由に並べたい場合はフリーフォーム表示が最適です。

アイコン表示

◀クリップをサムネイルでプレビューできる表示形式。クリップの内容をすばやく確認したい場合に利用しよう。

リスト表示

◀クリップを小型のアイコンで一覧できる表示形式。ビンの中身は▶をクリックして展開すると表示できる。

フリーフォーム表示

◀クリップのサムネイルをドラッグ＆ドロップして、好きな位置に配置できる表示形式。使用するクリップの候補を並べて比較するような場合に便利。

SECTION 13 クリップの表示サイズを変更する

CHAPTER 01 ▶ クリップ管理

＜プロジェクト＞パネルのクリップの表示サイズは、拡大／縮小できます。既定では最小サイズになっているため、プレビューが見づらい場合は、好みの大きさに調整しましょう。

▶ スライダーで拡大／縮小する

＜プロジェクト＞パネルの下部にある＜アイコンとサムネールのサイズを調整＞スライダーをドラッグすると、クリップの表示サイズを変更できます。

1 スライダーをドラッグする

＜アイコンとサムネールのサイズを調整＞スライダーを右方向にドラッグします。

2 クリップのサイズが変更される

サムネイルのサイズが大きくなります。スライダーを左方向にドラッグするとサイズが小さくなります。リスト表示の場合は、同様の操作でアイコンのサイズが大きくなります。

CHECK!

文字サイズを変えるには、パネルメニューから＜フォントサイズ＞をクリックして、サブメニューから目的のサイズを選択します。ただしこれは、リスト表示の場合のみです。

SECTION 14 ビンを作成して素材を整理する

CHAPTER 01 ▶ クリップ管理

プロジェクト内のクリップが増えてきたら、「ビン」を使って整理しましょう。ビンはクリップを自由に出し入れできる「入れ物」のようなものです。

▶ ビンを作成する

ビンを作成するには、＜プロジェクト＞パネルで＜新規ビン＞をクリックします。また、＜ファイル＞メニューの＜新規＞→＜ビン＞をクリックするか、Ctrl＋Bキー（Macの場合はcommand＋Bキー）を押しても同様です。作成したビンには、自由に名前を付けられるので、わかりやすい名前を付けておきましょう。

1 ＜新規ビン＞をクリックする

＜プロジェクト＞パネルで＜新規ビン＞をクリックします。

2 ビンが作成される

ビンが作成されるので、そのまま名前を入力して、Enterキー（Macではreturnキー）を押します。

CHECK!

ビンの名前をあとから変更するには、＜プロジェクト＞パネルでビンを選択し、さらに名前の部分をクリックして、名前を入力可能な状態にします。

▶ クリップをビンに入れる

ビンでクリップを整理するには、＜プロジェクト＞パネルで目的のクリップをビンのアイコンに重ねるようにドラッグ＆ドロップします。なお、ビンの中にあるクリップを外に出す場合は、＜プロジェクト＞パネルの表示をリスト表示（P.062参照）にしてから、目的のクリップを今入っているビンの外側にドラッグ＆ドロップします。

1 クリップをドラッグ＆ドロップする

クリップを選択し**1**、移動先のビンのアイコンに重ねるようにドラッグ＆ドロップします**2**。なお、複数のクリップをまとめて選択するには、Ctrlキー（Macではcommandキー）を押しながらクリップをクリックします。

2 クリップがビンに入る

手順**1**で選択したクリップがビンの中に入ります。ビンの中のクリップ数の表示が変化します。

▶ クリップを並べ替える

クリップを並べ替えるには、＜プロジェクト＞パネルの＜アイコンの並べ替え＞をクリックしてから、並べ替えの基準を選択します。なお、この方法で並べ替えられるのは、表示形式がアイコン表示の場合のみです。

1 並べ替えの基準を選択する

＜アイコンの並べ替え＞をクリックして**1**、並べ替えの基準を選択します**2**。

SECTION 15 ビンの中身を表示する

CHAPTER 01 ▶ クリップ管理

<プロジェクト>パネルのビンは、ダブルクリックすると別のタブにその中身が表示されます。また、ビンの中身を同じタブ内に表示したり、別パネルに表示したりできます。

▶ 別のタブにビンの中身を表示する

<プロジェクト>パネルでビンをダブルクリックすると、同じパネル内にそのビンのタブが追加され、そのタブにビンの中身が表示されます。タブをクリックすることで、もとの<プロジェクト>パネルの中身とビンの中身を行き来できるので、両者を比較しながら作業したい場合は、この方法でビンを開くとよいでしょう。

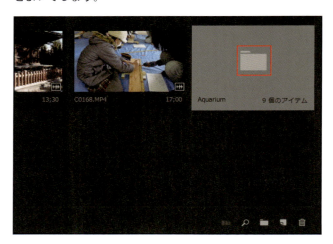

1 ビンをダブルクリックする

<プロジェクト>パネルで目的のビンをダブルクリックします。

2 タブが追加される

同じパネル（ウインドウ）にタブが追加され、そこにビンの中身が表示されます。クリップ一覧の左上に表示されるプロジェクト名の付いたボタンをクリックすると、上の階層に表示が切り替わります。

▶ ほかのビンの開き方をマスターする

ビンを開くたびにタブが追加されるのが煩わしい場合は、Alt キー（Mac では option キー）を押しながらビンをダブルクリックすると、独立した別パネル（ウインドウ）にビンの中身が表示されます。また、Ctrl キー（Mac では command キー）を押しながらダブルクリックすると、同じパネルの同じタブ内にビンの中身が表示されます。

1 別パネルでビンを開く

Alt キー（Mac では option キー）を押しながら、＜プロジェクト＞パネル内のビンをダブルクリックすると、別パネル（ウインドウ）が開き、そこにビンの中身が表示されます。

2 同じパネルの同じタブでビンを開く

Ctrl キー（Mac では command キー）を押しながら、＜プロジェクト＞パネル内のビンをダブルクリックすると、同じパネルの同じタブにビンの中身が表示されます。

POINT

ビンの開き方を変更する
＜編集＞（Mac では＜ Premiere Pro CC ＞）メニューで、＜環境設定＞→＜一般＞とクリックすると表示される画面では、ビンの開き方を選択できます。ここで好みの操作方法にカスタマイズしておくと、使いやすくなります。

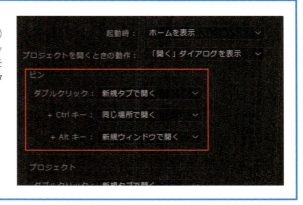

SECTION

16 クリップにラベルを付ける

CHAPTER 01 ▶ クリップ管理

クリップを整理する際に、ビンだけでなく「ラベル」も併用すると便利です。ラベルはリスト表示時の＜プロジェクト＞パネルや＜タイムライン＞パネルで、クリップを色分けする機能です。

▶ ラベルを付ける

クリップやビンには、ラベルを付けて色分けできます。以下のように操作することで、クリップやビンにラベルを設定できます。ラベルの色単位で、複数のクリップを選択することも可能です。なお、ラベルは＜プロジェクト＞パネルがどの表示形式の場合でも設定できますが、色分けされるのはリスト表示時のみになります。

1 クリップを右クリックする

ラベルを付けるクリップを選択して **1**、右クリックし **2**、メニューから＜ラベル＞→＜（ラベルカラー）＞をクリックします **3**。

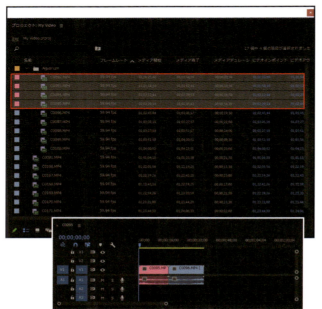

2 ラベルの色が変わる

手順 **1** で選択したクリップにラベルが設定され、リスト表示左端のボックスの色が変わります。また、＜タイムライン＞パネルに配置したクリップにも、ラベルの色が反映されます。

CHECK!

同じラベルのクリップを一括して選択するには、手順 **1** のメニューで＜ラベルグループを選択＞をクリックします。複数のクリップをまとめてビンに移動する、シーケンスに配置するといった場合に便利なテクニックです。

SECTION 17　ラベルの初期設定を変更する

CHAPTER 01 ▶ クリップ管理

ラベルにはそれぞれ、色の名前が付けられていますが、これを「採用候補」「削除予定」などの名前に変えておくと、あとから整理しやすくなります。ラベルの名前の変更は、Premiere Proの設定画面から操作します。

▶ ラベルの名前や既定の設定を変更する

ラベルの名前を、既定の色の名前から任意のものに変更するには、Premiere Proの設定画面を表示します。ここでは、ラベル名の変更のほか、各ラベルの色も変更することができます。また、ラベルの一覧の右側にある＜ラベルの初期設定＞では、クリップの種類ごとに初期設定で自動適用されるラベルを変更することもできます。

1 メニューをクリックする

＜編集＞（Macでは＜ Premiere Pro CC ＞）メニューをクリックし 1 、＜環境設定＞→＜ラベル＞をクリックします 2 。

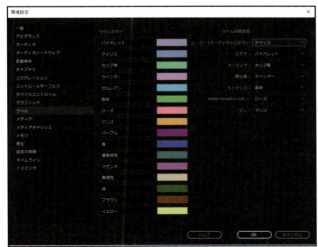

2 環境設定が表示される

環境設定の＜ラベル＞が表示されます。ラベルの一覧で各ラベルの名前を変更でき、＜ラベル初期設定＞でクリップの種類ごとの既定のラベルを変更できます。

> **CHECK!**
> 環境設定の＜ラベル＞で＜ラベルカラー＞の下にある各色のボックスをクリックすると、カラーピッカーが表示され、既定の色を別の色に変更できます。

SECTION CHAPTER 01 ▶ クリップ管理

18 クリップやビンを削除する

不要になったクリップやビンは、＜プロジェクト＞パネルから削除します。クリップやビンを削除しても、ファイルはもともと保存されていたフォルダーに残るので、再度読み込めばクリップとして使えます。

▶ プロジェクトからクリップを削除する

＜プロジェクト＞パネルからクリップを削除するには、以下のように操作します。クリップやビンが増えてくると、目的のクリップを探す手間が増えるので、不要になったものは積極的に削除しましょう。なお、ビンも同様の操作で削除できますが、ビンを削除するとその中に入っていたクリップも一緒に削除される点に注意しましょう。

1 ＜消去＞をクリックする

不要なクリップをクリックして選択し①、＜消去＞をクリックします②。

2 クリップが削除される

クリップが削除されます。削除の直後であれば、Ctrl（Macでは command ）＋ Z キーを押せばクリップがもとに戻ります。

削除された

SECTION | CHAPTER 01 ▶ クリップ管理

19 クリップやビンを非表示にする

クリップが増えすぎて整理が追い付かないけれど、あとで使う可能性もあるのでむやみに削除したくない…そんなときはクリップを非表示にします。一時的な対応策として覚えておくと便利なテクニックです。

▶ クリップを一時的に非表示にする

クリップやビンは、以下のように操作することで＜プロジェクト＞パネルから非表示にできます。使用するクリップの取捨選択や、増えすぎたクリップを整理する際などは、操作の対象ではないクリップやビンを非表示にしておくことで作業がしやすくなります。

1 クリップを右クリックする

非表示にするクリップを右クリックして**1**、表示されるメニューから＜非表示＞をクリックします**2**。

2 クリップが非表示になる

手順**1**で右クリックしたクリップが＜プロジェクト＞パネルから消えますが、実際はクリップは削除されていません。

― 非表示になった

CHECK!

非表示にしたクリップを再表示するには、＜プロジェクト＞パネルの余白部分を右クリックすると表示されるメニューで＜非表示のファイルを表示＞をクリックします。

SECTION 20 クリップの情報を確認する

CHAPTER 01 ▶ クリップ管理

クリップのファイル形式やファイルサイズなどの情報を確認したい場合は、＜プロパティ＞パネルを利用します。＜プロパティ＞パネルは、＜プロジェクト＞パネルのメニューから表示することができます。

▶ ＜プロパティ＞パネルを表示する

＜プロパティ＞パネルは、＜プロジェクト＞パネルで選択したクリップの各種情報を表示するためのパネルです。動画の場合、ファイル形式やファイルサイズ、解像度、フレームレート、総再生時間などの情報を表示できます。異なる設定で撮影した動画が1つのプロジェクトに混在している場合などは、シーケンスとして配置する前に情報を確認しておくようにしましょう。

1 クリップを右クリックする

情報を確認するクリップを右クリックして1、表示されるメニューから＜プロパティ＞をクリックします2。

2 ＜プロパティ＞パネルが表示される

＜プロパティ＞パネルが表示され、手順1で選択したクリップに関する各種情報が確認できます。

SECTION 21 プロジェクトを保存する／読み込む

CHAPTER 01 ▶ クリップ管理

Premiere Proでの作業を中断する場合は、プロジェクトを保存します。作業を再開するには、保存したプロジェクトを開きます。プロジェクトの開き方は、P.018、もしくはP.049を参照してください。

▶ プロジェクトを別名で保存する

プロジェクトを保存するには、＜ファイル＞メニューの＜保存＞あるいは＜別名で保存＞をクリックします。＜保存＞をクリックすると、作成済みのプロジェクトファイルに上書き保存されます。＜別名で保存＞をクリックすると、既存のプロジェクトファイルとは別のファイルとして保存できます。

1 メニューをクリックする

＜ファイル＞メニューをクリックして 1 、＜別名で保存＞をクリックします 2 。Ctrl + Shift + S キー（Mac では command + shift + S キー）を押しても同様です。

2 保存先を指定する

保存先フォルダーを指定して 1 、プロジェクトファイル名を入力し 2 、＜保存＞をクリックします 3 。

CHECK!

＜ファイル＞メニューの＜復帰＞をクリックすると、プロジェクトが最後に保存された状態に戻ります。

CHECK!

＜ファイル＞メニューの＜コピーを保存＞も、＜別名で保存＞と同様に、既存のプロジェクトファイルとは別に、まったく同じ作業内容を保存するためのコマンドです。プロジェクトファイルをバージョン管理している場合などに利用します。

SECTION CHAPTER 01 ▶ クリップ管理

22 プロジェクトの自動保存を設定する

プロジェクトは手動で保存するほか、一定時間ごとに自動的に保存することもできます。自動保存を設定しておけば、トラブルがあった場合でも、作業のやり直しを最小限に食い止めることができます。

▶ 自動保存を有効にする

自動保存機能を利用すると、作業中のプロジェクトが一定間隔ごとに、自動的に上書き保存されるようになります。手動で上書き保存する場合に比べて確実に作業状態を保全することができ、不意にアプリやパソコンがクラッシュした場合も被害を最小限にできるので、自動保存は必ず有効にしておきましょう。なお、初期設定では自動保存は有効になっており、15分間隔で自動的に上書き保存されます。

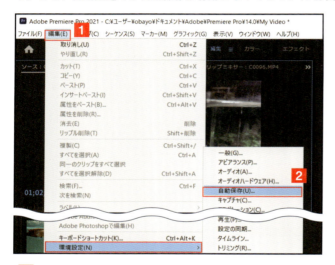

1 環境設定を表示する

＜編集＞（Macでは＜ Premiere Pro CC ＞）メニューをクリックして1、＜環境設定＞→＜自動保存＞をクリックします2。

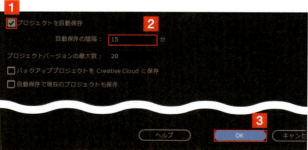

2 自動保存の設定を確認する

＜プロジェクトを自動保存＞にチェックが入っていることを確認します1。必要に応じて、自動保存の間隔を指定し2、＜ OK ＞をクリックします3。

POINT

プロジェクトバージョンの最大数

手順2の画面に表示される＜プロジェクトバージョンの最大数＞は、自動保存によってパソコンに蓄積されるバックアップファイルの最大保存数です。初期設定の「20」の場合、一定間隔ごとにその時点の作業状態を保存したバックアップファイルが最大20個作られることを意味します。20個目が作成された時点で、さらに自動保存された作業状態は、一番古いバックアップファイルに上書きされます。

SECTION CHAPTER 01 ▶ クリップ管理

23 作業ファイルの保存先を指定する

クリップの元ファイルが低速な外付けドライブなどに保存されていると、作業のボトルネックになる可能性があります。これにを回避するには、「スクラッチディスク」に高速なドライブなどを指定します。

▶「スクラッチディスク」の設定をする

「スクラッチディスク」は、Premiere Pro での作業中に自動的に生成され、その作業を高速化するための一時ファイルの保存先となるドライブです。スクラッチディスクは初期設定では、プロジェクトファイルと同じ場所に生成されますが、低速なドライブの場合、一時ファイルによる高速化の効果が得られなくなります。一部の作業が遅いと感じた場合は、以下のように操作して、スクラッチディスクとして高速なドライブを指定しておきましょう。

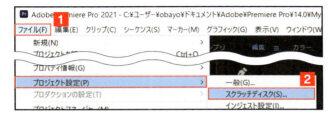

1 プロジェクト設定を表示する

＜ファイル＞メニューをクリックして①、＜プロジェクト設定＞→＜スクラッチディスク＞をクリックします②。

2 一時ファイルの保存先を指定する

作業ごとに作られる一時ファイルの保存先を個別に指定できます①。指定が完了したら、＜OK＞をクリックします②。

CHECK!

スクラッチディスクは、プロジェクトの新規作成時（P.048 参照）に表示される画面の＜スクラッチディスク＞タブからでも設定できます。

POINT

指定したフォルダーはときどき確認が必要

Premiere Pro での作業中は断続的に一時ファイルが作成されますが、作業が終了すると一時ファイルも自動的に削除されます。ただし、まれに一時ファイルが残ってしまうことがあるので、定期的に保存先を確認し、不要な一時ファイルは削除するようにしましょう。

SECTION 24 プロキシワークフローで編集負荷を軽減する

CHAPTER 01 ▶ クリップ管理

高解像度動画の編集では、プロキシ（代理）として低解像度動画を使用すると、パソコンへの負荷が軽減されて効率的に作業ができます。Premiere Proでは、動画をクリップとして読み込む際、自動的にプロキシを作成できます。

▶ プロキシ編集とは？

Premiere Proは4Kや8Kなどの高解像度動画を扱うことができますが、こうした素材をそのまま使うのは、パソコンのスペックによっては極端な処理速度の低下を招くことがあり、現実的ではありません。高解像度動画を編集する場合は、プロキシ（代理）ファイルを利用するのが一般的です。プロキシファイルは、高解像度の元動画から作成する低解像度動画のことで、これを元動画の代わりに素材として使うことで、編集時のパソコンへの負荷を低減できます。もちろん、動画を書き出す際には元動画と同じ解像度にできるため、最終的な品質には影響がありません。

プロキシ編集のワークフロー

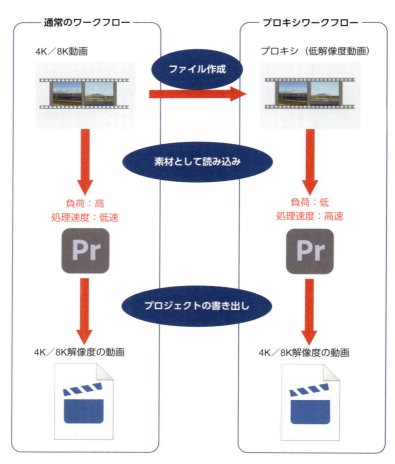

▲高解像度動画の編集を劇的に効率化できるプロキシワークフロー。最終的に出力される動画の品質は通常のワークフローとまったく変わらないので、プロキシを積極的に活用するのがおすすめだ。

▶ インジェストを有効にする

動画の読み込み時に自動的に低解像度動画のプロキシファイルを作成するように設定するには、以下のように操作して、「インジェスト」を有効にします。インジェストは本来、素材となるデータを編集環境に移動／コピーすることを意味する映像編集用語ですが、Premiere Pro ではプロキシファイルの自動生成機能を指します。下記の手順 2 の画面では、生成されるプロキシファイルの保存先を指定できますが、保存先には SSD など、なるべく高速なドライブを指定すると、作業がよりスムーズになります。なお、インジェストはプロジェクトごとに有効／無効を設定する必要があります。

1 インジェスト設定を表示する

＜ファイル＞メニューをクリックして1、＜プロジェクト設定＞→＜インジェスト設定＞をクリックします2。

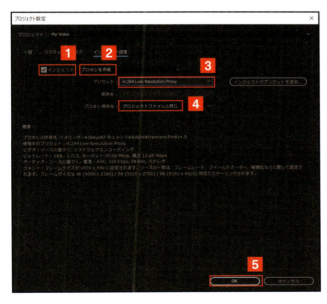

2 インジェストを有効にする

＜インジェスト＞にチェックを入れ1、その横のリストから＜プロキシを作成＞を選択して2、プリセット（プロキシの形式）を選択します3。必要に応じてプロキシファイルの保存先を指定し4、＜OK＞をクリックします5。

CHECK!

プロジェクトの新規作成時（P.048 参照）に表示される画面の＜インジェスト設定＞タブからでも設定できます。

POINT

Media Encoder で変換される

上記のように操作してインジェストを有効にすると、以降はプロジェクトに動画を取り込むたびに、Media Encoder（P.078, 362 参照）が起動して、低解像度のプロキシファイルが生成されます。

SECTION

25 既存のクリップからプロキシを作成する

CHAPTER 01 ▶ クリップ管理

インジェストを設定すると、以降に読み込む動画は自動的にプロキシが作成されますが、読み込み済みのクリップはそのままです。必要に応じて、既存のクリップもプロキシを作成しておきましょう。

▶ クリップをプロキシに変換する

すでにプロジェクトに読み込まれたクリップからプロキシファイルを作成するには、以下のように操作します。クリップをプロキシに変換する際には、別アプリのAdobe Media Encoder CC（以降「Media Encoder」と表記）が起動します。Media Encoderは、Adobe Premiereと一緒にインストールされます。

1 クリップを選択する

＜プロジェクト＞パネルでプロキシを作成するクリップを右クリックして**1**、＜プロキシ＞→＜プロキシを作成＞をクリックします**2**。

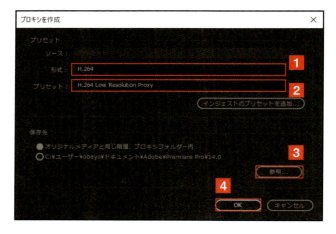

2 ファイル形式を選択する

プロキシファイルのファイル形式を選択して**1**、プリセット（解像度）を選択します**2**。必要に応じてプロキシファイルの保存先を指定して**3**、＜OK＞をクリックします**4**。

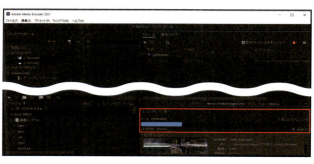

3 プロキシファイルが作成される

Media Encoderが起動して、クリップの元ファイルからプロキシファイルが自動的に作成されます。作成が完了したら、Media Encoderを終了させます。

SECTION 26 プロキシの映像を再生する

CHAPTER 01 ▶ クリップ管理

プロキシファイルを作成したクリップでも、＜ソース＞パネルや＜プログラム＞パネルでは元の品質で再生されます。プロキシファイルの品質で再生したい場合は、＜プロキシの切り替え＞をクリックします。

▶ プロキシファイルに切り替えて再生する

プロキシファイルは元の動画のクリップと区別が付かない形で、Premiere Pro での作業に使用されます。そのため、＜ソース＞パネルや＜プログラム＞パネルでの再生時でも、元の解像度で表示されますが、必要に応じて再生時の解像度をプロキシファイルのものに切り替えることができます。事前に＜ソース＞パネルや＜プログラム＞パネルに＜プロキシの切り替え＞ボタンを追加しておきましょう。

1 ボタンを追加しておく

P.060 のように操作して、＜ソース＞パネルに＜プロキシの切り替え＞を追加します❶。目的のクリップを＜ソース＞パネルに表示しておき、＜プロキシの切り替え＞をクリックします❷。

2 プロキシファイルに切り替わる

＜ソース＞パネルに表示される映像が、プロキシファイルのものに変わります。再度＜プロキシの切り替え＞をクリックすると、もとの表示に戻ります。

SECTION 27 CHAPTER 01 ▶ クリップ管理

クリップのリンクを確認する

プロジェクトに読み込んだファイルを別の場所に移動させたり、名前を変えたりすると、クリップと元ファイルの「リンク」が失われて素材として使えなくなります。その場合、リンクを修復します。

▶ クリップと元ファイルのリンクを修復する

プロジェクトに素材として読み込まれるのは、元ファイルそのものではなく、元ファイルがどこに保存され、どんな名前なのかを表す「リンク情報」です。そのため、元ファイルの保存場所や名前を変えてしまうとリンク情報が失われ、素材として使えなくなってしまいます。このような場合、プロジェクトを開く際に<メディアをリンク>ウィンドウが表示されるので、ここからリンク情報を再設定します。

1 <メディアをリンク>が表示される

プロジェクトを開く際、リンク情報が失われたクリップがあると、この画面が表示されます。修復するクリップを選択して**1**、<検索>をクリックします**2**。

2 元ファイルを選択する

元ファイルが保存されているフォルダーを選択して**1**、元ファイルを選択し**2**、< OK >をクリックします**3**。

CHECK!

<プロジェクト>パネルでアイコンに「?」が表示されたクリップは、リンク情報が失われています。このようなクリップのリンクを修復するには、クリップを右クリックして<メディアをリンク>をクリックします。

CHAPTER

02

THE PERFECT GUIDE FOR PREMIERE PRO

[カット編集]

SECTION 01 | CHAPTER 02 ▶ カット編集

「カット編集」機能を理解する

動画制作の基本となるのが「カット編集」です。具体的には、Premiere Proのプロジェクトに読み込んだクリップを再生順に並べ、不要な部分をトリミングすることが、主要な作業になります。

▶ シーケンスとは？

カット編集を始めるには、最初に「シーケンス」を作成します。シーケンスは「一連のもの、配列」という意味で、Premiere Proではクリップを再生順に並べた1本の映像のことを指します。
クリップはプロジェクトごとに＜プロジェクト＞パネルにまとめられており、基本的にここから目的のクリップを＜タイムライン＞パネルにドラッグ＆ドロップすることでシーケンスが作成されます。ただし、4KとフルHDといったように、仕様が異なるクリップを1つのシーケンスに混在させる必要がある場合は、事前にシーケンス全体の設定を済ませておく必要があります。

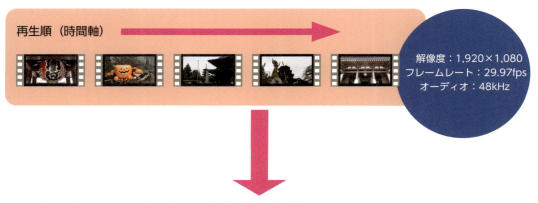

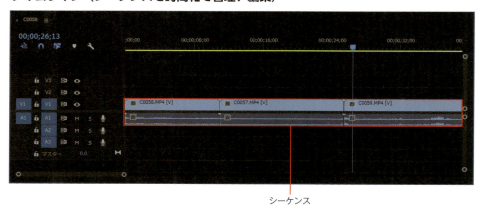

▲シーケンスはクリップを時間軸で管理し、再生順に並べるための入れ物と言える。シーケンスに対してカット編集を行う場所が＜タイムライン＞パネルとなる。

▶ カット編集とは？

Premiere Proでは、＜タイムライン＞パネルのシーケンスにクリップをドラッグ＆ドロップで配置し、再生させたい順序に並べる、クリップの不要部分をカット（トリミング）するといった作業がカット編集になります。Premiere Proには、カット編集に役立つさまざまなツールが用意されています。

◀シーケンスを作成すると＜タイムライン＞パネルに時間軸が表示される。ここに、＜プロジェクト＞パネルから映像や音声、静止画のクリップをドラッグ＆ドロップして並べる。

フレーム単位でトリミングできる

◀クリップの中で、不要な部分、冗長になってしまう部分は、必要に応じてカット（トリミング）する。トリミングは＜タイムライン＞パネル、あるいは＜ソース＞パネル、＜プログラム＞パネルで行える。

POINT

イン／アウトポイントとデュレーション

カット編集を行う前に覚えておきたいのが、「インポイント」「アウトポイント」「デュレーション」という3つの用語です。インポイントは映像や音声の「開始点」、アウトポイントは「終了点」、デュレーションはインポイントとアウトポイントで囲まれた映像や音声の「長さ」となります。インポイントとアウトポイントを設定し、使う映像だけを残すことが、カット編集におけるトリミングです。

インポイント　デュレーション　アウトポイント

CHAPTER 02　カット編集

SECTION CHAPTER 02 ▶ カット編集

02 プリセットから シーケンスを作成する

異なる仕様のクリップを1本の動画に混在させる場合は、最初に空のシーケンスを作成します。その際、最終的に出力する動画の仕様に合うプリセット（動画の仕様がまとめられたひな形）を選択します。

▶ プリセットを選択してシーケンスを作成する

プリセットは編集する動画の仕様がまとめられたものなので、使用するクリップの解像度やフレームレートに合わせて選択しましょう。たとえば、最終出力する動画をフルHDの解像度にしたい場合、以下のように解像度が「1920 × 1080 ピクセル」となっているものを選択します。

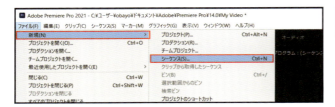

1 メニューをクリックする

＜ファイル＞メニューの＜新規＞→＜シーケンス＞をクリックします。Ctrl（Macの場合はcommand）+ N キーを押しても同様です。

2 プリセットを選択する

＜シーケンスプリセット＞タブをクリックして❶、左側の一覧から目的のプリセットを選択します❷。続いて＜シーケンス名＞にシーケンスの名前を入力して❸、＜OK＞をクリックします❹。

POINT

インターレースとプログレッシブ

ほとんどのプリセットは、「1080p24」「1080i30」など、「解像度（横幅）+ アルファベット + フレームレート」と表記されています。この中でアルファベットで表記されているのがプログレッシブ（p）とインターレース（i）です。これらは映像の表示方式で、プログレッシブは風景や静物などの精細な映像に向き、インターレースは動きの速い被写体を捉えた映像に向いています。

3 シーケンスが作成される

＜タイムライン＞パネルに空のシーケンスとその時間軸、トラックが表示されます。また、＜タイムライン＞パネルのタブにはシーケンス名が表示されます。

▶ シーケンスを開く／閉じる

シーケンスを作成すると、＜プロジェクト＞パネルにもシーケンスが追加されます。サムネイル右下のアイコンで、シーケンスとほかのクリップは区別できます。このシーケンスは映像や音声のクリップと同様に扱えるため、別のシーケンスにシーケンスを配置（シーケンスのネスト）して、長尺の映像を作ることもできます。

1 シーケンスをダブルクリックする

作成したシーケンスは＜プロジェクト＞パネルに追加され、図のようなアイコンが付きます。このシーケンスをダブルクリックします。

2 シーケンスが開く

＜タイムライン＞パネルでシーケンスが開きます。シーケンスのタブの✕をクリックすると、シーケンスが閉じられます。

SECTION CHAPTER 02 ▶ カット編集

03 クリップに合わせたシーケンスを作成する

＜プロジェクト＞パネルでシーケンスが開いていない状態で、ここにクリップをドラッグ＆ドロップすると、そのクリップの仕様に合うシーケンスが自動的に作られます。

▶ クリップをドラッグ＆ドロップしてシーケンスを作成する

空の状態の＜タイムライン＞パネルに、＜プロジェクト＞パネルからクリップをドラッグ＆ドロップしても、シーケンスが作成されます。このとき、最初に配置したクリップの解像度、フレームレートに合わせて、シーケンスの仕様が自動設定されます。作品に使用するクリップがすべて同じ仕様の場合、この方法でシーケンスを作成するのがかんたんです。

1 クリップをドラッグ＆ドロップする

＜プロジェクト＞パネルのクリップを、空の状態の＜タイムライン＞パネルにドラッグ＆ドロップします。

2 シーケンスが作成される

シーケンスが作成され、タイムラインにクリップが配置されます。シーケンスの名前は、クリップのファイル名がそのまま付けられます。

CHECK!

空の＜タイムライン＞パネルにビンをドラッグ＆ドロップすると、ビン内のクリップがまとめてタイムラインに配置されます。

POINT

異なる仕様のクリップを配置すると？

作成済みのシーケンスに、そのシーケンスとは仕様が異なるクリップを配置しようとすると、メッセージが表示されます。このとき、＜シーケンス設定を変更＞をクリックすると、シーケンスの仕様が新たに配置したクリップに合わせて変更されます。＜現在の設定を維持＞をクリックすると仕様は変更されません。

SECTION 04 クリップをドラッグ＆ドロップで挿入する

CHAPTER 02 ▶ カット編集

シーケンスにクリップを配置するには、クリップを＜タイムライン＞パネルの目的のトラック（縦位置）、時間軸（横位置）にドラッグ＆ドロップします。この操作を繰り返して、複数のクリップを並べます。

▶ ドラッグ＆ドロップで配置する

クリップはドラッグ＆ドロップでシーケンスに配置できます。以下の操作を繰り返して、動画を構成するクリップを再生順に並べましょう。このとき、クリップは再生ヘッドの位置や、すでに配置されているクリップの末尾、あるいは先頭にスナップ（吸着）するので、目的の位置に配置しやすくなっています。

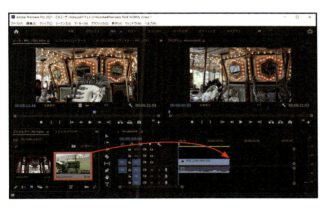

1 クリップをドラッグ＆ドロップする

＜プロジェクト＞パネルで目的のクリップを選択し、そのまま＜タイムライン＞パネルの目的の位置にドラッグ＆ドロップします。

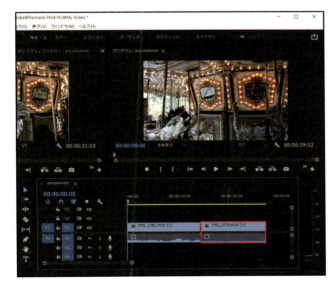

2 クリップが配置される

クリップがシーケンスに配置されます。

CHECK!

複数のクリップをまとめて配置するには、＜プロジェクト＞パネルで Shift あるいは Ctrl（Mac では command）キーを押しながらクリップを選択し、ドラッグ＆ドロップします。

SECTION 05 クリップを再生ヘッドの位置に挿入する

CHAPTER 02 ▶ カット編集

クリップはドラッグ＆ドロップだけでなく、メニューからシーケンスに配置することもできます。メニューから行う方法は、タイムラインの再生ヘッドのある位置に正確に配置できるというメリットがあります。

▶ 再生ヘッドの位置にクリップを配置する

クリップを秒単位、フレーム単位で正確に配置したい場合は、以下のように目的の位置に再生ヘッドを合わせておき、＜クリップ＞メニューから＜インサート＞または＜上書き＞をクリックします。2つのメニュー項目の違いは、異なるクリップを重ねて配置するときの挙動の違い（P.090 参照）なので、以下のように単一のクリップを配置する場合はどちらを選んでも同じです。

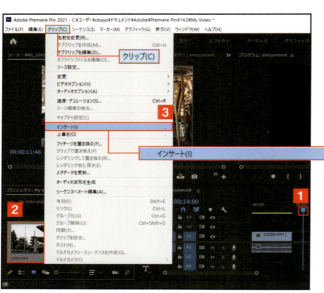

1 再生ヘッドの位置を決める

クリップを配置したい位置に再生ヘッドをドラッグして移動し❶、＜プロジェクト＞パネルで配置するクリップを選択して❷、＜クリップ＞メニューの＜インサート＞をクリックします❸。

2 クリップが配置される

再生ヘッドの位置を先頭にして、クリップが配置されます。

> **CHECK!**
>
> 再生ヘッドの位置を正確に決めるには、タイムコードをクリックして直接数値を入力すると便利です。また、←→キーを押すことでも細かく調整できます。
>
>

SECTION 06 | CHAPTER 02 ▶ カット編集

クリップを別のトラックに配置する

クリップは上下に重ねて配置することもできます。異なるクリップの映像を合成して演出効果を施したり、映像にBGMを付けたりする場合は、以下のように別トラックにクリップを重ねます。

▶ ドラッグ＆ドロップで別トラックに配置する

シーケンス上では映像、音声、静止画、文字、トランジションなどの演出効果のすべてが、独立したクリップとして並べられます。これらのクリップどうしを重ね合わせればさまざまな演出効果を得られますが、同じトラックにクリップを重ねることはできません。クリップを重ねるには、一方のクリップを別トラックに配置します。

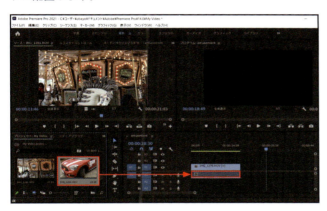

1 別トラックにドラッグ＆ドロップする

＜プロジェクト＞パネルから、クリップを＜V2＞のトラックにドラッグ＆ドロップします。

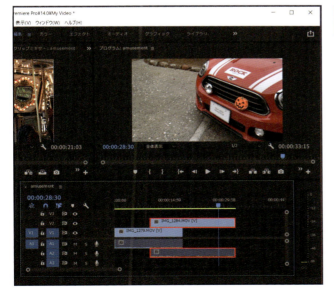

2 別トラックに配置される

映像のクリップが＜V2＞トラックに、音声が＜A2＞トラックに、それぞれ配置されます。

CHECK!

実際にシーケンスを再生すると、重なった部分の映像と音声は、番号の大きいトラックに配置したクリップのものが優先されて再生されます。

SECTION CHAPTER 02 ▶ カット編集

07 クリップを別トラックの指定した位置に配置する

メニューからクリップをシーケンスに配置する場合でも、配置先のトラックを指定することができます。この場合は、事前に目的のトラックのトラックヘッダーをクリックして配置の予約をしておきます。

▶ ソースのパッチを切り替える

指定したトラックの再生ヘッドの位置にクリップを正確に配置する場合も、＜クリップ＞メニューの＜上書き＞あるいは＜インサート＞をクリックします。P.088の操作との違いは、事前に配置先のトラックヘッダーにある＜挿入や上書きを行うソースのパッチ＞をクリックして、トラックを指定しておく点です。

1 ソースのパッチを設定する

＜タイムライン＞パネルでクリップの配置位置に再生ヘッドを移動しておき①、目的のトラックの＜挿入や上書きを行うソースのパッチ＞をクリックして②、ソースのパッチを切り替えます。例では、＜V2＞と＜A2＞のトラックに切り替えています。

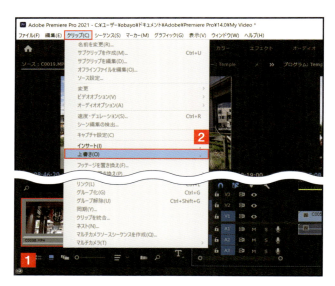

2 メニューをクリックする

＜プロジェクト＞パネルで配置するクリップを選択しておき①、＜クリップ＞メニューの＜上書き＞をクリックします②。

3 クリップが別トラックに配置される

クリップがソースのパッチを設定したトラックに配置されます。

SECTION 08 クリップを上書きする

すでにシーケンスに配置済みのクリップに別のクリップを重ねるようにドラッグ＆ドロップすると、クリップが上書きされます。

▶ クリップを別のクリップで上書きする

既存のクリップの一連の映像の中に別の映像を差し込みたい、既存クリップを新しいクリップに置き換えたい場合は、以下のように操作して新しいクリップを上書きします。重ね方によっては、既存クリップが自動的にトリミング、あるいは分割されます。

1 クリップをドラッグ＆ドロップする

＜タイムライン＞パネルの既存のクリップに重ねるように、＜プロジェクト＞パネルから新たなクリップをドラッグ＆ドロップします。ここでは既存のクリップ「C0057.mp4」に重ねます。

2 クリップが上書きされる

既存のクリップ「C0057.mp4」が、新たなクリップ「C0059.mp4」に上書きされます。既存のクリップの重なった部分は、新たなクリップの映像に置き換えられます。

POINT

メニューから上書きする

メニューからクリップをシーケンスに配置する場合は、＜クリップ＞メニューの＜上書き＞をクリックすると、再生ヘッドのある位置に新たなクリップが上書きされます（P.090参照）。

SECTION 09 クリップをクリップ間に挿入する

CHAPTER 02 ▶ カット編集

クリップの間に別のクリップを挿入するには、Ctrl（Macではcommand）キーを押しながら目的の位置にクリップをドラッグ＆ドロップします。

▶ クリップ間に別のクリップを挿入する

同じトラック内でクリップどうしを重ねると、通常は上書き（P.091参照）になり、重ねられたクリップの一部、あるいはすべてがタイムラインから消えてしまいます。ドラッグ＆ドロップで重ねる際にインサートモードに切り替えることで、既存のクリップはそのままで、新たなクリップを目的の位置に挿入することができます。挿入位置よりあとに配置されていたクリップは、そのままタイムラインの右方向にスライドします。

1 キーを押しながらドラッグする

＜タイムライン＞パネルの既存のクリップの間に、＜プロジェクト＞パネルから新たなクリップを Ctrl（Macでは command）キーを押しながらドラッグ＆ドロップします。

2 クリップが挿入される

既存のクリップ「IMG_1284.MOV」と「IMG_1279.MOV」の間に、新たなクリップ「IMG_1281.MOV」が挿入されます。

POINT
メニューから挿入する
メニューからクリップをシーケンスに配置する場合は、＜クリップ＞メニューの＜インサート＞をクリックすると、再生ヘッドのある位置に新たなクリップが挿入されます（P.088参照）。

POINT
1本のクリップ内にドラッグすると？
インサートモードで、既存の1本のクリップの途中にドラッグ＆ドロップすると、既存のクリップは分割されて（P.098参照）、その間に新たなクリップが挿入されます。

SECTION 10 クリップの長さを変えずに置き換える

CHAPTER 02 ▶ カット編集

すでにシーケンスに配置済みのクリップを別のクリップに置き換えるには、メニューの＜クリップで置き換え＞コマンドを利用します。このコマンドを利用すると、クリップの長さを変えずに置き換えられます。

▶ ＜クリップで置き換え＞コマンドを利用する

＜クリップで置き換え＞コマンドは、シーケンス上の既存のクリップの長さを維持したまま別のクリップに置き換えるためのものです。シーケンス全体の長さを変えたくない、あるいは後続のクリップに影響を与えずにクリップを置き換えたいといった場合に利用するとよいでしょう。既存クリップより置き換えるクリップが長い場合は、置き換えるクリップの末尾がトリミングされます。置き換えるクリップが長い場合は、映像と音声のないクリップで余白が埋められます。

1 メニューをクリックする

＜プロジェクト＞パネルでクリップを選択し①、＜タイムライン＞パネルで既存のクリップを右クリックして②、＜クリップで置き換え＞→＜ビンから＞をクリックします③。

2 クリップが置き換えられる

シーケンスのクリップが、＜プロジェクト＞パネルで選択したクリップに置き換えられます（ここでは「IMG_1284.MOV」から「IMG_1281.MOV」）。クリップの長さは、置き換えられたクリップと同じになるように自動調整されます。

POINT

＜クリップで置き換え＞のサブメニュー

＜クリップで置き換え＞のサブメニューである＜ソースモニターから＞と＜ソースモニターから（マッチフレーム）＞をクリックすると、＜ソース＞パネルに表示しているクリップで、シーケンスに配置されているクリップが置き換えられます。

SECTION 11 CHAPTER 02 ▶ カット編集

ツールを利用する

＜ツール＞パネルには、さまざまな操作を行うためのツールがまとめられています。とくにクリップの選択やトリミング（P.100参照）を行うためのツールは、頻繁に使うことになります。

▶ 各ボタンの役割を確認する

＜タイムライン＞パネルでクリップを選択、削除、移動、トリミングする場合は、＜選択ツール＞や＜リップルツール＞といった各種ツールを使用します。使用するツールは、＜ツール＞パネルで目的のボタンをクリックすることで選択できます。また、ツールの中にはボタンを長押ししてメニューから切り替えるものもあります。

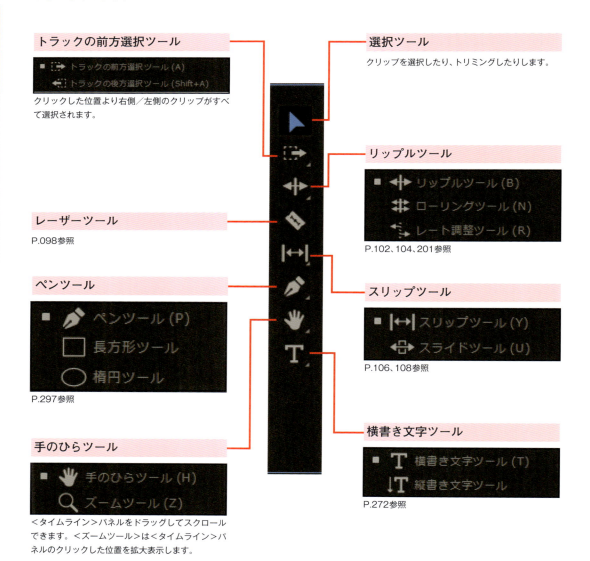

トラックの前方選択ツール
クリックした位置より右側／左側のクリップがすべて選択されます。

レーザーツール
P.098参照

ペンツール
P.297参照

手のひらツール
＜タイムライン＞パネルをドラッグしてスクロールできます。＜ズームツール＞は＜タイムライン＞パネルのクリックした位置を拡大表示します。

選択ツール
クリップを選択したり、トリミングしたりします。

リップルツール
P.102、104、201参照

スリップツール
P.106、108参照

横書き文字ツール
P.272参照

SECTION 12 クリップを選択する

CHAPTER 02 ▶ カット編集

クリップはクリックすることで選択できます。クリップの選択は、クリップをタイムライン内の好きな位置に移動したり、削除したりするために必要になる基本操作です。

▶ クリックしてクリップを選択する

Premiere Pro でさまざまな編集や加工を行うにあたって、クリップの選択は基本中の基本となる操作です。選択されたクリップはグレーになるので、ほかのクリップとひと目で見分けがつくようになっています。

1 クリップをクリックする

＜ツール＞パネルで＜選択ツール＞をクリックし■、＜タイムライン＞パネルで、目的のクリップをクリックします■。

2 クリップが選択される

クリップが選択されます。選択中のクリップはグレーの背景色になります。

CHECK!

クリップの選択を解除するには、ほかのクリップをクリックして選択するか、＜タイムライン＞パネルの余白部分をクリックします。

SECTION 13 クリップをまとめて選択する

CHAPTER 02 ▶ カット編集

シーケンスに配置された複数のクリップをまとめて移動したい、削除したいというような場合は、最初に複数のクリップを選択します。複数のクリップを選択するには、Shiftキーを押しながらクリックします。

▶ 複数のクリップを選択する

＜タイムライン＞パネルで複数のクリップを選択するには、Shiftキーを押しながらクリップをクリックする方法と、＜タイムライン＞パネル上をドラッグすると表示される枠でクリップを囲む方法があります。複数のクリップに対して、同じ操作をしたい場合などは、いずれかの方法でクリップを選択しておきましょう。

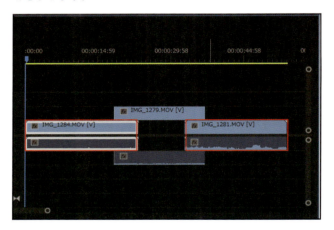

1 Shiftキーを押してクリックする

1つのクリップをクリックして選択しておき、Shiftキーを押しながら別のクリップをクリックします。

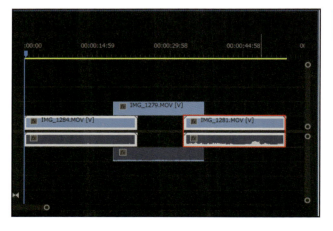

2 複数のクリップが選択される

Shiftキーを押しながらクリックしたクリップが追加選択されます。

CHECK!

＜プロジェクト＞パネルでは、Ctrl（Macではcommand）キー、あるいはShiftキーを押しながらクリップをクリックすることで複数選択できますが、＜タイムライン＞パネルではShiftキーのみで複数選択できます。

SECTION 14 クリップを移動する

CHAPTER 02 ▶ カット編集

シーケンスに配置したクリップの再生位置を変えたい場合は、クリップを移動させます。タイムライン内の別の位置に移動したい場合は、目的のクリップを選択してから、目的の位置にドラッグします。

▶ ドラッグしてクリップを移動する

シーケンスの時間軸（横方向）でのクリップの位置は、映像の再生順序に直結します。クリップの再生位置を前後にずらしたい、クリップの再生順序を入れ替えたいといった場合は、クリップを左右方向にドラッグして移動します。また、上下にドラッグすることで、クリップを配置するトラックを変えることもできます。

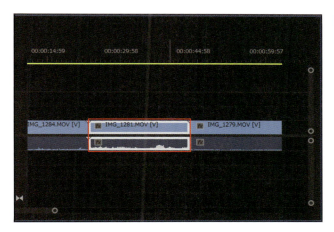

1 クリップを選択する

移動するクリップをクリックして選択します。

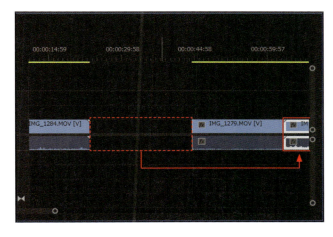

2 クリップをドラッグする

クリップを横方向にドラッグすると、同一トラック内の別の位置にクリップが移動します。

CHECK!

正確な位置にクリップを移動したい場合は、あらかじめ目的の位置に再生ヘッドを移動しておき、その位置にクリップをドラッグします。再生ヘッドにクリップが吸着するので、狙った位置に移動しやすくなります。

SECTION 15 クリップを分割する

CHAPTER 02 ▶ カット編集

配置したクリップは、任意の位置で分割することができます。分割したクリップ間にトランジションなどの特殊効果を挿入したり、再生時間の長いクリップを短くしたりするといった用途で使用します。

▶ 任意の位置でクリップを分割する

クリップを任意の位置で分割するには、＜レーザーツール＞を使用します。あらかじめ分割位置に再生ヘッドを移動しておけば、＜プログラム＞パネルでその場面を確認しながら分割することができて便利です。

1 ＜レーザーツール＞に切り替える

＜ツール＞パネルで＜レーザーツール＞をクリックして■、クリップの分割位置にポインタを合わせ、クリックします■。

2 クリップが分割される

クリックした位置でクリップが分割されます。

POINT

分割したクリップをもとに戻す

クリップの分割直後であれば、[Ctrl]（Macでは[command]）＋[Z]キーを押すことで、分割を取り消すことができます。それ以外の方法で分割したクリップをもとに戻すには、分割した一方のクリップを削除してから、もう一方のクリップを＜選択ツール＞を使ってドラッグし、もとのデュレーションにします。

SECTION 16

CHAPTER 02 ▶ カット編集

クリップを複製する

シーケンスに配置したクリップから、まったく同じ内容のクリップを複製することができます。クリップの複製は、同じ場面の繰り返し再生や逆再生、スローモーション再生などの演出に活用できる機能です。

▶ ドラッグして複製する

クリップを複製するには、Alt（Macではoption）キーを押しながら目的の位置にドラッグ＆ドロップします。また、クリップを選択してCtrl（Macではcommand）+ Cキーを押してコピーし、複製したい位置に再生ヘッドを移動してからCtrl（Macではcommand）+ Vキーを押すことでも複製できます。

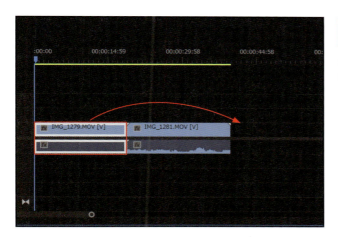

1 Altキーを押しながらドラッグする

複製するクリップをAlt（Macではoption）キーを押しながら目的の位置にドラッグ＆ドロップします。

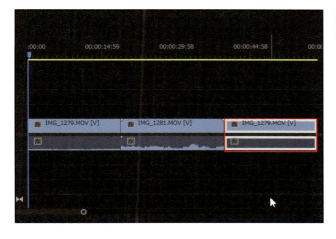

2 クリップが複製される

ドラッグ＆ドロップした位置にクリップの複製が作成されます。

SECTION

CHAPTER 02 ▶ カット編集

17 選択ツールでトリミングする

クリップの不要部分をカットして、必要な部分だけを残すことを「トリミング」といいます。Premiere Proにはさまざまなトリミング方法がありますが、まずは「選択ツール」の使い方をマスターしましょう。

▶ クリップの両端をドラッグしてトリミングする

<タイムライン>パネルでクリップをトリミングするには、<選択ツール>を利用します。<選択ツール>では、クリップの左右両端に表示されるマーカーをドラッグして、クリップの残したい部分を囲むようにすると、囲まれた範囲外のクリップをシーケンスから除外できます。除外といっても実際にデータが削除されるわけではないので、いつでもクリップをもとの長さに戻すことができます。

1 <選択ツール>に切り替える

<ツール>パネルの<選択ツール>をクリックします。

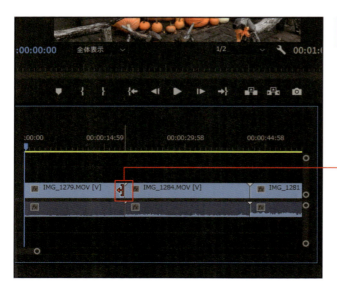

2 クリップの端にポインタを合わる

トリミングするクリップ左右端のいずれかにポインタを合わせると、ポインタの形が図のように変わります。

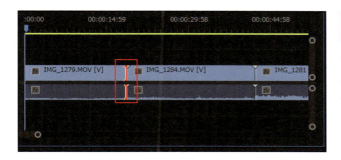

3 アウトポイントマーカーを表示する

手順2でポインタの形が変わった位置でクリックすると、赤いマーカーが表示されます。図で表示されているのは、クリップの終端部分に表示されるアウトポイントマーカーです。

4 ドラッグする

アウトポイントマーカーを左方向にドラッグします。ドラッグ中は＜プログラム＞パネル左に現在ポインタがある位置の映像、右にドラッグを開始した位置の映像が表示されます。

5 トリミングされる

目的の位置でマウスのボタンを放すと、クリップがトリミングされ短くなります。トリミングによってできたクリップ間の隙間（ギャップ）はそのままです。

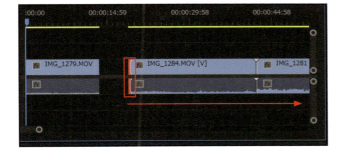

6 インポイントマーカーを表示する

＜選択ツール＞でクリップの左端をクリックすると、インポイントマーカーが表示されます。これを右にドラッグしてもトリミングできます。

CHECK!
トリミングでは、クリップを短くすることは可能ですが、もとのデュレーションを越えて長くすることはできません。

CHECK!
トリミングしたクリップをもとに戻すには、目的のクリップのインポイントマーカー、あるいはアウトポイントマーカーを表示して、それぞれをトリミング時とは逆方向にドラッグします。

SECTION CHAPTER 02 ▶ カット編集

18 ＜リップルツール＞でトリミングする

＜リップルツール＞を使うと、＜タイムライン＞パネル上でクリップの左右両端いずれかをドラッグしてトリミングできます。トリミングでクリップが短くなると生じるギャップは、自動的に埋められます。

▶ ＜リップルツール＞を使う

トリミングと同時に、カットされた部分のギャップを自動的に埋めるのが＜リップルツール＞です。トリミングの方法は＜選択ツール＞と同じで、クリップの両端をドラッグするだけです。ドラッグ中は、トリミングの開始位置と現在のポインタの位置の場面が＜プログラム＞パネルに表示されるので、トリミング前後の場面を比較しながら作業できます。

1 ＜リップルツール＞に切り替える

＜ツール＞パネルで＜リップルツール＞をクリックします。

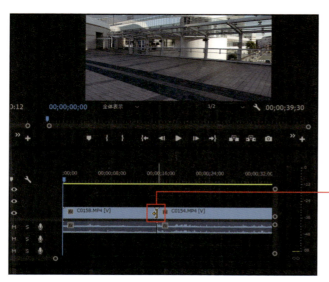

2 ポインタを移動する

ポインタを＜タイムライン＞パネルのクリップの左右端いずれかに合わせると、ポインタの形が図のように変わるので、ドラッグします。

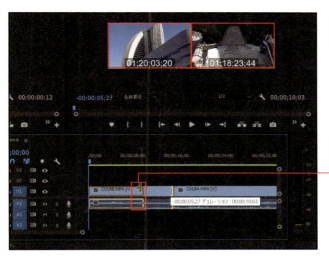

3 場面を確認する

ドラッグ中は、＜プログラム＞パネルの左に現在のポインタの位置、右にドラッグの開始位置の場面が表示されます。

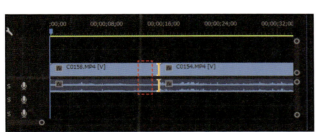

4 トリミングされる

マウスのボタンを放すとトリミングされます。トリミングで消去された部分に発生するギャップは、後続のクリップが左方向に移動して自動的に埋められます。

▶ トリミングしたクリップをもとのデュレーションに戻す

＜リップルツール＞を使えばトリミングしたクリップをもとのデュレーションに戻すこともできます。トリミングしたクリップの左右端いずれかにポインタを合わせ、トリミングしたときとは逆方向にドラッグします。この場合、もとに戻したクリップの右側に隣接するクリップの再生位置は自動的に後ろにずれます。

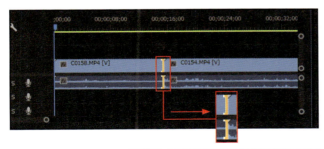

1 クリップの端をドラッグする

＜リップルツール＞に切り替えて、トリミングしたクリップの右端を右方向にドラッグします。

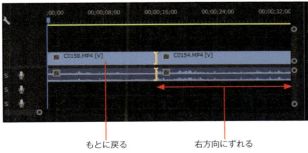

2 クリップのデュレーションがもとに戻る

クリップのデュレーションがもとに戻り、右側に隣接するクリップの位置もそれに合わせて右方向にずれます。

もとに戻る　　　右方向にずれる

103

SECTION 19 ＜ローリングツール＞でトリミングする

＜ローリングツール＞を使うと、隣接する2つのクリップのトリミング範囲を同時に変更できます。このツールでは、隣接する2つのクリップの一方を長く、もう一方を短くします。

▶ ＜ローリングツール＞によるトリミング

連続する2つのクリップがともにトリミング済みのとき、2つのクリップのデュレーションを変えずに、トリミングする範囲を変更したい場合は、＜ローリングツール＞を利用すると便利です。＜ローリングツール＞では、1回の操作で同時に、2つのクリップの一方のデュレーションを短く、もう一方を長くできます。

▲＜ローリングツール＞は、隣接するクリップのアウトポイントとインポイントを同時に移動させる。クリップAとBの境界を右にドラッグすると、Aのデュレーションが長く、Bは短くなるが、全体のデュレーションは変化しない。

▶ ＜ローリングツール＞を使う

＜ローリングツール＞は、＜リップルツール＞のメニューから選択できるほか、＜選択ツール＞を選択しておき、クリップの境界付近にポインタを合わせてから Ctrl （Macでは command ）キーを押すことでもすばやく呼び出せます。この場合、キーを押したままクリップの境界線付近を左右にドラッグします。

1 ＜選択ツール＞を選択する

＜ツール＞パネルの＜選択ツール＞をクリックします。

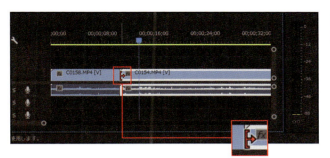

2 クリップ間にポインタを移動する

トリミング範囲を変更したいクリップ間にポインタを移動します。

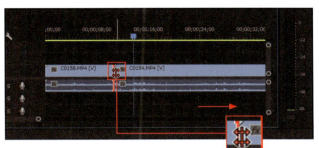

3 Ctrl キーを押す

Ctrl（Mac では command ）キーを押すと、ポインタの形が図のように変わるので、そのままドラッグします。

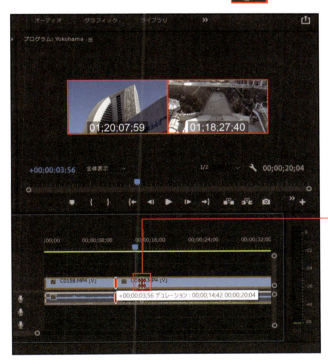

4 ポインタ位置の場面が表示される

ドラッグ中は＜プログラム＞パネルの左に左側のクリップ、右に右側のクリップのポインタ位置の場面が表示されます。

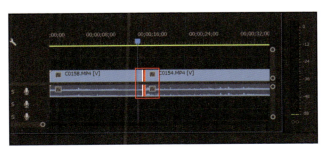

5 トリミング範囲が変わる

全体のデュレーションは変わらずに、隣接するクリップそれぞれのトリミング範囲が変わります。

SECTION 20 <スリップツール>でトリミングする

CHAPTER 02 ▶ カット編集

トリミングしたクリップを対象に、クリップのデュレーションは変えずに、動画として残す場面だけを変えたいという場合は、<スリップツール>を使用して、目的のクリップ上をドラッグします。

▶ <スリップツール>によるトリミング

<スリップツール>は、トリミング済みのクリップをドラッグして、トリミングで残す（表示する）場面を調整できるツールです。<スリップツール>でトリミング位置を調整してもクリップのデュレーションは変わらないので、前後に隣接するクリップには影響を与えません。

トリミング済みクリップ

↓ スリップツールでクリップをドラッグ

▲<スリップツール>は、ドラッグしたクリップのアウトポイントとインポイントの位置を同時に移動させる。クリップを左にドラッグすると、トリミングで残される場面が変わる。

▶ <スリップツール>を使う

<スリップツール>を使用するには、最初に<ツール>パネルで<スリップツール>に切り替えておきます。続いて、目的のクリップの上にポインタを合わせて、左右にドラッグします。

1 <スリップツール>に切り替える

<ツール>パネルで<スリップツール>をクリックします。

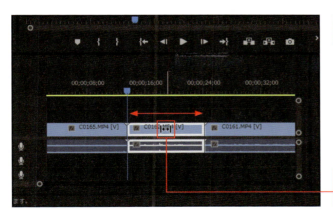

2 ポインタを合わせる

目的のクリップ上にポインタを移動すると、ポインタの形が図のように変わるので、そのままクリップを左右にドラッグします。

3 ポインタ位置の場面が表示される

クリップのドラッグ中は、左上に隣接する左のクリップのアウトポイント **1**、右上に右のクリップのインポイント **2**、左下にドラッグ中のクリップのインポイント **3**、右下にそのアウトポイント **4** の場面が表示されます。

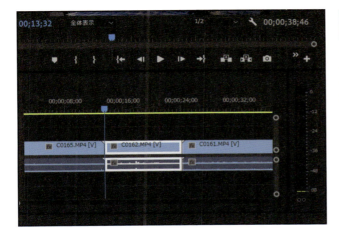

4 トリミング位置が変わる

マウスのボタンを放すと、トリミング位置が変更されます。クリップのデュレーションは変わらないので、シーケンスのクリップの見た目は変わりません。

SECTION 21 <スライドツール>でトリミングする

前後のクリップのトリミング範囲を変えたいが、中央のクリップだけは変えたくないという場合は、<スライドツール>を使います。

● <スライドツール>によるトリミング

全体のデュレーションは変えずに、3つの連続するクリップのうち、左右2つのクリップのトリミング範囲を変更するには、<スライドツール>を使います。<スライドツール>で3つのうち中央のクリップをドラッグすると、左右2つのクリップの一方が短く、もう一方が長くなります。

▲<スライドツール>は、ドラッグしたクリップはそのままで、前に隣接するクリップのアウトポイント、後に隣接するクリップのインポイントを同時に移動させる。クリップBを右にドラッグすると、AとCのトリミング範囲とデュレーションが同時に変わる。

● <スライドツール>を使う

<スライドツール>を使用するには、最初に<ツール>パネルで<スライドツール>に切り替えておきます。続いて、目的のクリップにポインタを合わせて左右にドラッグすることで、そのクリップに隣接する前後のクリップのデュレーションを変えることができます。

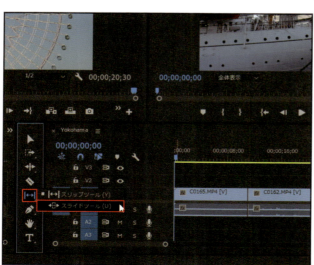

1 <スライドツール>に切り替える

<ツール>パネルで<スリップツール>を長押しし、メニューから<スライドツール>をクリックします。

2 ポインタを合わせる

目的のクリップ上にポインタを移動すると、ポインタの形が図のように変わるので、そのままクリップを左右にドラッグします。

3 ポインタ位置の場面が表示される

クリップのドラッグ中は、左上にドラッグ中のクリップのインポイント**1**、右上にそのアウトポイント**2**、左下に左に隣接するクリップのアウトポイント**3**、右下に右に隣接するクリップのインポイント**4**の場面が表示されます。

4 左右のクリップのデュレーションが変わる

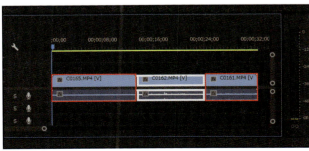

マウスのボタンを放すと、ドラッグしたクリップに隣接する左右のクリップのデュレーション、トリミング範囲が変わります。クリップ全体のデュレーションは変わりません。

SECTION 22 <ソース>パネルでトリミングする

CHAPTER 02 ▶ カット編集

シーケンスに配置する前のクリップに対しても、トリミングが可能です。トリミングを済ませてからシーケンスに配置したい場合は、<ソース>パネルでインポイントとアウトポイントを指定します。

▶ インポイント/アウトポイントを指定する

<ソース>パネルで<プロジェクト>パネルにあるクリップを開き、以下のように操作するとトリミングで残す範囲を指定できます。以降、このクリップを<タイムライン>パネルにドラッグ＆ドロップすると、インポイントとアウトポイントで囲まれた範囲だけがシーケンスに配置されます。

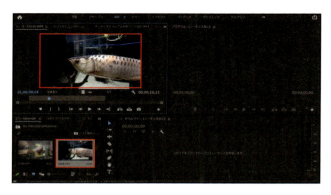

1 <ソース>パネルにクリップを表示する

<プロジェクト>パネルでトリミングするクリップをダブルクリックして、<ソース>パネルに映像を表示します。

2 インポイントマーカーを付ける

<ソース>パネル下部のタイムラインにある再生ヘッドをドラッグして、インポイントにする位置まで移動し❶、<インをマーク>をクリックします❷。

3 再生ヘッドを移動する

手順❷で再生ヘッドを移動した位置にインポイントマーカーが付けられます❶。さらに再生ヘッドをドラッグして、アウトポイントにする位置まで移動します❷。

4 一部分が選択される

＜アウトをマーク＞をクリックすると、手順3で再生ヘッドを移動した位置にアウトポイントマーカーが付けられます。2つのマーカーで囲んだ範囲の背景がグレーになり、この範囲が選択されていることを示します。

CHECK!

トリミングの範囲をあとから変更するには、＜ソース＞パネルのタイムラインに表示されたインポイントマーカーとアウトポイントマーカーをドラッグします。

▶ 選択範囲を移動する

インポイントマーカーとアウトポイントマーカーで囲んだ範囲は、デュレーションはそのままで別の場面に変えることができます。一度範囲選択したあとで、やはり別の場面を選択したいといった場合は、以下のように操作します。

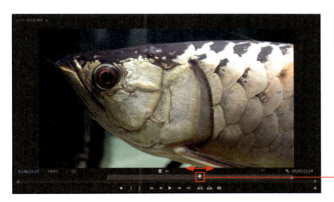

1 タイムラインにポインタを合わせる

選択範囲の中央付近にポインタを合わせると、ポインタの形が図のように変わります。そのまま左右いずれかにドラッグします。

2 選択範囲が変わる

デュレーションは変わらずに、選択範囲が変わります。

CHECK!

タイムラインを右クリックすると表示されるメニューから、＜インを消去＞＜アウトを消去＞をクリックすると、いずれかのマーカーを消去できます。また、＜インとアウトを消去＞をクリックすると、両方を消去できます。

SECTION **CHAPTER 02 ▶ カット編集**

23 ＜プログラム＞パネルでトリミングする

トリミングは、＜プログラム＞パネルで実際の映像を大きく表示しながら行うこともできます。＜プログラム＞パネルでのトリミングは、クリップ単位ではなく、シーケンス単位で行います。

▶ トリミングする範囲を指定する

＜プログラム＞パネルでも、＜ソース＞パネルでのトリミングと同様に、インポイントマーカーとアウトポイントマーカーでトリミング後に残す範囲を囲みます。＜プログラム＞パネルでの操作対象は、シーケンス全体となるため、複数のクリップにまたがるトリミングが可能です。

1 再生ヘッドをドラッグする

＜プログラム＞パネルで再生ヘッドをドラッグします。

2 ＜インをマーク＞をクリックする

トリミングの開始位置に再生ヘッドを移動したら①、＜インをマーク＞をクリックするか②、キーボードの I キーを押します。

POINT

イン／アウトポイントを削除する

指定したイン／アウトポイントを削除するには、＜プログラム＞パネル上で右クリックし、＜インを消去＞あるいは＜アウトを消去＞をクリックします。

3 インポイントが指定される

再生ヘッドの位置にインポイントが追加されます。再生ヘッドをドラッグします。

4 ＜アウトをマーク＞をクリックする

トリミングの終了位置に再生ヘッドを移動したら**1**、＜アウトをマーク＞をクリックするか**2**、キーボードの[O]キーを押します。

5 アウトポイントが指定される

再生ヘッドの位置にアウトポイントが追加されます。インポイントとアウトポイントに囲まれ、タイムラインの背景が薄いグレーになっている範囲が、トリミングされます。

CHECK!

＜プログラム＞パネルで指定したイン／アウトポイントはそれぞれ、左右にドラッグすることで位置を変えることができます。トリミング範囲を微調整する場合などに行うとよいでしょう。

6 ＜タイムライン＞パネルでも範囲が指定される

＜プログラム＞パネルで指定したイン／アウトポイントは、＜タイムライン＞パネルに反映されます。ここでは、2つのクリップにまたがる範囲を指定しています。

▶ トリミングする

＜プログラム＞パネルでイン／アウトポイントを指定したあと、＜リフト＞、＜抽出＞のいずれかのボタンをクリックすると、イン／アウトポイントで囲んだ範囲がトリミングされます。＜リフト＞の場合はトリミング範囲がギャップ（P.116参照）となって残り、＜抽出＞はギャップが自動的にカットされます。

1 ＜リフト＞をクリックする

＜プログラム＞パネルでイン／アウトポイントを指定した状態で、＜リフト＞をクリックします。

CHECK!

＜リフト＞を行う場合、＜タイムライン＞パネルでトラック番号（V1、V2、V3など）が青色になっているトラックのみが有効になります。

2 トリミングされてギャップが生じる

イン／アウトポイントで囲んだ範囲がトリミングされ、トリミングした部分がギャップになります。

3 ＜抽出＞をクリックする

＜プログラム＞パネルでイン／アウトポイントを指定した状態で、＜抽出＞をクリックします。

CHECK!

＜リフト＞、＜抽出＞でトリミングされた部分は、＜タイムライン＞パネルで再生ヘッドを目的の場所まで移動し、＜編集＞→＜ペースト＞をクリックすると、再生ヘッドの位置に移動します。

4 トリミングされて後続のクリップが前に詰められる

イン／アウトポイントで囲んだ範囲がトリミングされ、生じたギャップを埋めるために後続のクリップが前に詰められます。

SECTION 24 クリップをタイムラインから削除する

CHAPTER 02 ▶ カット編集

シーケンスに配置したクリップが不要になった場合は、削除します。シーケンスからクリップを削除しても、もとの動画ファイルはもちろん、＜プロジェクト＞パネルのクリップも削除されません。

▶ ショートカットキーでクリップを削除する

クリップを削除するには、シーケンスで目的のクリップを選択してから Backspace キー（Macでは delete キー）を押します。また、クリップを右クリックすると表示されるメニューや、＜編集＞メニューの＜消去＞をクリックしても同様です。

1 クリップを選択する

クリップをクリックして選択します。

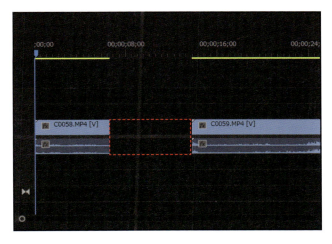

2 Backspace キーを押す

Backspace キー（Macでは delete キー）を押すと、選択したクリップが削除されます。

CHECK!

複数のクリップを選択してから（P.096参照） Backspace キー（Macでは delete キー）を押すと、クリップをまとめて削除できます。

SECTION

25 クリップ間のスペースを削除する

CHAPTER 02 ▶ カット編集

クリップをトリミングしたり、削除したりすると、削除した部分に余白ができることがあります。この余白を「ギャップ」といいます。ギャップは演出意図がない限り、なるべく作らないようにしましょう。

▶ ギャップを解消する

ギャップがあると、シーケンスの再生時にはその部分は背景が黒くなり、無音になります。特定の演出意図がない限り、なるべくギャップは作らないようにします。トリミングやクリップの削除などでギャップが発生してしまった場合は、＜リップル削除＞のコマンドを使います。＜リップル削除＞によって、ギャップの右側にあるクリップすべてがギャップのぶん左方向にまとめて移動されます。

1 ギャップを右クリックする

ギャップのある部分を右クリックして**1**、表示される＜リップル削除＞をクリックします**2**。

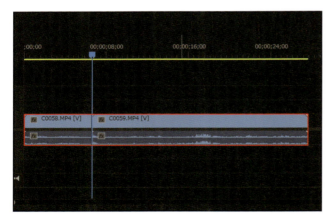

2 ギャップが解消される

ギャップの右側にあるクリップがすべて左方向に移動され、ギャップが解消されます。

POINT

クリップを削除してギャップを解消する
＜リップル削除＞のコマンドは、ギャップだけでなく、クリップの削除でも使用できます。クリップを削除する場合は、削除されたクリップの長さのぶん、右側にあるすべてのクリップが左方向に移動され、ギャップが発生しません。

SECTION 26 タイムラインの映像から元クリップを探す

CHAPTER 02 ▶ カット編集

クリップにエフェクトやカラー調整などの加工をする場合、加工前と加工後の映像を並べて表示しておくと便利です。このような表示にするには、＜マッチフレーム＞コマンドを利用します。

▶ ＜マッチフレーム＞を利用する

＜マッチフレーム＞コマンドを実行すると、現在＜プログラム＞パネルに表示しているクリップのフレームの映像と同じものが、ソースパネル上に左右に並べて表示されます。エフェクトやカラー調整の対象となるのは＜プログラム＞パネルに表示されたクリップのみで、＜ソース＞パネルのクリップには影響しません。そのため、加工前後を比較しながら作業することができます。

1 ＜マッチフレーム＞をクリックする

＜プログラム＞パネルにクリップを表示しておき、＜シーケンス＞メニューの＜マッチフレーム＞をクリックするか、キーボードの F キーを押します。

2 ＜ソース＞パネルに同じクリップが表示される

＜ソース＞パネルに＜プログラム＞パネルと同じクリップ、同じフレームの映像が表示されます。

POINT

＜逆マッチフレーム＞を利用する

手順 1 の画面に表示されている＜逆マッチフレーム＞コマンドは、＜マッチフレーム＞コマンドとは逆に、＜ソース＞パネルに表示されているフレームの映像を＜プログラム＞パネルに表示するためのものです。＜ソース＞パネルに表示されたクリップがシーケンスに配置されていない場合は動作しません。

SECTION

CHAPTER 02 ▶ カット編集

27 重複したクリップをピックアップする

長尺のシーケンスを再生してみると、同じクリップが別々の位置に重複して配置されていたということが起こり得ます。そんな場合は、重複フレームマーカーを使って重複クリップを確認します。

▶ 重複フレームマーカーを利用する

長尺の映像作品を作る場合、シーケンスには多くのクリップが並ぶことになります。クリップの配置や入れ替えなどを繰り返しているうちに、同じクリップを別々の位置に配置してしまうこともあります。演出意図ではなく重複してしまったクリップは、シーケンスから一方を削除しましょう。重複したクリップを見つけるには、重複フレームマーカーを使います。

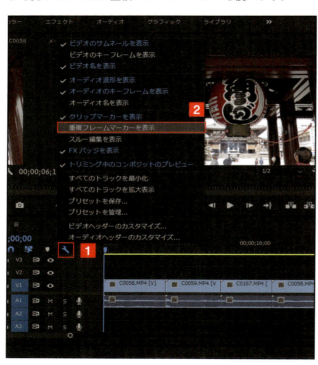

1 <重複フレームマーカーを表示>をクリックする

<タイムライン>パネルの<タイムライン表示設定>をクリックして **1**、表示されるメニューで<重複フレームマーカーを表示>をクリックします **2**。

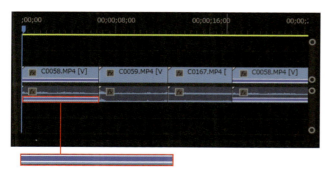

2 重複クリップに目印が付く

シーケンス内で重複しているクリップに、目印として青い線が表示されます。

CHECK!

重複フレームマーカーを非表示にするには、**1** のメニューで再度<重複フレームマーカーを表示>をクリックします。

SECTION 28 タイムラインの時間軸／トラックの幅を変更する

＜タイムライン＞パネルの時間軸（横方向）の間隔は、広げる／狭めることができます。長尺のクリップを1画面に収めたい場合は狭め、短いクリップを大きく表示したい場合は広げるとよいでしょう。

▶ クリップの表示を拡大／縮小する

＜タイムライン＞パネルの表示を拡大／縮小するには、画面下部にある＜ズームスライダー＞を左右にドラッグします。左にドラッグすると時間軸の間隔が広がり、結果として個々のクリップが大きく表示されます。右にドラッグすると時間軸の間隔が狭まり、個々のクリップは小さく表示されます。シーケンスに配置されているクリップの数や長さに合わせて、見やすい大きさに調整しましょう。

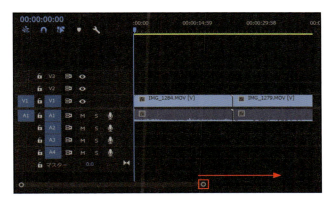

1 スライダーをドラッグする

＜タイムライン＞パネルの＜ズームスライダー＞を右にドラッグします。

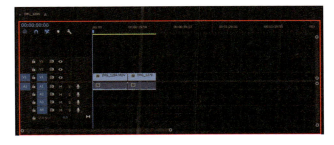

2 クリップが縮小表示される

時間軸の幅が狭まり、個々のクリップが小さく表示されるようになります。手順1で逆方向にドラッグすると、時間軸の幅が広がります。

3 縦軸のズームスライダーをドラッグする

縦軸の＜ズームスライダー＞を上にドラッグすると、トラックの高さが変わり、高くするとクリップに動画のサムネイルが表示されます。

SECTION 29 トラックを追加／削除する

CHAPTER 02 ▶ カット編集

＜タイムライン＞パネルに表示されるトラックの数は、初期設定ではビデオトラック、オーディオトラックそれぞれ3つずつですが、トラックは新たに追加できます。

▶ トラック数を増やす

映像や音声を多段化したり、合成したりする場合はトラックを追加しましょう。シーケンスのトラックを追加するには、以下のように操作します。注意したいのは、追加するトラックの数です。Premiere Proでは、ほぼ無制限でトラックを追加できますが、パソコンのスペックによっては、動作が遅くなったり、アプリが不安定になったりすることがあります。

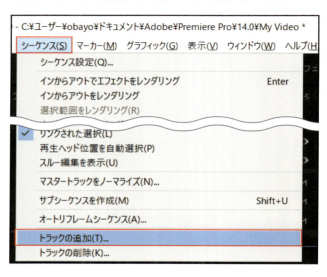

1 メニューをクリックする

＜シーケンス＞メニューの＜トラックの追加＞をクリックします。

CHECK!

＜タイムライン＞パネルのトラックヘッダーの余白部分を右クリックして、＜トラックの追加＞をクリックしても、手順 2 の画面を表示できます。

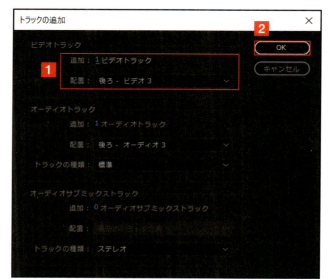

2 追加するトラックの数や位置を指定する

＜追加＞に追加するトラックの数、＜配置＞に追加する位置を指定して 1、＜OK＞をクリックすると、トラックが追加されます 2。

CHECK!

トラックを削除するには、＜シーケンス＞メニューの＜トラックの削除＞をクリックします。＜トラックの削除＞ウィンドウが表示されるので、削除するトラックの種類にチェックを入れ、削除するトラック番号を指定します。

SECTION 30 トラックをロックする

CHAPTER 02 ▶ カット編集

シーケンスに複数のトラックがあり、それぞれにクリップが配置されていると、間違えて編集や移動などの操作をしてしまう可能性があります。このようなことにならないために、編集しないトラックはロックします。

▶ トラック内のクリップを変更できないようにする

トラックをロックすると、ロックしている間はそのトラック内にあるクリップを編集したり、移動したりできず、トラック自体も削除できなくなるため、誤操作の防止に役立ちます。トラックをロックするには、トラックヘッダーの左端付近にある鍵のアイコンをクリックします。

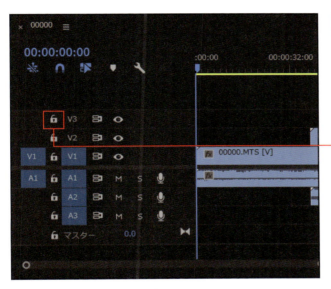

1 鍵のアイコンをクリックする

ロックして編集できないようにしたいトラックの左端にある鍵のアイコンをクリックします。

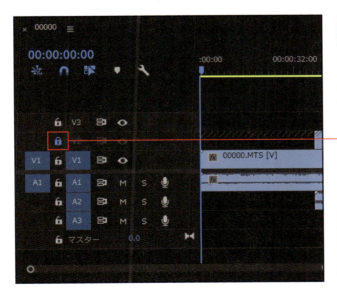

2 トラックがロックされる

クリックした鍵のアイコンの形と色が変わり、トラックがロックされて編集不可になります。ロックされたトラックのタイムライン全域に斜線が付けられます。

CHECK!

トラックのロックを解除するには、再度トラックヘッダーの鍵のアイコンをクリックして、もとの形と色に戻します。

SECTION 31 CHAPTER 02 ▶ カット編集

長尺のクリップから短いクリップを作成する

クリップから特定のシーンだけを取り出して、別のクリップとして使いたい場合は、サブクリップを作成します。サブクリップは通常のクリップと同様に扱えます。

▶ サブクリップを作成する

サブクリップは、もとのクリップから任意の部分だけを取り出して、独立したクリップとして使えるようにしたものです。取り出されるのはもとのクリップ（マスタークリップ）の範囲情報だけなので、サブクリップを作成しても新たな動画ファイルが作られるわけではありません。

1 <ソース>パネルにクリップを表示する

<プロジェクト>パネルでクリップをダブルクリックして❶、<ソース>パネルに表示します❷。

2 取り出す範囲を選択する

<ソース>パネルのタイムラインでインポイントとアウトポイントを設定して❶、取り出す範囲を選択します❷（P.110参照）。

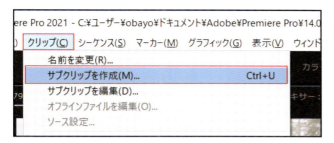

3 メニューを選択する

＜クリップ＞メニューの＜サブクリップを作成＞をクリックします。

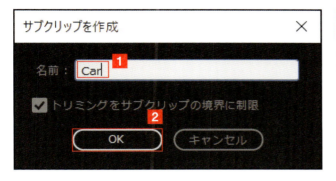

4 名前を入力する

サブクリップの名前を入力して**1**、＜OK＞をクリックします**2**。

5 サブクリップが作成される

サブクリップが作成され、自動的に＜プロジェクト＞パネルに追加されます。

CHECK!

サブクリップとして取り出す範囲は、作成後に変更できます。変更するには、下記のPOINTの画面で＜開始＞と＜終了＞にそれぞれタイムコードを入力します。

POINT

サブクリップをマスタークリップに変換する

サブクリップは通常のクリップと同様に扱うことができますが、サブクリップからさらにサブクリップを作成することはできないなどの制限があります。この制限を解除するには、マスタークリップに変換します。＜プロジェクト＞パネルでサブクリップをダブルクリックし、＜ソース＞パネルに表示してから、＜クリップ＞メニューで＜サブクリップを編集＞をクリックすると表示される画面で、右図の項目にチェックを入れます。

SECTION 32 複数のクリップをネスト化してまとめる

CHAPTER 02 ▶ カット編集

複数のトラックにそれぞれクリップを配置していると複雑になり、シーケンス全体の見通しが悪くなります。このような場合は、複数のクリップをまとめて「ネスト」にします。

▶ クリップをネストにする

シーケンスのビデオトラックにある複数のクリップを、1つのクリップのようにまとめる機能が「ネスト」です。まとめるといっても、あくまでシーケンス内での見た目だけで、実体はもとのままです。ネストにすることで、シーケンスが見やすくなったり、まとめてエフェクトをかけたりできるようになります。

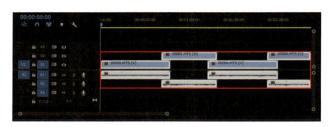

1 まとめるクリップを選択する

<タイムライン>パネルで、ネストにまとめるクリップをすべて選択します。

2 メニューをクリックする

<クリップ>メニューの<ネスト>をクリックします。クリップを右クリックすると表示されるメニューから<ネスト>をクリックしても同様です。

3 ネストの名前を付ける

ネストの名前を入力して**1**、< OK >をクリックします**2**。

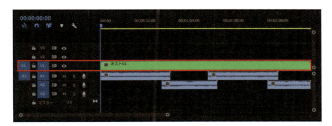

4 ネストが作成される

選択したクリップのビデオトラックにあるクリップが1つのネストにまとめられます。

▶ ネストされたクリップを編集する

クリップをネストにしたあとでも、内包された個々のクリップを表示して編集できます。ネスト内のクリップを表示するには、<タイムライン>パネルでネストをダブルクリックします。

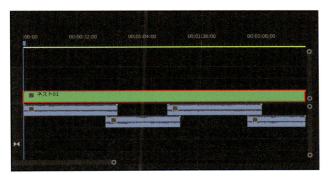

1 ネストをダブルクリックする

ネストをダブルクリックします。

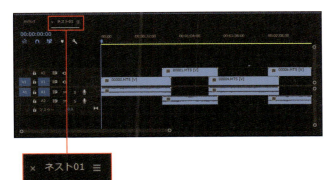

2 クリップが表示される

<タイムライン>パネルにタブが追加され、そのタブにネストされた個々のクリップが表示されます。各クリップの編集方法などは、通常と同じです。

SECTION CHAPTER 02 ▶ カット編集

33 タイムラインに目印を付ける

あとでここに別のクリップを入れる、この場面にトランジションを入れる、などのケースでは、シーケンス内の目的の位置に目印を付けておくと便利です。このような場合は「マーカー」を利用しましょう。

▶ マーカーを付ける

「マーカー」は、シーケンスのタイムラインに付けられる目印、しおりのようなものです。編集するポイントに目印として付けるほか、次ページのPOINTのように、マーカー間で再生ヘッドをすばやく移動させることができるので、作業効率を向上に役立ちます。

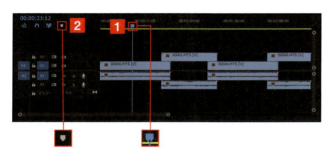

1 <マーカーを追加>をクリックする

<タイムライン>パネルでマーカーを付ける位置に再生ヘッドを移動して**1**、<マーカーを追加>をクリックします**2**。

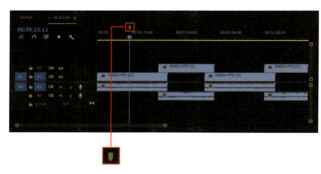

2 マーカーが付く

タイムラインの上部にマーカーのアイコンが表示されます。

CHECK!

<タイムライン>パネルだけでなく、<ソース>パネル、<プログラム>パネルでも同様に<マーカーを追加>をクリックしてマーカーを付けることができます。

CHECK!

マーカーを左右にドラッグ＆ドロップすると、マーカーの位置を移動させることができます。

▶ マーカーの設定を変更する

マーカーにはコメントを入力できます。マーカーを付けた位置がどんな場面なのか、あとでどのトランジションを入れるかといった情報を書き込んでおくと、編集作業がさらに効率的になります。また、マーカーの色も変更できるので、目的に応じた色にしておくと見分けが付きやすくなります。これらの設定は、＜マーカー＞ウィンドウで行います。

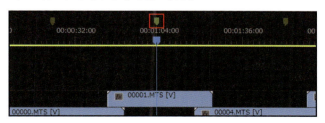

1 マーカーをダブルクリックする

コメントを入力するマーカーをダブルクリックします。

2 コメントや色を設定する

＜コメント＞にコメントを入力し①、＜OK＞をクリックします②。必要に応じて、マーカーの名前や色を設定することもできます。

CHECK!
マーカーを削除するには、＜マーカー＞ウィンドウで＜削除＞をクリックするか、マーカーを右クリックすると表示されるメニューで＜選択したマーカーを消去＞をクリックします。

3 ポップアップでコメントを表示する

マーカーにポインタを合わせると、入力したコメントがポップアップで表示されます。

POINT

マーカー間をすばやく移動する

マーカーは編集ポイントとしてだけでなく、シーケンス内の特定場面を頭出しするツールとしても利用できます。マーカーが表示されるタイムライン付近を右クリックし、メニューから＜次のマーカーへ移動＞をクリックすると、再生ヘッドが右側のマーカーまで移動します。なお、マーカー間の再生ヘッドの移動は、Shift＋M（次のマーカー）、Ctrl（Macではcommand）＋Shift＋Ctrl＋M（前のマーカー）のショートカットキーでも可能です。

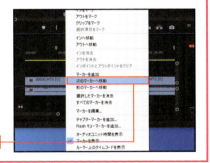

SECTION 34 操作を取り消す／やり直す

CHAPTER 02 ▶ カット編集

トリミングの範囲指定を間違えた、必要なクリップをシーケンスから消してしまった、そんなミスをしてしまったときは「操作の取り消し」をすれば、操作をする前の状態に戻ります。

▶ 操作を取り消す／やり直す

Premiere Pro で、何らかの操作をした直後に Ctrl（Mac では command）＋ Z キーを押すと、その操作が取り消されて、もとの状態に戻ります。また、取り消した操作をもとに戻す場合は、Ctrl（Mac では command）＋ Shift ＋ Z キーを押します。なお、＜ファイル＞メニューの＜復帰＞をクリックすると、プロジェクトを最後に保存した状態に戻すことができます。

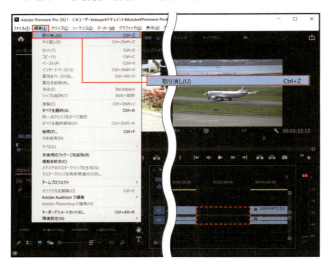

1 ショートカットキーを押す

ここでは直前に1つのクリップを＜タイムライン＞パネルから削除しました。＜編集＞メニューで＜取り消し＞をクリックするか、Ctrl（Mac では command）＋ Z キーを押します。

2 操作が取り消される

直前の操作が取り消され、削除したクリップがもとに戻ります。

POINT

＜ヒストリー＞パネルで操作を遡る

＜ウィンドウ＞メニューで＜ヒストリー＞をクリックすると表示される＜ヒストリー＞パネルには、プロジェクトを開いてからの操作履歴が表示されます。それぞれの履歴をクリックすると、その時点のプロジェクトの状態にすばやく戻すことができます。

CHAPTER
▼
03

THE PERFECT GUIDE FOR PREMIERE PRO

[エフェクト]

SECTION 01 | CHAPTER 03 ▶ エフェクト

「エフェクト」機能を理解する

クリップ単位で映像の色合いや明るさを調整したり、被写体を変形させたりする特殊効果のことを「エフェクト」といいます。エフェクトを利用するには2つのパネルを使います。

▶「エフェクト」とは？

Premiere Proには、100種類以上の「エフェクト」が用意されています。エフェクトとは、シーケンスに配置されたクリップごとに適用できる特殊効果のことで、映像の明るさなどの補正はもちろん、映像を絵画調にしたり、被写体を変形させたりといった劇的な加工が可能です。映像作品にアクセントを付ける、演出する用途で使うとよいでしょう。本章ではPremiere Proで用意されているエフェクトのうち、＜ビデオエフェクト＞に含まれるエフェクトの一部を取り上げて解説します。

エフェクトで映像を加工する

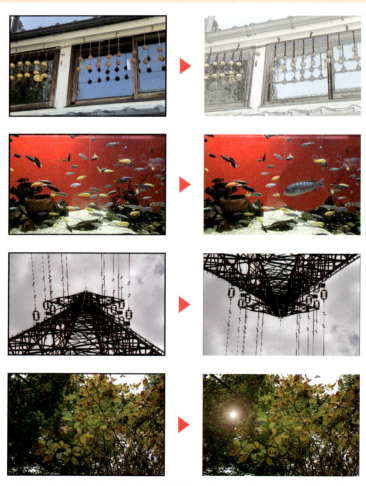

▲エフェクトを使えば、これらのような映像の加工もかんたんに行える。ほとんどのエフェクトは適用後すぐに反映され、＜プログラム＞パネルでプレビューを確認できる。

▶ エフェクトをまとめた＜エフェクト＞パネル

Premiere Pro で利用できるエフェクトのほぼすべては、＜エフェクト＞パネルにまとめられています。ここから目的のエフェクトを＜タイムライン＞パネルのクリップにドラッグ＆ドロップするだけで、エフェクトを適用することができます。＜エフェクト＞パネルを利用する際は、ワークスペースを＜エフェクト＞に切り替えておくのがおすすめです。

◀ほぼすべてのエフェクトが、ビン（フォルダー）で分類された状態で表示される。パネル上部の検索ボックスにエフェクト名を入力して検索したり、その横のボタンをクリックしてエフェクトを抽出表示することも可能。

▶ エフェクトを調整する＜エフェクトコントロール＞パネル

＜エフェクトコントロール＞パネルでは、パラメータを操作することでエフェクトの効果を調整できます。はじめからいくつかの基本エフェクトが用意されており、＜エフェクト＞パネルから適用したエフェクトと一緒に表示されます。また、エフェクトのオン／オフの切り替えや取り消しもここから行います。

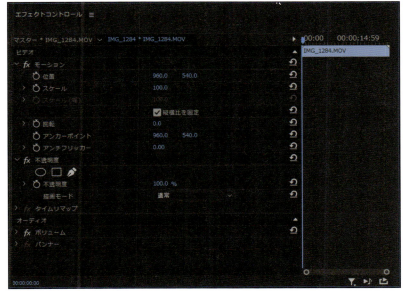

▲＜タイムライン＞パネルで選択したクリップに適用されたエフェクトと、そのパラメータが表示される。

SECTION 02 クリップにエフェクトを適用する

CHAPTER 03 ▶ エフェクト

クリップにエフェクトを適用するには、＜エフェクト＞パネルから目的のクリップにエフェクトをドラッグ＆ドロップします。エフェクトを適用したあとは、必要に応じてレンダリングを実行します。

▶ エフェクトを適用する

＜エフェクト＞パネルには、ビンで分類されたエフェクトが表示されます。ビンの中身を表示するには、ビンのアイコン左にある をクリックして展開します。以下の操作では、＜ビデオエフェクト＞の＜スタイライズ＞に含まれる＜ソラリゼーション＞をクリップに適用していますが、ほかのエフェクトの場合も操作方法は同じです。

1 エフェクトをドラッグ＆ドロップする

＜エフェクト＞パネルで目的のエフェクトをクリックし■、そのまま＜タイムライン＞パネルのクリップにドラッグ＆ドロップします■。

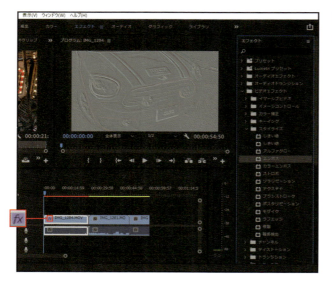

2 エフェクトが設定される

ドラッグ＆ドロップ先のクリップの映像全体に、エフェクトによる特殊効果が適用されます。適用されたクリップは、シーケンス上で「fx」のアイコンが紫色になります。

CHECK！

ドラッグ＆ドロップのほか、目的のクリップを＜タイムライン＞パネルで選択しておき、＜エフェクト＞パネルのエフェクトをダブルクリックしても、エフェクトを適用できます。

▶ エフェクトをレンダリングする

エフェクトによっては、クリップへの適用後、＜タイムライン＞パネルのレンダリングバーが赤く表示されることがあります。これはクリップとエフェクトの効果をプレビューするためにレンダリングが必要であることを示しています。かんたんにいうと、レンダリングとは「データの最適化」のことで、レンダリングを実行することで、プレビューをスムーズに再生できるようになります。

1 レンダリングバーが赤くなる

エフェクトを適用したクリップの上部のレンダリングバーが赤く表示された場合は、スムーズなプレビュー再生のためにレンダリングが必要です。

2 メニューをクリックする

＜タイムライン＞パネルでレンダリングするクリップを選択しておき■1、＜シーケンス＞メニューの＜インからアウトでエフェクトをレンダリング＞をクリックします■2。

3 レンダリングが開始される

レンダリングが開始されます。クリップのデュレーションが長い場合や、エフェクトの内容、パソコンの性能によっては、レンダリングに時間がかかることがあります。

4 レンダリングが完了する

レンダリングが完了すると、レンダリングバーの表示が緑色になります。

POINT

レンダリングバーの色

レンダリングバーが赤の場合は、レンダリングをしないとプレビューがスムーズに再生されません。黄色の場合は、クリップやエフェクトの内容によっては一部がスムーズに再生できない可能性があります。緑の場合は、レンダリング済みであることを示します。レンダリングバーが赤または黄色の場合は、レンダリングを実行しておきましょう。

CHECK!

レンダリングを実行すると、プロジェクト内にレンダリングファイルが作成されます（＜プロジェクト＞パネルには表示されません）。レンダリングしたクリップのデュレーションによっては、レンダリングファイルのサイズが巨大になることもあるので、不要になった場合はこのファイルは削除します。削除するには、＜シーケンス＞メニューで＜レンダリングファイルを削除＞をクリックします。

SECTION 03 エフェクトの効果を調整する

CHAPTER 03 ▶ エフェクト

クリップに適用したエフェクトは、＜エフェクトコントロール＞パネルに表示されます。ここでエフェクトごとに用意されたパラメータを変更することで、特殊効果の「効き具合」を調整することができます。

▶ パラメータを変更する

エフェクトのパラメータは、＜エフェクトコントロール＞パネルで調整します。パラメータは、エフェクト名の左にある▶をクリックして展開すると表示されます。パラメータは数値で指定するものが大半ですが、その数値上をドラッグすることで数値を変更できます。なお、パラメータはエフェクトによって異なります。

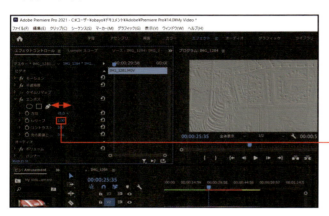

1 パラメータの数値上をドラッグする

＜エフェクトコントロール＞パネルで、目的のパラメータの数値上を左右いずれかにドラッグします。

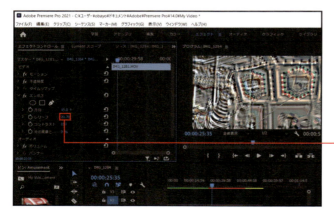

2 エフェクトの効果が変わる

数値が変化し、クリップに適用されたエフェクトの効果も変わります。

> **CHECK!**
> パラメータによっては、パラメータ名の左にさらに▶が表示されます。これをクリックすると展開され、スライダーが表示されます。スライダーをドラッグしても数値を変更することができます。

> **CHECK!**
> パラメータの数値上をドラッグするほか、数値をクリックしてから直接入力することもできます。

SECTION 04 エフェクトの調整をリセットする

エフェクトのパラメータの数値は、リセットして初期値に戻すことができます。調整結果に納得できない場合は、一度リセットしてからやり直すとよいでしょう。

▶ パラメータをリセットする

＜エフェクトコントロール＞パネルで調整したパラメータの値をリセットするには、パラメータ名の右端にある＜パラメータをリセット＞をクリックします。これにより、パラメータの値がエフェクトの設定直後の状態に戻るので、最初から調整をやり直すことができます。

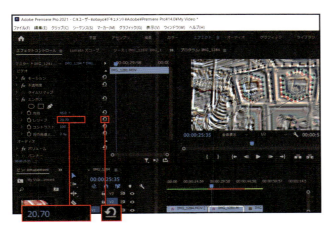

1 ボタンをクリックする

リセットしたいパラメータの右端にある＜パラメータをリセット＞をクリックします。

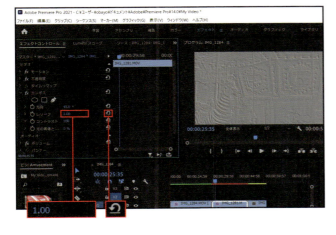

2 値が初期値に戻る

パラメータの値が初期値に戻り、クリップに適用されていたエフェクトの効果も変わります。

POINT

すべてのパラメータをリセットする

エフェクトによっては複数のパラメータが用意されているものがあります。エフェクトのすべてのパラメータの調整結果をリセットするには、エフェクト名の右端にある＜パラメータをリセット＞をクリックします。

SECTION 05 エフェクトを削除／非表示にする

CHAPTER 03 ▶ エフェクト

クリップに適用したエフェクトを解除したい場合は、エフェクトを削除します。また、エフェクトはそのままで特殊効果を非表示にしたい場合は、エフェクトをオフにします。

▶ エフェクトの適用を取り消す

適用したエフェクトの効果がイメージどおりにならない場合や、別のエフェクトに置き換えたい場合は、エフェクトを削除します。エフェクトを削除すれば、クリップに適用されていた特殊効果も解除されます。なお、既定の＜モーション＞、＜不透明度＞、＜タイムリマップ＞などは削除できません。

1 ＜消去＞をクリックする

削除したいエフェクトを右クリックし①、表示されるメニューの＜消去＞をクリックします②。

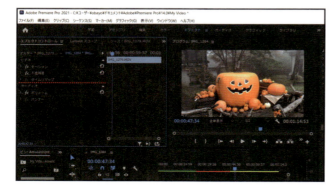

2 エフェクトが削除される

＜エフェクトコントロール＞パネルからエフェクトが削除され、クリップに適用されていた特殊効果が破棄されます。

POINT

エフェクトを一時的に非表示にする

エフェクトを残したまま、適用された特殊効果を一時的に非表示にしたい場合は、＜エフェクトコントロール＞パネルで目的のエフェクト名の左に表示されているアイコンをクリックします。再度アイコンをクリックすると特殊効果が再表示されます。

複数のエフェクトを適用する

SECTION 06 / CHAPTER 03 ▶ エフェクト

1つのクリップに対して、複数のエフェクトを適用することができます。この場合も適用方法は変わらず、＜エフェクトコントロール＞パネルに複数のエフェクトが並びます。

▶ エフェクトを重ねて適用する

複数のエフェクトを同時に適用することによって、オリジナリティに富んだ映像表現が可能です。エフェクトを複数適用すると、＜エフェクトコントロール＞パネルには適用順にエフェクトが並びます。エフェクトによっては、適用する順番によって効果が変わることがあるので、さまざまな組み合わせを試してみましょう。

1 新たなエフェクトを適用する

すでにエフェクトが適用されているクリップ（ここでは＜ポスタリゼーション＞を適用済み）を選択しておき、＜エフェクト＞パネルで新たなエフェクトをダブルクリックします。

2 エフェクトが重ねて適用される

先に適用されていたエフェクトに加えて、新たなエフェクト（ここでは＜複製＞）の効果が適用されます。

CHECK!

適用するエフェクトの数や内容によっては、スムーズにプレビュー再生するためにレンダリングが必要になることがあります（P.133参照）。また、レンダリングにかかる時間が通常より長くなることがあります。

SECTION CHAPTER 03 ▶ エフェクト

07 エフェクトの適用順を変更する

1つのクリップに複数のエフェクトを適用した場合、エフェクトの適用順によって特殊効果の見え方が変わることがあります。エフェクトの順番は自由に入れ替えることができます。

▶ ＜エフェクトコントロール＞パネルで適用順を変える

エフェクトは、＜エフェクトコントロール＞パネルで上に表示されたものから順に適用されます。図のように、最初に＜クリップ名＞という映像に文字を追加するエフェクトを適用してから、映像を複製して4つ並べる＜複製＞を適用すると、文字も4つ複製されます。この場合、順番を入れ替えることで映像の見え方が変わります。

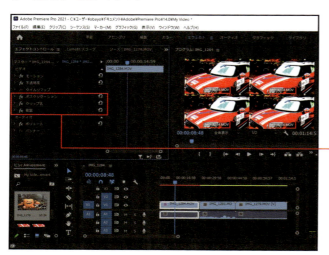

1 ドラッグ＆ドロップで入れ替える

＜エフェクトコントロール＞パネルで、適用順を入れ替えるエフェクトを目的の位置にドラッグ＆ドロップします。

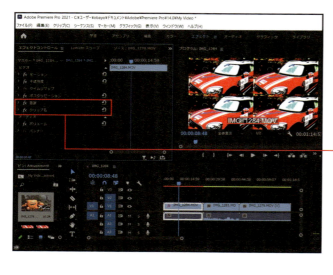

2 適用順が変わる

エフェクトの適用順が変わり、エフェクトによって表示される文字が1つになります。

SECTION 08 同じエフェクトをほかのクリップに適用する

CHAPTER 03 ▶ エフェクト

1つのクリップに適用したエフェクトとそのパラメータを、ほかのクリップにも同じように適用するのは面倒です。このような場合は、もとのクリップからエフェクトをコピー＆ペーストするとかんたんです。

▶ 属性ペーストを利用する

属性ペースト機能は、コピー元のクリップのエフェクトや音声のボリュームといった「属性」だけを別のクリップにコピーする機能です。似た内容のクリップが同一シーケンスにあり、それぞれに同じエフェクトを適用したい場合に利用すると便利です。

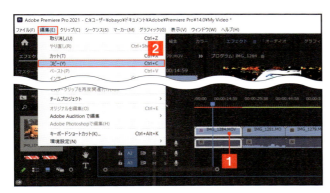

1 クリップをコピーする

すでにエフェクトが適用されたクリップを選択しておき**1**、＜編集＞メニューの＜コピー＞をクリックします**2**。

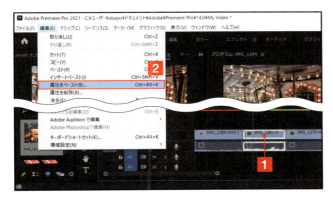

2 属性をペーストする

続いて、エフェクトをコピーするクリップを選択して**1**、＜編集＞メニューの＜属性をペースト＞をクリックします**2**。

3 ＜属性をペースト＞が表示される

コピーしたい項目にチェックを入れ**1**、＜OK＞をクリックすると**2**、手順**1**で選択したクリップのエフェクトがパラメータの数値も含めてコピーされます。

SECTION 09 映像の一部分にエフェクトを適用する

CHAPTER 03 ▶ エフェクト

人物の顔にだけモザイクをかけたい、被写体の背景だけを絵画調にしたいといった場合には、「マスク」を利用します。マスクを設定した部分、あるいはそれ以外の部分にだけ、エフェクトを適用できます。

▶ マスクを利用する

通常、エフェクトはクリップ全体か、クリップの映像全域に適用されます。ここで紹介する「マスク」機能を利用すると、映像の指定した部分、あるいは指定した以外の部分にだけ、エフェクトを適用できます。マスクは文字どおり「覆うもの」で、映像の一部をマスクの図形で覆い、エフェクトを適用する範囲を自由に設定できます。なお、エフェクトの種類によってはマスクを利用できません。

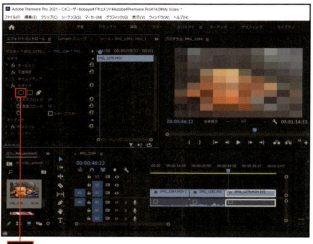

1 ボタンをクリックする

エフェクトによっては、＜エフェクトコントロール＞でエフェクトを展開表示すると、エフェクト名の直下に＜楕円形マスクの作成＞が表示されます。これをクリックします。

2 マスクが作成される

＜プログラム＞パネルの映像に円形のマスクが作成され、マスクの範囲内にだけエフェクトが適用された状態になります。また、＜エフェクトコントロール＞パネルに＜マスク＞のパラメータが追加されます。

CHECK!

ここでは円形のマスクを作成していますが、＜楕円形マスクの作成＞の右にある＜4点の長方形マスクの作成＞をクリックすれば、四角形のマスクを作成できます。

▶ マスクを変更する

作成したマスクの周囲にはハンドル●が表示されます。これをドラッグすると、マスクの大きさを調整してエフェクトの適用範囲を変えることができます。また、マスクの適用範囲を反転させれば、マスクの範囲内だけに適用されていたエフェクトが、マスクの範囲外だけに適用されるようになります。

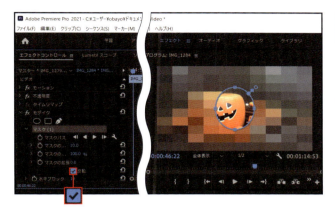

1 ＜反転＞にチェックを入れる

＜エフェクトコントロール＞パネルの＜マスクの拡張＞パラメータにある＜反転＞にチェックを入れると、マスクの適用範囲が反転します。

2 マスクの大きさと位置を変える

マスク周囲のハンドル●をドラッグして、マスクの大きさを変えます **1**。続いて、マスク内をドラッグしてマスクの位置を移動します **2**。

3 マスクの境界をぼかす

マスクの＜マスクの境界のぼかし＞ハンドル●をドラッグすると、エフェクトの適用範囲が拡張され、効果範囲の境界がなだらかになります。

POINT

エフェクトの効果を半透明にする

マスク内のエフェクトの効果を半透明にするには、＜エフェクトコントロール＞パネルのパラメータ＜マスクの不透明度＞の数値を調整します。

CHAPTER 03 エフェクト

141

SECTION 10 フリーハンドでマスクを描く

CHAPTER 03 ▶ エフェクト

映像内の特定の被写体にだけエフェクトを適用する際、円形や四角形のマスクでは被写体をきれいに囲めないことがあります。そのような場合は「ベジェ」のペンマスクを使います。

▶ ベジェのペンマスクを使用する

フリーハンドで描いたような自由な形状のマスクを作るには、＜エフェクトコントロール＞パネルの＜ベジェのペンマスクを作成＞をクリックして、被写体を囲むようにマスクを作成します。ベジェのペンマスクでは、クリックした部分を頂点（アンカーポイント）とする図形を作成できるので、多数のアンカーポイントを付けることで、複雑な形状の被写体でもマスクできれいに囲むことができます。

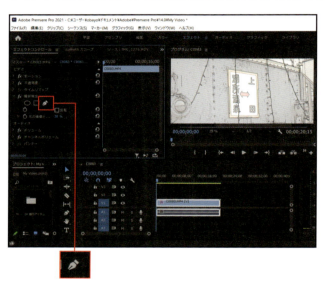

1 ＜ベジェのペンマスクを作成＞をクリックする

＜エフェクトコントロール＞パネルで、適用済みエフェクト（ここでは＜輪郭検出＞）の＜ベジェのペンマスクを作成＞をクリックします。

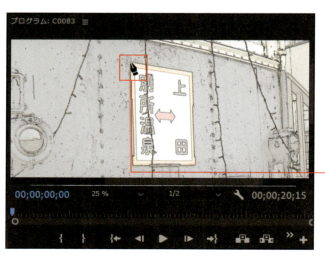

2 始点をクリックする

ポインタの形がペン先に変わるので、図形の始点となる位置に移動して、クリックします。

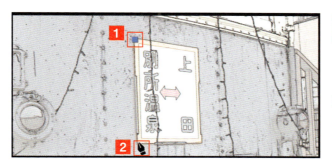

3 アンカーポイントが作成される

クリックした位置にアンカーポイントと呼ばれる青い点が作成されます1。続いて、別の場所にポインタを移動してクリックします2。

4 線が引かれる

新たなアンカーポイントが作成され、アンカーポイントが線で結ばれます。

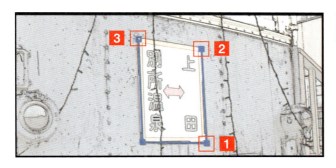

5 同様の操作でアンカーポイントを作成する

手順3、4の操作を繰り返してアンカーポイントを作成して1 2、引かれる線で被写体を囲むようにします。最後に手順2で作成した始点のアンカーポイントをクリックします3。

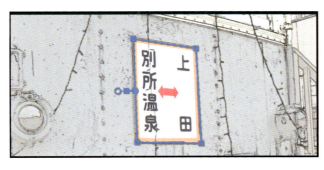

6 図形が作成される

すべてのアンカーポイントが線で結ばれ、被写体を囲むマスクが作成されます。＜エフェクトコントロール＞パネルの＜マスクの拡張＞で＜反転＞にチェックを入れ、マスク範囲外にだけエフェクトが適用されるようにしています。

CHECK!

Ctrl（Macではcommand）キーを押しながらアンカーポイントをクリックすると、アンカーポイントが削除されます。

CHECK!

図形を作成したあとにアンカーポイントをドラッグすると、図形を変形できます。また、Alt（Macではoption）キーを押しながらアンカーポイントをドラッグすると、アンカーポイントの位置を頂点とする曲線に変形できます。

SECTION 11 調整レイヤーにエフェクトを適用する

CHAPTER 03 ▶ エフェクト

通常、エフェクトはクリップの映像全編に適用されますが、特定のフレームにだけ適用したい、あるいは異なるクリップ間にまたがるように適用したいといった場合には、「調整レイヤー」を使用します。

▶ 調整レイヤーを作成する

調整レイヤーは特殊なクリップの一種で、それ自体には映像も音声も含まれない、透明なシートのようなものだと考えてください。この調整レイヤーに対してエフェクトを適用して、それを通常のクリップに重ねることで、エフェクトの特殊効果を自由な範囲に適用することができます。

1 メニューをクリックする

＜プロジェクト＞パネルを選択し**1**、＜ファイル＞メニューの＜新規＞→＜調整レイヤー＞をクリックします**2**。

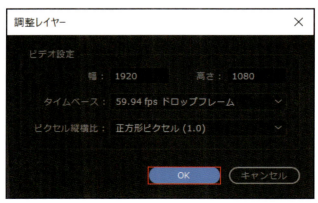

2 解像度を指定する

解像度（P.040 参照）を指定して、＜ OK ＞をクリックすると、調整レイヤーが作成されます。解像度は、あとで重ね合わせるシーケンスと同じ値にしておきましょう。

▶ 調整レイヤーにエフェクトを適用する

左ページの操作で作成した調整レイヤーは、クリップとして＜プロジェクト＞パネルに追加されます。これをエフェクトを適用したいタイムライン上の位置にドラッグ＆ドロップして配置します。あとは、通常のクリップと同様の操作でエフェクトを適用します。

1 調整レイヤーをシーケンスに配置する

＜プロジェクト＞パネルから、調整レイヤーのクリップを＜タイムライン＞パネルにドラッグ＆ドロップします。このとき、エフェクトを適用するクリップの上のトラックに配置します。

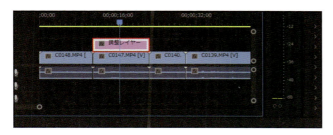

2 横位置とデュレーションを調整する

配置後、調整レイヤーのクリップの左右両端をドラッグして、エフェクトを適用したい範囲になるようにデュレーションを調整します。

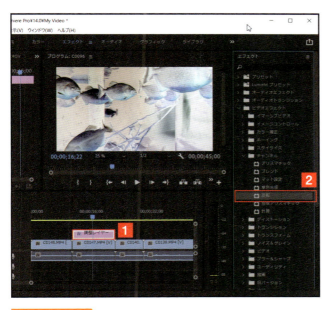

3 エフェクトを適用する

調整レイヤーのクリップを選択して①、＜エフェクト＞パネルで目的のエフェクトをダブルクリックすると②、下のトラックに配置された通常のクリップにエフェクトが適用されます。

POINT

隣接するクリップにまたがってエフェクトを適用する

調整レイヤーのクリップは、隣接するクリップにまたがるように配置できます。これを利用すると、異なるクリップ間で同じエフェクトを適用することができます。

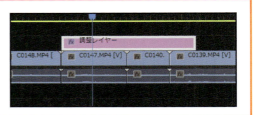

SECTION 12 映像の雰囲気を一変させる ～スタイライズ

CHAPTER 03 ▶ エフェクト

＜ビデオエフェクト＞内にある＜スタイライズ＞ビンには、ペンや筆などで手書きしたような特殊効果を適用するためのエフェクトがまとめられています。

▶ ＜スタイライズ＞の主なエフェクト

＜スタイライズ＞ビンに含まれるエフェクトは、全14種類です。以下では、その中から主なものを採り上げて紹介しています。これら以外にも、まるでフラッシュで撮影しているように映像全体が明滅する＜ストロボ＞、映像をタイルや模様で覆う＜テクスチャ＞、＜モザイク＞（P.140参照）、目の粗いブラシで描いたような＜ブラシストローク＞などのエフェクトが用意されています。映像をコミカルに仕上げたり、雰囲気を一変させたりしたいときなどに利用しましょう。

しきい値

▲映像のコントラストを検出して、明度の高い部分を白く、低い部分を黒くする。

エンボス／カラーエンボス

▲映像をレリーフのような雰囲気にし、彫りの深さなどを個別に調整できる。レリーフの地色を単色にするのではなく、もとの映像の色にするのがカラーエンボスだ。

ソラリゼーション

▲モノクロ写真のネガのように、白と黒を反転させたような効果を映像に付加する。

ポスタリゼーション

▲映像全体の色数を少なくすることで、色の濃い部分をより強調して見せる効果。

輪郭検出

 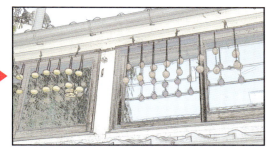

▲元映像のコントラストが高い部分、被写体と背景の境界線を検出して強調し、それ以外の部分を淡色画のように変化させる。

▶ エフェクトのパラメータ

＜エンボス＞のパラメータ

パラメータは＜エフェクトコントロール＞パネルで調整できます。ほとんどのエフェクトは特殊効果の効き具合を調整する単一のパラメータですが、＜エンボス＞など一部のエフェクトでは、効果の効き具合のほか、レリーフの彫りの深さや光源の角度を調整するパラメータが用意されています。

◀エンボスのパラメータには、光源の角度を調整する＜方向＞、彫りの深さを調整する＜レリーフ＞、コントラストを強調する＜コントラスト＞などのパラメータが用意されている。

SECTION 13

CHAPTER 03 ▶ エフェクト

映像を歪（ゆが）ませる
〜ディストーション

＜ビデオエフェクト＞内にある＜ディストーション＞ビンには、映像をずらしたり、歪ませたりする特殊効果のエフェクトがまとめられています。

▶ ＜ディストーション＞の主なエフェクト

＜ディストーション＞ビンに含まれるエフェクトは、全12種類です。元映像の歪み補正に使えることはもちろん、あえて歪みを強調するような演出も可能です。以下では、その中から主なエフェクトを紹介します。これら以外にも、映像の四隅をそれぞれ個別に移動させて変形させる＜コーナーピン＞、かげろう越しに見る風景のように映像を歪ませる＜タービュレントディスプレイス＞、デジタルカメラ特有の動体歪みを補正する＜ローリングシャッターの修復＞といったエフェクトが用意されています。

オフセット

▲映像全体を上下、あるいは左右にずらす特殊効果。モーション（P.199、216参照）と組み合わせて使うと効果的だ。

ズーム

▲映像の一部を拡大表示する。拡大するワイプの形状を選んだり、拡大率を変更したりできる。

ミラー

 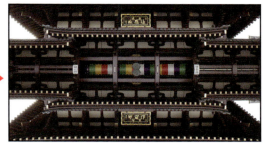

▲鏡で反射させたように、元映像と反転映像を組み合わせて表示する特殊効果。

レンズゆがみ補正

▲レンズに固有の周辺歪み、中央歪みを補正することができる。歪みを極端に強調してユニークな映像にすることも可能。

回転

▲映像の中心付近を渦巻き状に変形させる。渦巻きの位置や強さはパラメータで変更可能。歪みを極端に強調してユニークな映像にすることも可能。

▶ エフェクトのパラメータ

＜回転＞のパラメータ

パラメータは、＜エフェクトコントロール＞パネルで調整できます。歪みの度合いを調整するものを中心に、歪みや変形の起点を座標で指定したり、角度を調整したりするものが多くなっています。また、歪みの中心点を＜プログラム＞パネルのプレビュー上でドラッグして調整できるものもあります。

▲回転角度を調整する＜角度＞、回転範囲の大きさを調整する＜回転半径＞、回転の中心位置を座標指定する＜回転の中心点＞などのパラメータが用意されている。

SECTION 14 映像を隠す ～トランジション

CHAPTER 03 ▶ エフェクト

＜ビデオエフェクト＞内にある＜トランジション＞ビンには、場面転換時に映像が徐々に消える、あるいは現れるような特殊効果を加えるエフェクトがまとめられています。

▶ ＜トランジション＞のエフェクト

＜トランジション＞ビンに含まれるエフェクトは、全5種類です。いずれも＜変換完了＞のパラメータの値を上げると、映像の一部が黒く塗られ、値を「100%」にすると映像が完全に塗りつぶされます。そのままでは単に映像の一部を隠す特殊効果ですが、モーション（P.199、216参照）を設定してアニメーションさせることにより、場面の切り替わりを演出することができます。

グラデーションワイプ
映像内の暗部や色の濃い部分から徐々に黒く塗りつぶす。

ブラインド
ブラインド状の黒い縦線の幅が徐々に太くなり、映像を黒く塗りつぶす。

ブロックディゾルブ
ブロック（点）が徐々に大きく、多くなり、映像を黒く塗りつぶす。

リニアワイプ／ワイプ（放射状）
リニアワイプは黒い幕で映像を直線的に覆うように、ワイプ（放射状）は映像の中心から弧を描くように、それぞれ黒く塗りつぶす。

SECTION 15 CHAPTER 03 ▶ エフェクト

映像を変形させる ～トランスフォーム

＜ビデオエフェクト＞内にある＜トランスフォーム＞ビンには、映像の四辺を裁ち切ったり、反転させたりするための特殊効果を加えるエフェクトがまとめられています。

＜トランスフォーム＞のエフェクト

＜トランスフォーム＞ビンに含まれるエフェクトは、全5種類です。いずれも、映像の一部、あるいは全体を変形（トランスフォーム）させることができるエフェクトで、適用するだけですぐに映像に効果が反映されます。以下で紹介していない＜オートリフレーム＞は、シーケンスの設定とは異なるアスペクト比のクリップを、自動的に最適なアスペクト比に変換するエフェクトです。

エッジのぼかし
映像の四辺、四隅周辺に、オールドレンズで撮影したような周辺光量落ちの効果を加える。

クロップ
映像の四隅を裁ち落とす（クロップする）特殊効果。四隅のクロップ幅を個別に調整したり、クロップで残された部分をズーム表示したりできる。

Vertical Flip
映像の上下を反転させる。

Horizontal Flip
映像の左右を反転させる。

SECTION 16　CHAPTER 03 ▶ エフェクト

映像のノイズを補正する／強調する　～ノイズ＆グレイン

＜ビデオエフェクト＞内にある＜ノイズ＆グレイン＞ビンには、映像のノイズを補正したり、レンズに付着したゴミの写り込みを消すためのエフェクトがまとめられています。

▶ ＜ノイズ & グレイン＞のエフェクト

＜ノイズ & グレイン＞ビンに含まれるエフェクトは、全6種類です。ノイズやキズなど、映像に映ってほしくないものを消すことが本来の目的ですが、＜ノイズ＞やその系統の＜ノイズHLS＞、＜ノイズHLSオート＞、＜ノイズアルファ＞などは、あえてノイズを増やすことで演出効果にするエフェクトになっています。

ダスト＆スクラッチ

ノイズやキズなどの写り込み部分を検出して、自動修正するエフェクト。＜半径＞と＜しきい値＞のパラメータの値を極端にすると、映像がにじんだようになる。

ノイズ

映像にあえて輝度ノイズ、カラーノイズを加えるエフェクト。パラメータの調整でノイズの量をコントロールできる。

ノイズHLS

元映像の色相、明度、彩度に対してノイズを加えるエフェクト。＜ノイズ＞に比べて映像の色の変化が激しく、クラシカルな雰囲気になる。＜ノイズHLSオート＞では、ノイズがアニメーションする。

ミディアン（レガシー）

隣接する画素を結合して平坦化することで、ノイズやキズを目立たなくする。＜半径＞のパラメータの値を大きくすることで、絵画調になる。

SECTION 17

CHAPTER 03 ▶ エフェクト

映像にテキストを重ねて表示する　〜ビデオ

＜ビデオエフェクト＞内にある＜ビデオ＞ビンには、映像にテキストを重ねて表示するためのエフェクトがまとめられています。用途に応じて使い分けましょう。

▶ ＜ビデオ＞のエフェクト

＜ビデオ＞ビンに含まれるエフェクトは、全4種類です。＜SDR最適化＞を除き、いずれも映像にテキストを付加するエフェクトで、既定のテキストのほか、任意のテキストを入力してテロップのような演出効果を適用できるものもあります。それぞれのエフェクトのパラメータでは、テキストの表示位置などを調整できます。ここでは、＜SDR最適化＞以外の3つのエフェクトを解説します。

クリップ名

▲再生中のクリップのファイル名やクリップ名を表示する。パラメータで表示位置やテキストの透明度などを調整できる。

タイムコード

▲再生中のフレームのタイムコードを表示する。

シンプルテキスト

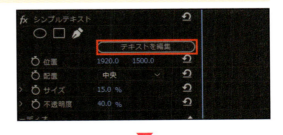

▲任意のテキストを表示する。テキストは＜エフェクトコントロール＞パネルの＜テキストを編集＞をクリックすると表示されるウィンドウで入力する。

SECTION 18 映像の明るさやコントラストを調整する ～SDR最適化

CHAPTER 03 ▶ エフェクト

元映像が全体的に暗くてメリハリがないという場合は、エフェクトの＜SDR最適化＞を使って補正できます。＜SDR最適化＞は、＜ビデオエフェクト＞内の＜ビデオ＞ビンに含まれるエフェクトの1つです。

▶ ＜SDR最適化＞を使う

＜SDR最適化＞は、映像の明度、コントラスト（光の明暗差と色合いの濃淡差）を調整するためのパラメータを含むエフェクトです。もとの映像が暗くて被写体が見づらい、撮影時に炎天下、あるいは曇天だったためメリハリに欠ける映像になってしまったという場合は、このエフェクトを使って補正することができます。

1 ＜SDR最適化＞を適用する

クリップに＜SDR最適化＞を適用します。＜SDR最適化＞は、＜ビデオエフェクト＞内の＜ビデオ＞ビンにあります。

2 ＜明度＞を変更する

＜エフェクトコントロール＞パネルで＜明度＞のパラメータを大きくすると、映像が明るくなります。初期設定の「10」より小さい値にすると、元の映像より暗くなります。

3 ＜コントラスト＞を変更する

＜エフェクトコントロール＞パネルで＜コントラスト＞のパラメータを大きくすると、明暗や色の濃淡の差が大きくなります。

POINT

＜ソフトニー＞のパラメータ

＜SDR最適化＞のパラメータ＜ソフトニー＞では、コントラストの境界部分の差を調整できます。＜ソフトニー＞の値を大きくすると境界部分の差は平坦化され、小さくすると差が際立つようになります。

SECTION 19 　被写体の輪郭や境界線を くっきりさせる 〜シャープ

CHAPTER 03 ▶ エフェクト

元映像のピントが甘い、精細さに欠けるといった場合は、エフェクトの＜シャープ＞で補正できます。＜シャープ＞は、＜ビデオエフェクト＞内の＜ブラー＆シャープ＞ビンに含まれるエフェクトの1つです。

＜シャープ＞を使って補正する

＜シャープ＞は、映像に映る被写体の境界線や細部を強調して、くっきりと見えるように補正するためのエフェクトです。映像ではピントのずれや手ぶれ、被写体ぶれなどがよく発生しますが、微細なピントずれやぶれであれば、このエフェクトを使って補正できます。ただし、＜シャープ＞のパラメータの値を上げると鮮明さは増しますが、そのぶんノイズが増えることがある点に注意しましょう。

1 ＜シャープ＞を適用する

＜シャープ＞を適用します。＜シャープ＞は＜ビデオエフェクト＞内の＜ブラー＆シャープ＞ビンにあります。

2 ＜シャープ量＞を調整する

＜シャープ量＞のパラメータの値を大きくすると、映像の細部が強調され鮮明になります。

POINT

自然な補正ができる＜アンシャープマスク＞

＜シャープ＞による補正では映像全体が強調されるため、場合によっては不自然に見えることがあります。より自然な補正効果を得たい場合は、＜アンシャープマスク＞を使って補正します。＜アンシャープマスク＞では、映像内の輪郭部分を検出して、そこを集中的に補正するため、輪郭以外の部分に対する補正効果は弱くなり、より自然な仕上がりになります。

SECTION 20 | CHAPTER 03 ▶ エフェクト

映像にソフト効果を加える ～ブラー

映像をソフトにして、幻想的な雰囲気を演出したり、自然な背景ボケにするなどの効果を加えたい場合は、＜ブラー＆シャープ＞ビンに含まれるブラー系のエフェクトを利用します。

▶ ＜ブラー＞を使って補正する

映像をあえてぼかしてソフトな効果を加えることができるのは、ブラー系のエフェクトです。ブラー系のエフェクトは全部で5種類あり、いずれもパラメータの値を大きくするほど映像の輪郭が曖昧になります。マスク（P.140参照）を使って被写体の背景をぼかしたり、細部をぼかすことでノイズやキズなどの写り込みを減らしたりするのに利用できます。

1 ＜ブラー（ガウス）＞を適用する

補正するクリップに、P.132と同様の操作で＜ブラー（ガウス）＞を適用します。＜ブラー（ガウス）＞は＜ビデオエフェクト＞内の＜ブラー＆シャープ＞ビンにあります。

2 ＜ブラー＞を調整する

＜ブラー＞のパラメータの値を大きくすると、映像全体が不鮮明で曖昧になり、ぼけたように見えます。

POINT

そのほかのブラー

ブラー（チャンネル）	映像の赤、緑、青の色を不鮮明にして、ぼけるというより、にじんだような印象になります。
ブラー（合成）	映像全体をぼかしつつ、コントラストが強調されます。煙やかげろう越しに見たような雰囲気になります。
ブラー（方向）	手ぶれしたような雰囲気にします。
カメラブラー	撮影時にピントが徐々に外れていくような動きを演出します。Mac版では使用できません。

SECTION 21 映像に新たな要素を加える〜描画

CHAPTER 03 ▶ エフェクト

＜ビデオエフェクト＞内にある＜描画＞ビンには、映像全体を単色やグラデーションで塗りつぶしたり、規則的な模様で全面を覆ったりするためのエフェクトがまとめられています。

▶ ＜描画＞のエフェクト

＜描画＞ビンに含まれるエフェクトは、全12種類です。映像全体を塗りつぶすようなエフェクトも含まれ、これらは主に映像作品のオープニングやエンディング、あるいはタイトル（P.270参照）の背景として利用します。また、特撮映画のようなフレアや稲妻などの特殊な要素を映像に合成するものもあります。ここでは、＜描画＞ビンのエフェクトの一部を紹介します。

4色グラデーション

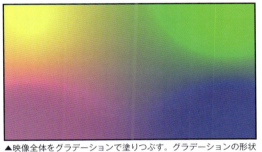

▲映像全体をグラデーションで塗りつぶす。グラデーションの形状や色はパラメータで変更可能。

チェッカーボード

▲映像全体をグリッドで覆う。グリッドのサイズや不透明度などをパラメータで調整できる。

レンズフレア

太陽などの強い光源を収めて撮影したようなレンズフレアを合成することができる。レンズフレアの大きさや長さを調整できる。

稲妻

稲妻を合成できる。稲妻の長さや枝分かれの数など、形状を詳細に調整可能。

SECTION 22 CHAPTER 03 ▶ エフェクト

映像の外枠を立体的に見せる ～遠近

＜ビデオエフェクト＞内にある＜遠近＞ビンには、映像を立体的に見せるためのエフェクトがまとめられています。主に、ピクチャインピクチャでワイプ表示したクリップに対して適用します。

▶ ＜遠近＞のエフェクト

＜遠近＞ビンに含まれるエフェクトは、全5種類です。このうち、＜基本3D＞以外のエフェクトは映像の枠線を加工するためのもので、主に、ピクチャインピクチャ（P.240参照）でワイプ表示したクリップや、＜トランスフォーム＞ビンに含まれるエフェクトで映像をクロップしたものに対して使用します。なお、以下で解説していない＜放射状シャドウ＞は、ワイプ表示のクリップに枠線を付けるためのエフェクトです。

ドロップシャドウ

▲ワイプ表示されたクリップに影を付けて立体的に見せる。影の色や大きさなどはエフェクトのパラメータで変更できる。

ベベルアルファ

▲ワイプ表示されたクリップの内側に縁取りを付けるためのエフェクト。

ベベルエッジ

▲ワイプ表示されたクリップの内側に立体的な縁取りを付ける。縁取りは半透明になる。

基本3D

▲映像を上下左右に回転させたり、手前や奥に移動させたりして、立体的に見せる。

CHAPTER

▼

04

THE PERFECT GUIDE FOR PREMIERE PRO

[カラー調整]

SECTION 01 「カラー調整」機能を理解する

CHAPTER 04 ▶ カラー調整

映像の色合いを撮影時の記憶を頼りに調整したり、大胆に色を変えて演出したりするための機能が、Premiere Proには豊富に用意されています。これらの機能を活用して、映像を美しく仕上げましょう。

▶ 動画のカラー調整における2つの手法

映像の「カラー調整」のプロセスは、「カラーコレクション（Color Correntionn）」と「カラーグレーディング（Color Grading）」に大別されます。カラーコレクションは記憶色やイメージに色合いを近づける「補正」のプロセスで、カラーグレーディングはカラー映像のモノクロ化や絵画的な表現など、色を大きく変化させることで演出するプロセスですが、近年では両者の垣根があいまいになりつつあります。
Premiere Pro では、カラー調整を行うための機能が充実しており、カラーコレクションとカラーグレーディングの区別なく、イメージどおりの映像作品に仕上げることができます。

カラーコレクションの例
色かぶりなどで変色してしまった被写体を適切な色に補正したり、暗くなりすぎた映像を明るくしたりする。

カラーグレーディングの例
一部の色合いを大きく変えたり、複数の色や明るさを一括して変更したりすることで演出する。モノクロ変換やより深みのある色の再現なども、カラーグレーディングに含まれる。

カラー調整機能を快適に利用するためのワークスペース

Premiere Pro でカラー調整機能を利用する場合は、ワークスペースを＜カラー＞に切り替えておくとよいでしょう。＜カラー＞ワークスペースでは、＜Lumetri スコープ＞パネル、＜Lumetri カラー＞パネル、＜エフェクトコントロール＞パネル（P.176 参照）というカラー調整に必要な 3 つのパネルが表示されます。

＜カラー＞ワークスペース

▲画面上部の＜カラー＞タブをクリックすると表示される。

＜Lumetriスコープ＞パネル

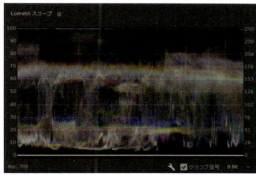

▲映像の色や明るさの分布、バランスなどをグラフ化して表示する（P.162参照）。

＜エフェクトコントロール＞パネル

▲各種カラー調整効果を、パラメータを操作して微調整する。

＜Lumetriカラー＞パネル

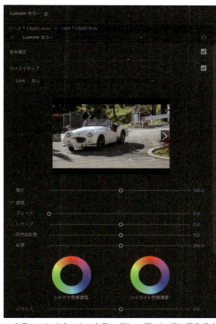

▲カラーコレクション、カラーグレーディングに使えるさまざまなカラー調整パラメータが配置された領域。

SECTION CHAPTER 04 ▶ カラー調整

02 カラー調整用のパネルの見方を理解する

カラー調整を行うために欠かせないパネルが、＜Lumetriスコープ＞と＜Lumetriカラー＞の2つです。前者は色や明るさのバランスを確認し、後者は実際にカラー調整をするためのパネルです。

▶ ＜Lumetriスコープ＞パネルを利用する

＜Lumetriスコープ＞パネルでは、再生ヘッドがあるフレームの色合いの分布などを確認できます。初期設定で表示されるのは＜波形（RGB）＞で、R（赤）、G（緑）、B（青）の光の3原色の明るさと色濃度がどのように分布しているのかを示します。左の縦軸が明度、右の縦軸が色の濃度となります。ここに表示するチャートは、以下のように操作して追加、切り替えが可能です。

1 ＜設定＞をクリックする

パネルの🔧＜設定＞をクリックして❶、表示されるメニューから＜ヒストグラム＞をクリックします❷。

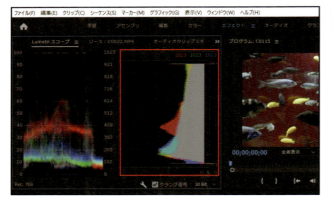

2 ヒストグラムが表示される

ヒストグラムが追加表示されます。ヒストグラムは、色の明るさに対する分布を示すチャートで、中央が山型になり、左右端がチャートからはみ出ない状態が最適な明るさのバランスを示します。

POINT

そのほかのチャート
ベクトルスコープHLS／ベクトルスコープYUV
明るさの要素を除いた色の濃淡だけを視覚化したチャートです。
パレード（RGB）
＜波形（RGB）＞を光の3原色別に分離させたチャートです。

＜Lumetri カラー＞パネルを利用する

＜Lumetri カラー＞パネルには、色調整を行うためのパラメータがまとめられています。パラメータは種類ごとに6つに分類され、分類名が表示されたボタンをクリックすることで展開できます。

基本補正

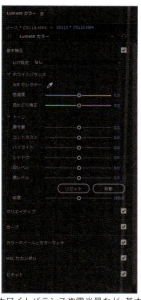

▲ホワイトバランスや露光量など、基本的なカラー調整用パラメータがまとめられている。

クリエイティブ

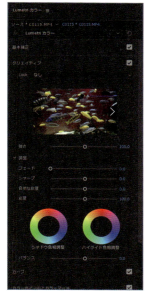

▲カラー調整用プリセット「Look」を適用したり、シャープなどを調整したりするためのパラメータがまとめられている。

カーブ

▲色合いと明るさをグラフで調整するトーンカーブと、色合いを別の色合いに変化させる＜色相／彩度カーブ＞が用意されている。

カラーホイールとカラーマッチ

▲シャドウ、中間調、ハイライトという、明るさ別に色合いを調整するカラーホイールが用意されている。

HSLセカンダリ

▲特定の色だけをピンポイントで調整したり、色合いの最終仕上げをするためのパラメータがまとめられている。

ビネット

▲映像の周辺光量を調整するためのパラメータがまとめられている。

SECTION 03 | CHAPTER 04 ▶ カラー調整

Log撮影された動画の
カラー調整を理解する

通常より豊富な色情報を内包するのが、Log撮影された動画です。Premiere Proでの編集では、最初にこのLog動画の色情報を引き出しておくことで、自由度の高いカラー調整が可能になります。

▶ Logとは？

動画の撮影や編集の際に用いられる「Log」とは、動画をデータとして記録する仕組みの一種です。Log撮影した動画は、通常の動画と比べてより多くの色情報を内包できる点が大きな特長で、現在では業務用カメラだけではなく、ハイエンドミラーレスカメラ、コンパクトカメラでもLog撮影への対応が進んでいます。Log撮影することにより、その動画からはより多くの色を引き出せるため、カラー調整による表現の幅は広がり、自由度が高まります。また、より広い範囲の色を表示可能なディスプレイやテレビが増え、再生環境が整ってきたこともあり、プロの現場を中心にLogが普及しています。

Logがカバーする色域

◀人間の目で認識できる色の範囲（色域）を示した図。従来のフルハイビジョン規格の動画に比べ、Logで撮影された動画の色域が圧倒的に広いことが分かる。

Log撮影が可能なカメラ

◀▲ハイエンドミラーレスカメラやアクションカメラなどでも、Log撮影が可能な機種が増え、より身近な存在になりつつある。写真は左からPanasonic GH5S、Sony ZV-1、DJI OSMO Action。

CHECK!

Logはファイル形式ではなく、ファイルへのデータの埋め込み方とその仕組みです。そのため、撮影時にはカメラ側でLogとしてデータを埋め込むように設定する必要があります。また、同じLogでも、カメラメーカーによってS-Log（ソニー）、V-Log（パナソニック）、D-Log（DJI）、Canon Log（キヤノン）などと名称が異なります。

▶ Log動画が内包する色情報を引き出す

Log撮影された動画をPremiere Proに読み込んだだけでは、豊富な色情報を使ったカラー調整はできません。Log動画に対して適切な「LUTT（Lookup Table）」を適用することで初めて、内包される色情報が引き出されます。LUTは色の明るさ、鮮やかさなどの適正値がまとめられたプリセットです。LUTによっては、色情報を引き出した上で、絵画調、シネマ調などに映像を大きく変化させるものもあります。
Log動画から引き出した色を再生する環境にも配慮が必要です。現在では多くのテレビが「HDR（High Dynamic Range）」に対応しており、こうしたテレビであれば、Log動画の豊富な色階調をそのまま再生できます。

LUTを事前に適用する

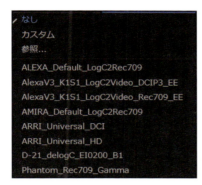

◀Premiere Proでは、＜Lumetriカラー＞パネルの＜基本補正＞にある＜LUT設定＞のリストから、LUTを選択してクリップに適用する。ただし、初期設定ではカメラメーカーによって異なるLogに最適化されたLUTは選べない。

▶ Log動画の編集時のカラーを適正化する

色情報の量が多いLog動画を、HDR非対応のパソコンのディスプレイなどで表示すると、映像の色合いが退色したように見えてしまいます。このような環境で適切にカラー調整をするには、シーケンスの作業カラースペースを、フルハイビジョン規格のものに変更します。変更は＜シーケンス＞メニューで＜シーケンス設定＞をクリックすると表示される画面で行います。

▲＜作業カラースペース＞のリストから＜Rec.709＞を選択すると、HDR非対応ディスプレイ向けの色合いで作業できる。HDR対応ディスプレイの場合は、これ以外のものを選択する。

SECTION CHAPTER 04 ▶ カラー調整

04 Log動画にLUTを適用する

Log動画に内包されている豊富な色情報を活かして、カラー調整を行うためには、最初にLUTを適用して、映像の色を適正化します。適用すべきLUTは、Log動画を撮影したカメラのメーカーごとに異なります。

▶ LUTをPremiere Proで利用できるようにする

Log動画の本来の色を引き出すためには、撮影したカメラのメーカーのLogに対応したLUTを適用してから、カラー調整を行う必要があります。メーカー専用のLUTは、公式サイトなどで無償配布されているほか、Premiere Proにもソニーやキヤノンなどのカメラ向けLUTが用意されています。ただし、こうしたLUTはそのままではPremiere Proから適用することはできないので、以下のように操作して適用できるように準備します。

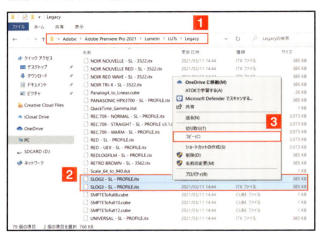

1 LUTをコピーする

＜Program Files＞→＜Adobe＞→＜Adobe Premiere Pro 2021＞→＜Lumetri＞→＜LUTs＞→＜Legacy＞とフォルダーを開き①、目的のLUTを選択して右クリックし②、表示されるメニューで＜コピー＞をクリックします③。

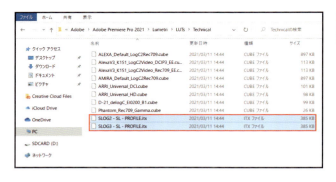

2 LUTを貼り付ける

手順①の＜Legacy＞フォルダーと同じ階層にある＜Technical＞フォルダー内に、コピーしたLUTを貼り付けます。

POINT

MacでのLUTの保存場所

Macの場合は、＜アプリケーション＞フォルダ内のPremiere Proのアイコンを右クリックすると表示されるメニューから、＜パッケージの内容を表示＞をクリックします。続いて、＜Contents＞→＜Lumetri＞→＜LUTs＞とフォルダを開くと、＜Legacy＞フォルダと＜Technical＞フォルダが現れます。

▶ LUT を適用する

左ページのように操作して、LUT を＜ Technical ＞フォルダーにコピーしてから Premiere Pro を起動すると、＜ Lumetri カラー＞パネルの＜基本補正＞にある＜ LUT 設定＞のリストから、コピーした LUT を選択できるようになります。映像によっては、LUT の適用によって退色したような色合いが鮮やかになります。この状態から、各種カラー調整を始めます。

1 LUT を選択する

＜タイムライン＞パネルで LUT を適用する Log 動画のクリップを選択しておき **1**、＜ Lumetri カラー＞パネルの＜基本補正＞にある＜ LUT 設定＞のリストから、前ページでコピーした LUT をクリックします **2**。

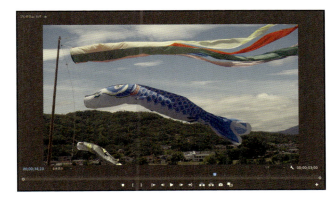

2 LUT が適用される

LUT が Log 動画に適用され、場合によっては＜プログラム＞パネルでのプレビューの色合いが大きく変わります。

POINT

フルハイビジョン環境向けにカラー変換する

Log 動画の最終的な出力先がフルハイビジョンテレビや HDR 非対応のディスプレイなどになる場合、そのまま再生すると適正な色合いで映像が表示されないことがあります。こうした環境で再生することを想定している場合は、Log 動画のカラーをフルハイビジョン向けのカラーに変換する LUT を適用します。このような LUT は、メーカーの公式サイトで配布されています。

▲各メーカーが配布している LUT を、前ページと同様に＜ Technical ＞フォルダーに保存すれば、Premiere Pro から利用できるようになる。

CHAPTER 04 カラー調整

SECTION 05 白い部分を基準に色合いを補正する

CHAPTER 04 ▶ カラー調整

室内の照明下で撮影した動画は、色合いが不自然に青かったり、赤かったりすることがあります。そんなときは、実際の映像では白かった部分を基準に色合いを補正する＜WBセレクター＞を使用します。

＜WBセレクター＞を使用する

照明などの光源による影響で映像の色合いが不自然になったものを、実際は白かった部分を基準に補正するのが「ホワイトバランス（WB）」のパラメータです。Premiere Proでは、＜WBセレクター＞を使って実際は白かった部分をクリックするだけで、ホワイトバランスを補正できます。＜WBセレクター＞は、＜Lumetriカラー＞パネルの＜基本補正＞をクリックすると表示されます。

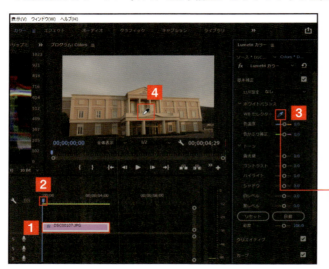

1 色が白かった部分をクリックする

ホワイトバランスを補正するクリップを＜タイムライン＞パネルで選択しておき**1**、補正の基準となるフレームに再生ヘッドを移動します**2**。＜Lumetriカラー＞パネルの＜基本補正＞にある＜WBセレクター＞をクリックし**3**、映像内の実際は白い部分をクリックします**4**。

2 ホワイトバランスが補正される

クリックした部分が白くなり、それに合わせてフレームの映像全体の色合いが補正されます。

> **CHECK!**
> ＜WBセレクター＞を使ったホワイトバランスの調整結果を微調整するには、P.169、P.170で解説している＜色温度＞や＜色かぶり補正＞のパラメータを変更します。

SECTION 06 ホワイトバランスを手動で補正する

CHAPTER 04 ▶ カラー調整

＜WBセレクター＞によるホワイトバランスの自動補正が適切に感じられないこともあるかもしれません。このような場合は、寒色と暖色のバランスを調整して、ホワイトバランスを手動で補正します。

▶ ＜色温度＞を調整する

ホワイトバランスを微調整したり、手動で補正したりする場合は、＜色温度＞のパラメータを調整します。＜色温度＞はカラーを寒色（青系統の色）、暖色（赤系統の色）に区分し、どちらの系統をより強めるか、弱めるかでホワイトバランスを調整します。たとえば、本来は白い部分が青くなっている場合は、暖色を強めます。

1 パラメータを調整する

＜基本補正＞の＜色温度＞のスライダーをドラッグします。この場合、全体が赤みがかっているので、スライダーを寒色方向（左）にドラッグします。

2 ホワイトバランスが補正される

映像全体が寒色寄りになり、ホワイトバランスが補正されます。

SECTION

CHAPTER 04 ▶ カラー調整

07 色かぶりを補正する

撮影したときは不自然ではなかったのに、実際に撮影した映像の色合いが緑がかる、あるいは紫がかるように見えることがあるのは、「色かぶり」と呼ばれる現象です。色かぶりは手動で補正できます。

▶ ＜色かぶり補正＞を使用する

色かぶりは、人間の目では視覚できない光源の色を、デジタルカメラなどの撮影機材が正確に捉えてしまうことによって発生する現象です。本来は白い部分が緑や紫に見えてしまうような映像は色かぶりが発生しているので、＜基本補正＞のパラメータの＜色かぶり補正＞を使って補正します。スライダーを右にドラッグすると紫が濃く、緑が薄くなり、左にドラッグすると逆になるので、緑かぶりが強い場合は右に、紫かぶりが強い場合は左にドラッグします。

1 パラメータを調整する

＜基本補正＞の＜色かぶり補正＞のスライダーをドラッグします。この場合、全体が緑がかっているので、スライダーを右方向にドラッグします。

2 色かぶりが補正される

映像全体に覆っていた緑の色かぶりが軽減されます。

| SECTION | CHAPTER 04 ▶ カラー調整 |

08 映像全体の明るさを調整する

映像の見た目に大きな影響を与えるのが「明るさ」です。その明るさを調整するのが＜露光量＞のパラメータで、利用頻度の最も高い調整項目です。

▶ ＜露光量＞を使用する

映像全体の明るさを調整する場合は、＜Lumetri カラー＞パネルの＜基本補正＞に含まれる＜露光量＞のパラメータを調整します。＜露光量＞はデジタルカメラやビデオカメラで一般的に使われている「露出」という設定項目と同等のもので、映像全体の明るさを一括して変化させます。そのため、もともと明るかったところが「白トビ」したり、暗かったところが「黒つぶれ」したりすることもあります。最適な明るさにするコツは、ほかのパラメータと併せて調整することです。

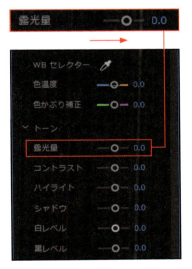

1 パラメータを調整する

＜基本補正＞の＜露光量＞のスライダーをドラッグします。この場合、全体が暗いので、スライダーをプラス方向（右）にドラッグします。

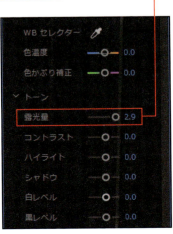

2 露光量が補正される

映像全体が明るくなります。スライダーをマイナス方向（左）に動かすと暗くなります。

SECTION 09 | CHAPTER 04 ▶ カラー調整

コントラストを調整する

カラフルな被写体のはずなのに色全体が沈み込んだように見える、その逆にギラギラしすぎているといった場合は、＜コントラスト＞のパラメータを調整してメリハリを付けます。

▶ ＜コントラスト＞を使用する

映像全体の明るさと色合いにメリハリを付ける、あるいはメリハリを抑えて淡いトーンに演出する場合は、＜Lumetriカラー＞パネルの＜基本補正＞に含まれる＜コントラスト＞のパラメータを調整します。＜コントラスト＞は、映像の最明部と最暗部の差を調整するパラメータで、スライダーを左方向にドラッグすると差は小さく、右方向にドラッグすると差が大きくなります。

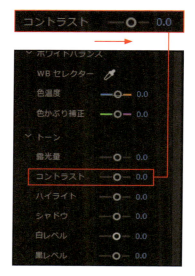

1 パラメータを調整する

＜基本補正＞の＜コントラスト＞のスライダーをドラッグします。この場合、全体のメリハリが弱いので、スライダーをプラス方向（右）にドラッグします。

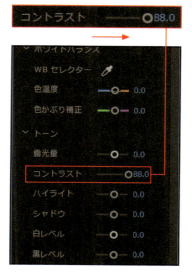

2 コントラストが変化する

映像全体のコントラストが変化し、明るさと色合いのメリハリが強調されます。

SECTION 10 明るい部分だけを調整する

CHAPTER 04 ▶ カラー調整

青天の屋外で撮影した映像は、光が反射した部分などが明るくなりすぎ、細部が見えなくなってしまうことがあります。このような映像では、明るい部分だけをピンポイントで補正しましょう。

▶ ＜ハイライト＞と＜白レベル＞で補正する

映像の最も明るい部分とそれに準じる明るさを持つ部分を総称して、「ハイライト」と呼びます。このハイライトの明るさだけをピンポイントで補正するには、＜Lumetriカラー＞パネルの＜基本補正＞にある＜ハイライト＞と＜白レベル＞を調整します。

1　パラメータを調整する

＜基本補正＞の＜ハイライト＞のスライダーをドラッグします。この場合、映像の白い部分（ハイライト）のディテールが消えてしまっているので、スライダーをマイナス方向（左）にドラッグします。

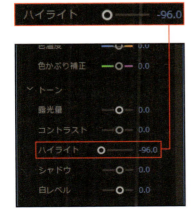

2　ハイライトが変化する

最明部の白い部分が変化し、消えてしまっていたディテールが復元されます。暗い部分、中間部分の明るさと色合いはあまり変化しません。

POINT

＜白レベル＞は微調整に使う

＜白レベル＞のパラメータは、ハイライトの中でももともとが白い部分だけの明るさを調整します。＜ハイライト＞よりも適用範囲が狭いため、＜ハイライト＞や＜色温度＞、＜色かぶり＞、＜露光量＞などのパラメータを調整して明るさと色合いをある程度整えたあとで、微調整のために使用するとよいでしょう。

SECTION 11 | CHAPTER 04 ▶ カラー調整

暗い部分だけを調整する

映像の色が濃い、あるいは影になった部分が黒く塗りつぶされたようになり、細部が見えなくなってしまうことがあります。このような映像では暗い部分だけをピンポイントで補正しましょう。

▶ ＜シャドウ＞と＜黒レベル＞で補正する

映像の最も暗い部分とそれに準じる暗さを持つ部分を総称して、「シャドウ」と呼びます。このシャドウの明るさだけをピンポイントで補正するには、＜Lumetri カラー＞パネルの＜基本補正＞にある＜シャドウ＞と＜黒レベル＞を調整します。最も明るい部分のみを補正する＜ハイライト＞と＜白レベル＞（P.173 参照）と対になるパラメータです。

1 パラメータを調整する

＜基本補正＞の＜シャドウ＞のスライダーをドラッグします。この場合、映像の暗い部分（シャドウ）のディテールが黒く塗りつぶされているので、スライダーをプラス方向（右）にドラッグします。

2 シャドウが変化する

最暗部が明るくなり、消えてしまっていたディテールが復元されます。明るい部分、中間部分の明るさと色合いはあまり変化しません。

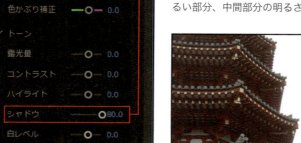

POINT

＜黒レベル＞は微調整に使う

＜黒レベル＞のパラメータは、シャドウの中でももともとが黒い部分だけの明るさを調整します。＜シャドウ＞よりも適用範囲が狭いため、＜シャドウ＞や＜色温度＞、＜色かぶり＞、＜露光量＞などのパラメータを調整して明るさと色合いをある程度整えたあとで、微調整するために使用するとよいでしょう。

SECTION 12 色の鮮やかさを調整する

CHAPTER 04 ▶ カラー調整

撮影時の光源の状態によっては、実際の被写体の色合いよりもくすんだり、色濃くなりすぎたりした映像になってしまうことがあります。このような場合は、＜彩度＞のパラメータを調整します。

▶ ＜彩度＞を使用する

＜ Lumetri カラー＞パネルの＜基本補正＞に含まれる＜彩度＞は、映像全体の色の鮮やかさを調整するパラメータです。鮮やかさに欠ける映像に対してはスライダーを右にドラッグして鮮やかさを高めることができます。スライダーを左にドラッグすると鮮やかさは低化し、値を「0」にすると映像はモノクロになります。鮮やかさを増すための補正目的としてはもちろん、あえて退色したフィルム写真のような雰囲気にしたり、モノクロ映像にしたりなどの用途にも使えます。

1 パラメータを調整する

＜基本補正＞の＜彩度＞のスライダーを右にドラッグします。

2 色鮮やかになる

映像全体の鮮やかさが変化します。

POINT

すべての補正を取り消す

＜基本補正＞の＜リセット＞をクリックすると、＜基本補正＞に含まれるパラメータの調整結果がすべて破棄され、もとの映像に戻ります。また、＜自動＞をクリックすると映像の内容に合わせて、＜基本補正＞に含まれるパラメータが自動調整されます。

SECTION

CHAPTER 04 ▶ カラー調整

13 ＜エフェクトコントロール＞パネルで調整する

カラー調整は、エフェクトの一種でもあります。そのため、カラー調整したクリップを選択すると、＜エフェクトコントロール＞パネルでも各パラメータを調整できるようになります。

▶ ＜エフェクトコントロール＞パネルでカラー調整するメリットは？

＜Lumetri カラー＞パネルで効果を調整すると、以降は＜エフェクトコントロール＞パネルでも＜Lumetri カラー＞と同様のパラメータを操作できるようになります。＜エフェクトコントロール＞パネルを使えば、パラメータによってはマスクを使って映像の一部だけをカラー調整できたり（P.140 参照）、モーションを設定してアニメーション効果を加えたり（P.216 参照）といったこともできます。

1 ＜Lumetriカラー＞を展開する

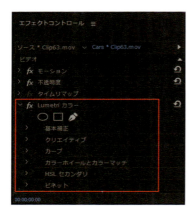

＜エフェクトコントロール＞パネルの＜Lumetri カラー＞を展開すると、＜Lumetri カラー＞パネルに含まれるパラメータが表示されます。

2 パラメータを調整する

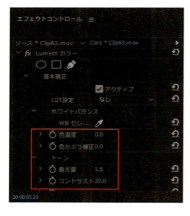

＜エフェクトコントロール＞パネルの各カラー調整パラメータを変更すると、＜タイムライン＞パネルで選択中のクリップの色合いが変化します。

POINT

パラメータを個別にリセットできる

＜エフェクトコントロール＞パネルのカラー調整用のパラメータは、ほかのエフェクトと同様に ⟲ ＜パラメータをリセット＞をクリックすることで、個別にリセットできます。これは＜Lumetri カラー＞パネルではできないことです。

SECTION 14 プリセットで写真の色合いを一変させる

CHAPTER 04 ▶ カラー調整

「Look」と呼ばれるカラー調整のプリセットを利用すると、映像を淡いトーンにして幻想的にしたり、フィルムシネマのような雰囲気にしたりといった演出効果をワンタッチで得られます。

▶ Look を使用する

「Look」は、カラー調整によるさまざまなパラメータの調整結果を組み合わせたプリセットです。Lookは＜Lumetriカラー＞パネルの＜クリエイティブ＞に用意されたリストから選択するだけでクリップに適用でき、劇的な演出効果をかんたんに映像に加えることができます。オリジナルのLookを作成して、ほかのクリップに適用することもできます（P.194参照）。

1 Lookを選択する

＜Lumetriカラー＞パネルの＜クリエイティブ＞を展開しておき**1**、＜Look＞のリストから目的のLookを選択します**2**。

CHECK!

＜クリエイティブ＞の＜Look＞の下にあるサムネイルは、実際にクリップにLookを適用する前にLookの効果を確認するためのものです。サムネイル左右にある＜ ＞をクリックすることで、適用効果を見るLookを切り替えられます。

2 映像の色合いが変わる

選択したLookが適用され、映像の色合いや明るさなどが一括して変更されます。

POINT

Lookの＜強さ＞

＜クリエイティブ＞に含まれる＜強さ＞のパラメータは、クリップに適用したLookが内包するパラメータを一括で強めたり、弱めたりするためのものです。

SECTION 15 シャープや彩度を調整する

CHAPTER 04 ▶ カラー調整

＜クリエイティブ＞には、クリップに適用したLookの効果を調整するための4つのパラメータが用意されています。これらのパラメータの値を変更すれば、Lookによる効果をさらにアレンジできます。

▶ 調整パラメータを使用する

クリップに適用したLookの効果は、＜強さ＞でその効き目を調整できることに加え、＜調整＞に用意された4つのパラメータで個別に調整することもできます。＜フェード＞は映像全体の色の濃淡、＜シャープ＞は輪郭線のメリハリ、＜自然な彩度＞では中間調の色の鮮やかさ、＜彩度＞ではハイライトやシャドウ周辺の色の鮮やかさを調整します。これらのパラメータを使ってオリジナリティを加えてみましょう。なお、＜調整＞に用意された項目は、Lookを適用していない状態でも調整できます。

1 Lookを適用する

P.177と同様の操作でクリップにLookを適用し、＜調整＞に含まれるパラメータのスライダーをドラッグします。

2 Lookの色合いなどが変化する

Lookが適用されたクリップの映像の色合いなどが変化します。

SECTION CHAPTER 04 ▶ カラー調整

16 ハイライト／シャドウごとに色を変化させる

＜クリエイティブ＞に含まれる2つのカラーホイールでは、明部と暗部の色を変化させることができます。カラーホイールの操作は、ほかのカラー調整でもよく使う機能です。

▶ カラーホイールを使用する

＜クリエイティブ＞に含まれる2つのカラーホイールはそれぞれ、映像のシャドウとハイライトの色を変化させるためのものです。カラーホイールの中央から目的の色（色相）の位置までドラッグすることで、ハイライト、あるいはシャドウの色に、ドラッグした位置の色が重ね塗りされ、ピンポイントで色を変化させる、典型的なカラーグレーディングの効果が得られます。

1 カラーホイールの中央にポインタを合わせる

Lookを適用しておき**1**、＜ハイライト色相調整＞のカラーホイール中央にポインタを合わせます**2**。

2 ドラッグする

そのまま、目的の色相の位置までドラッグすると、映像のハイライト部分の色が変化します。

CHECK!

2つのカラーホイールの下にある＜バランス＞では、スライダーをドラッグすることでハイライトとシャドウの色の割合を変化させます。左にドラッグするとシャドウの割合が多く、右にドラッグするとハイライトの割合が多くなります。

POINT

リセットする
カラーホイールで調整した結果をもとに戻したい場合は、カラーホイール内をダブルクリックします。

SECTION 17 RGBカーブを理解する

CHAPTER 04 ▶ カラー調整

＜Lumetriカラー＞パネルの＜カーブ＞には、＜RGBカーブ＞と＜色相／彩度カーブ＞の2つがあります。ここでは、映像の明るさと色合いを一括調整する＜RGBカーブ＞の見方を解説します。

▶ RGBカーブとは？

＜RGBカーブ＞は、映像の明るさを色の濃淡別に調整するための補正項目です。RGBカーブはグラフのような見た目で、縦軸は明るさ、横軸は色の濃淡（階調）を示し、横軸の左端がシャドウ、右端がハイライトになります。最初は右肩上がりの直線ですが、これを変化させることで、＜露光量＞＜ハイライト＞＜シャドウ＞＜白レベル＞＜黒レベル＞の各パラメータを調整するのと同等の効果を得られます。各パラメータを個別に調整するのに比べ、複数の色や明るさがリアルタイムで変化するため、操作に慣れてくると直観的に調整でき、仕上がりも自然になります。

RGBカーブによる映像の変化

補正前

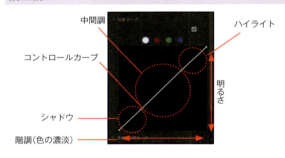

ハイライトを下げ、シャドウを上げる

ハイライトを上げ、シャドウを下げる

◀コントロールカーブのシャドウ寄りの部分を上げ、ハイライトを下げると、平面的な映像になる。

◀コントロールカーブのシャドウ寄りの部分を下げ、ハイライトを上げると、コントラストが大きくなる。

| SECTION | CHAPTER 04 ▶ カラー調整 |

18 RGBカーブで直観的に明るさを補正する

＜RGBカーブ＞のコントロールカーブを変化させることで、シャドウからハイライトに至るまでの明るさや色合いをリアルタイムで補正することができます。コントロールカーブは、ドラッグして変化させます。

▶ コントロールカーブを操作する

コントロールカーブの形状を変えるには、変化させたい部分をクリックすると追加されるハンドルを上下にドラッグします。上にドラッグするとその階調とその付近が明るく、下にドラッグすると暗くなります。ハンドルの前後の部分もドラッグに合わせて変化するので、自然な仕上がりになります。

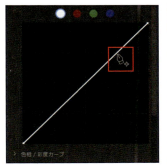

1 コントロールカーブをクリックする

コントロールカーブ上にポインタを移動するとポインタの形が変わるので、クリックします。

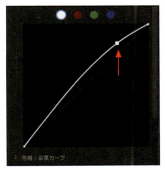

2 ドラッグする

クリックした位置にハンドルが追加されるので、そのままドラッグします。ここでは上にドラッグしたので、中間調からハイライトに近い部分が明るくなります。

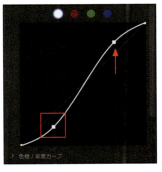

3 シャドウ側も変化させる

同様の操作で、中間調とシャドウの中間地点にハンドルを追加して下にドラッグし、シャドウ部を暗くします。

CHECK!

Ctrl（Macではcommand）キーを押しながらコントロールカーブのハンドルをクリックすると、ハンドルが削除され、もとの直線に戻ります。

SECTION 19 | CHAPTER 04 ▶ カラー調整

RGBチャンネルごとに明るさを調整する

「RGB」は光の三原色と呼ばれ、それぞれ赤(R)、緑(G)、青(B)を意味します。＜RGBカーブ＞では、この三原色を個別に調整することで、補正やユニークな効果の演出が可能です。

▶ チャンネルのコントロールカーブを調整する

＜RGBカーブ＞の上にある各チャンネルのボタンをクリックすると、RGBを個別に調整するためのコントロールカーブが表示されます。このコントロールカーブはP.181と同様の操作で変形することができ、赤のチャンネルを選んだ場合は映像の「赤」の濃淡と明るさが調整されます。同様に、緑と青のチャンネルも操作でき、各チャンネルでの補正効果を組み合わせることもできます。

1 チャンネルをクリックする

＜RGBカーブ＞の上にあるチャンネルのボタンをクリックすると、コントロールカーブの色が変わります。ボタンの色がチャンネルの色となり、白のチャンネルのボタンは「すべての色」を示します。

2 コントロールカーブを変形させる

P.181と同様の操作で赤いコントロールカーブを変形させると、それに合わせて映像の「赤」の階調と明るさが変化します。

SECTION 20 色相／彩度カーブを理解する

CHAPTER 04 ▶ カラー調整

＜Lumetriカラー＞パネルの＜カーブ＞には、＜RGBカーブ＞と＜色相／彩度カーブ＞の2つが用意されています。ここでは、直線をカーブさせて映像を補正する＜色相／彩度カーブ＞の見方を解説します。

▶ 色相／彩度カーブとは？

＜色相／彩度カーブ＞は、コントロールカーブを変形させることで、映像内の任意の色の鮮やかさ、明るさ、色そのものを変化させるための調整項目です。＜RGBカーブ＞と同様に、さまざまな要素をリアルタイムで変化させることができるため、操作に慣れると自然な仕上がりにできます。＜色相／彩度カーブ＞には、調整対象ごとに異なる5つのコントロールカーブが用意されています。

色相vs彩度

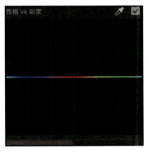

◀特定の色の鮮やかさ（彩度）を調整します。コントロールカーブ上で調整対象の色をクリックし、上にドラッグすると鮮やかに、下で退色したように色が変化します。

色相vs色相

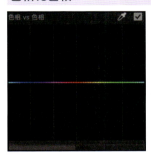

◀特定の色を別の色に変化させます。コントロールカーブ上で調整対象の色をクリックし、そのまま上下いずれかの方向にドラッグすると、色とその濃度が変化します。

色相vs輝度

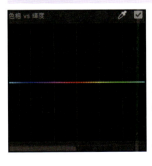

◀特定の色の明るさ（輝度）を調整します。コントロールカーブ上で調整対象の色をクリックし、上にドラッグすると明るく、下で暗く色が変化します。

輝度vs彩度

◀ハイライト、中間調、シャドウの輝度分布ごとに、彩度を調整します。この画面の縦軸が彩度で上に行くほど色鮮やかになり、横軸は輝度で右に行くほど明るくなります。

彩度vs彩度

◀鮮やかさ、色の濃淡の分布ごとに、彩度を調整します。縦軸、横軸ともに彩度で、上に行くほど、右に行くほど彩度が高くなります。

> **CHECK!**
>
> ＜色相／彩度カーブ＞の各直線に用意されている＜スポイトツール＞をクリックしてから、＜プログラム＞パネルのプレビュー上をクリックすると、クリックした位置の色、輝度、彩度がコントロールカーブ上にハンドルとして追加されます。

SECTION CHAPTER 04 ▶ カラー調整

21 色相／彩度カーブで色ごとに彩度を補正する

＜色彩／彩度カーブ＞では、コントロールカーブ上の調整対象となる部分にハンドルを追加し、それをドラッグしてコントロールカーブを変形させて、彩度や色、明るさをリニアに調整します。

▶ 色相／彩度カーブを操作する

ここでは、＜色彩／彩度カーブ＞の＜色相 vs 彩度＞のコントロールカーブを変形させて、映像の任意の色（色相）の鮮やかさ（彩度）を調整します。この場合、コントロールカーブの縦軸は彩度、横軸は色相となります。
コントロールカーブを変形させるには、コントロールカーブ上の調整対象となる色をクリックしてハンドルを追加してから、それをドラッグします。

1 ハンドルを追加する

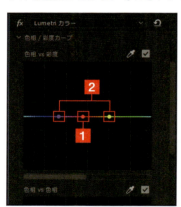

コントロールカーブ上の彩度を変化させたい色をクリックし**1**、ハンドルを追加します。続いて、その左右にもハンドルを追加します**2**。

2 ハンドルをドラッグする

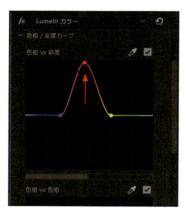

中央のハンドルをドラッグします。ここでは、ハンドルを上にドラッグして、映像内の赤い部分を中心に彩度を上げています。

> **CHECK!**
> Ctrl（Macではcommand）キーを押しながらコントロールカーブのハンドルをクリックすると、ハンドルが削除され、コントロールカーブがもとの形に戻ります。また、コントロールカーブ以外の部分をダブルクリックすると、すべてのハンドルが消去され、コントロールカーブが直線に戻ります。

| SECTION | CHAPTER 04 ▶ カラー調整 |

22 階調ごとに色を置き換える

シャドウ、中間調、ハイライトの階調ごとに、別の色に置き換える機能が＜Lumetriカラー＞パネルの＜カラーホイール＞です。それぞれのカラーホイールを調整すれば、映像の色合いが劇的に変わります。

▶ カラーホイールを操作する

カラーホイールを使って階調別に色を置き換えるには、目的の階調のカラーホイールの中央部から、目的の色相上にドラッグします。変更後の色の濃淡も、カラーホイールの左側にあるスライダーを上下させて変化させることができます。カラーホイールも、Premiere Proでのカラー調整ではひんぱんに登場するもので、カラーグレーディングによる演出に多用されます。

1 カラーホイール中央にポインタを合わせる

変更する階調のカラーホイールの中央部分にポインタを合わせます。

2 ドラッグする

そのまま、目的の色相上にドラッグすると、ハイライト部分の色の色相が変化します。

CHECK!

カラーホイールでの調整をリセットするには、カラーホイール中央をダブルクリックします。

SECTION CHAPTER 04 ▶ カラー調整

23 指定した色だけを調整／加工する

＜Lumetriカラー＞パネルの＜HSLセカンダリ＞では、映像内の指定した色だけの色相や色温度、彩度などを調整できます。調整する色を指定するには、映像上を＜設定カラー＞ツールでクリックします。

▶ HSLセカンダリで色を調整・加工する

＜HSLセカンダリ＞では、「設定カラー」として指定した映像上の任意の色、あるいは任意の範囲の色相に対して、色温度やコントラスト、シャープ、彩度などを調整できます。設定カラーを選択するには、＜カラーの選択＞をクリックしてから、＜プログラム＞パネルなどで映像上の目的の色をクリックします。

1 目的の色をクリックする

＜HSLセカンダリ＞で＜設定カラー＞の＜カラーの選択＞をクリックし①、＜プログラム＞パネルの映像の補正・加工する部分をクリックします②。

2 色相環にポインタを移動する

同じ＜HSLセカンダリ＞に含まれる色相環の中央にポインタを移動します。

POINT

HSL
HSLは、色相（H）、彩度（S）、輝度（L、明るさのこと）の頭文字を合わせた言葉です。＜HSLセカンダリ＞では、指定した色のそれぞれのパラメータを変更できることから、この名前が付けられています。

3 Lookを選択する

そのまま変化させる色相にドラッグすると、手順 2 でクリックした部分と同じ色がドラッグした色相の色に変化します。

▶ 調整範囲を拡張する

＜カラーの選択＞でクリックした位置によっては、思ったとおりの範囲の色を選択できないことがあります。このような場合は、＜カラーの追加＞をクリックしてから映像上の別の位置をクリックします。また、選択範囲から特定の色の部分を除外したい場合は、＜カラーの削除＞をクリックしてからその部分をクリックします。なお、以下の手順でグレー表示になるのはマスクされている範囲となり、マスクの範囲にはカラー調整は適用されません。

1 ＜カラー／グレー＞にチェックを入れる

あらかじめ前ページのように操作して、目的の色を選択しておきます。＜ HSL セカンダリ＞で＜カラー／グレー＞にチェックを入れると、選択範囲外がグレー表示になります。

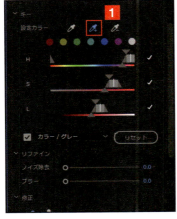

2 ＜カラーの追加＞をクリックする

＜ HSL セカンダリ＞で＜カラーの追加＞をクリックし 1 、映像の別の部分をクリックすると 2 、その部分の色が選択範囲に追加されます。

SECTION 24 周辺光量を増減させる

CHAPTER 04 ▶ カラー調整

＜Lumetriカラー＞パネルの＜ビネット＞では、映像の四隅の光量を増減することができます。これを利用すれば、映像の中の特定の被写体だけにスポットライトが当たったような演出効果を得られます。

▶ ビネットを使用する

＜ビネット＞には、映像の周囲の光量を増減させて、縁取り効果を演出するためのパラメータがまとめられています。＜適用量＞は周辺の光量の増減、＜拡張＞は＜適用量＞の値が及ぼす範囲、＜角丸の範囲＞では周辺光量の形状、＜ぼかし＞は周辺光量が変化する部分の境界線の滑らかさをそれぞれ調整します。

1 ＜適用量＞を調整する

＜ビネット＞に含まれる＜適用量＞のスライダーを左にドラッグすると、映像の周辺光量が減り、暗くなります。右にドラッグすると光量が増え、白くなります。

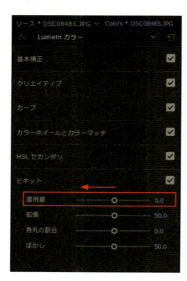

2 そのほかのパラメータを調整する

＜適用量＞を調整すると、そのほかのパラメータを操作できるようになります。各パラメータを操作して、周辺光量の形や範囲を調整します。

SECTION 25 ＜Lumetriプリセット＞エフェクトで調整する

CHAPTER 04 ▶ カラー調整

＜エフェクト＞パネルの＜Lumetriプリセット＞ビンには、カラー調整に役立つエフェクトが多数収録されています。通常のエフェクトと同じ操作方法で、かんたんに雰囲気を一変させられます。

▶ エフェクトでカラー調整する

＜エフェクト＞パネルの＜Lumetriプリセット＞ビンのカラー調整用エフェクトをクリップに適用すると、映像の色合いを古いフィルム映画のような雰囲気にしたり、トイカメラで撮影したようなビビットな色合いにしたりできます。エフェクトを適用後も、＜Lumetriカラー＞パネルで各パラメータを変更して色合いや明るさを補正できます。

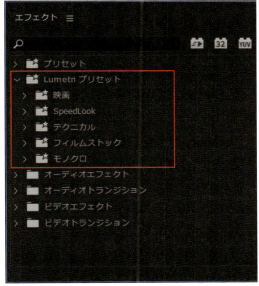

▲＜エフェクト＞パネルの＜Lumetriプリセット＞ビンには、系統別の5つのビンにそれぞれカラー調整のためのエフェクトが収録されている。

SpeedLook→ユニバーサル→SLニュートラルスタート

フィルムストック→Fuji F125 Kodak 2393（Adobe）

モノクロ→モノクロの色あせたフィルム

映画→Cinespace 100

SECTION 26 そのほかのカラー調整エフェクトを利用する

CHAPTER 04 ▶ カラー調整

<ビデオエフェクト>ビンにもカラー調整用のエフェクトが収録されています。ここでは、その中からカラー調整用に使える一部のエフェクトを紹介します。

▶ <ビデオエフェクト>ビンのカラー調整用エフェクト

Premiere Proでは、<Lumetriカラー>パネルや<エフェクトコントロール>で行うカラー調整に加え、エフェクトを適用してカラー調整を行うことも可能です。<ビデオエフェクト>ビンにも、多数のカラー調整用エフェクトが収録されています。クリップへの適用方法は通常のエフェクトと同じです。

<ビデオエフェクト>ビンのカラー調整用エフェクト

収録ビン	説明
イメージコントロール	チャンネルごとに色の濃淡を調整する<カラーバランス（RGB）>、中間調の明るさを調整する<ガンマ補正>などの5つのエフェクトが収録されています。
カラー補正	映像を分割して片方にだけカラー調整を行える<RGBカーブ>や、特定の色だけ残しモノクロにするものなど、全12種類が収録されています。
色調補正	白、黒、RGBの原色それぞれの階調を個別に補正できる<レベル補正>など、5種類のエフェクトが収録されています。
旧バージョン	<3ウェイカラー補正>などのカラーホイールでカラー調整するものや、<自動カラー補正><自動コントラスト><自動レベル補正>のように適用するだけで色合いが補正されるものなどの11種類のエフェクトが収録されています。

カラー調整用エフェクトでも、パラメータを操作して色合いや明るさなどを調整します。パラメータの操作は<エフェクトコントロール>パネルで行い、エフェクトによってパラメータは異なります。

3ウェイカラー補正

シャドウ・ハイライト

カラー置き換え

▶ 主なカラー調整用エフェクト

＜ビデオエフェクト＞ビンに収録されたカラー調整用エフェクトの一部を紹介します。いずれも、＜Lumetriカラー＞パネルの各パラメータを調整するだけでは実現できないような、独特の演出効果をクリップに追加できます。

RGBカーブ（＜旧バージョン＞ビン収録）

▲映像の表示領域の一定割合に対して、異なるカラー、明るさを適用する。調整は＜エフェクトコントロール＞パネルのコントロールカーブで行う。

カラー置き換え（＜イメージコントロール＞ビン収録）

▲映像内をスポイトツールでクリックした部分の色を、任意の別の色に置き換える。置き換える色の範囲は、＜類似性＞のパラメータで調整する。

イコライザー（＜カラー補正＞ビン収録）

▲映像全体の露光量を上げると同時に、とくにハイライト部分の露光量、色の濃度を極端に上げる。

SECTION 27 | CHAPTER 04 ▶ カラー調整

映像全体／一部を モノクロにする

クラシカルな雰囲気を演出するため、あるいは被写体の質感を際立たせて見せるためには、映像をモノクロに変換すると効果的です。また、一部の色だけを残してモノクロにすることもできます。

▶ ＜彩度＞のパラメータを「0」にする

映像をモノクロに変換したい場合は、＜Lumetri カラー＞パネルの＜基本補正＞にある＜彩度＞のパラメータを「0」にするのが最もかんたんな方法です。また、エフェクトの＜Lumetri プリセット＞ビンの中にも、映像をモノクロにするエフェクトが用意されています。モノクロ化したあとは、＜ハイライト＞や＜シャドウ＞など、明るさに関するパラメータを調整することで、被写体の質感を変化させることができます。

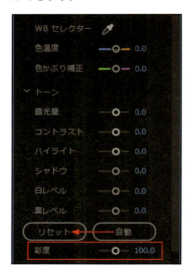

1 ＜彩度＞を変更する

モノクロにするクリップを選択しておき、＜Lumetri カラー＞パネルの＜基本補正＞にある＜彩度＞のスライダーを左端にドラッグします。

2 モノクロになる

＜彩度＞が「0」になるとモノクロになります。このとき、＜トーン＞に含まれる各パラメータを調整することで、モノクロの雰囲気を変えることができます。

▶ 一部の色を残してモノクロにする

モノクロにする際に一部の色だけを残す手法を「パートカラー」と呼びます。Premiere Proでパートカラーのモノクロ表現をするには、＜Lumetriカラー＞パネルの＜HSLセカンダリ＞で1つだけ残す色を＜設定カラー＞ツールで選択します。続いて、マスクを反転して選択した色以外を編集対象にし、＜彩度＞のパラメータを「0」にします。

1 残す色を選択する

＜HSLセカンダリ＞の＜設定カラー＞ツールで残す色をクリックして選択しておきます**1**。＜カラー／グレー＞にチェックを入れてマスクを表示しておきます**2**。

2 マスクを反転する

＜エフェクトコントロール＞パネルの＜HSLセカンダリ＞で、＜マスクを反転＞をクリックすると、手順**1**で選択した色がマスクで覆われ、編集対象から除外されます。

3 彩度を「0」にする

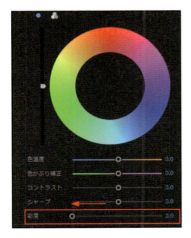

＜HSLセカンダリ＞の＜彩度＞のスライダーを左端にドラッグすると、マスクの範囲外がすべてモノクロになります。手順**1**でチェックを入れた＜カラー／グレー＞のチェックを外します。

SECTION 28 カラー調整設定をプリセットとして保存する

CHAPTER 04 ▶ カラー調整

＜Lumetriカラー＞パネルでカラー調整したパラメータは、プリセットとして保存できます。保存しておくことにより、ほかのクリップやプロジェクトでも同じカラー調整が可能になります。

▶ プリセットとして保存する

カラー調整後の各パラメータの値は、プリセットとして保存しておくことができます。保存先は＜エフェクト＞パネルの＜プリセット＞ビンになり、以降は通常のエフェクトと同様に、ドラッグ＆ドロップで、ほかのクリップにまったく同じカラー調整のパラメータを適用できます。

1 メニューを選択する

クリップのカラー調整を済ませてから、＜Lumetriカラー＞パネルの ≡ をクリックして ①、表示されたパネルメニューの＜プリセットの保存＞をクリックします ②。

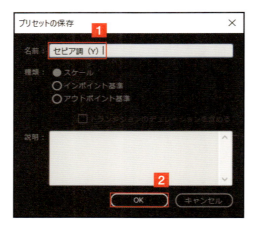

2 名前を付ける

＜名前＞にプリセットの名前を入力して ①、＜OK＞をクリックします ②。

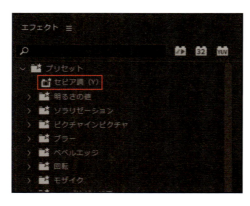

3 プリセットに追加される

＜エフェクト＞パネルを表示すると、＜プリセット＞ビンに手順 2 で名前を付けたプリセットが保存されていることを確認できます。

SECTION 29 カラー調整設定をファイルとして保存する

CHAPTER 04 ▶ カラー調整

カラー調整したパラメータの値は、ファイルとして書き出すことで、ほかの環境に持ち出し、そのパラメータの値を再現することができます。

▶ ファイルとして保存する

カラー調整後のパラメータの値を、現在の環境だけでなく、ほかのパソコンの Premiere Pro で編集中のクリップにも適用したい場合は、ファイルとして保存します。気に入ったカラー調整のパラメータの組み合わせをバックアップする、といった用途にも向いています。

1 メニューを選択する

クリップのカラー調整を済ませてから、＜Lumetri カラー＞パネルの ≡ をクリックして❶、表示されたパネルメニューの＜Look 形式で書き出し＞をクリックします❷。

2 ファイル名を付ける

ファイルの保存先を指定し❶、ファイル名を入力して❷、＜保存＞をクリックします❸。

ファイルを読み込んでクリップに適用する

カラー調整のパラメータの組み合わせが保存されたファイルは、拡張子が「.look」になります。このファイルを以下のように操作してPremiere Proに読み込めば、Look（P.177参照）として利用できるようになり、選択中のクリップに保存時と同じカラー調整のパラメータが適用されます。

1 ＜参照＞をクリックする

＜Lumetriカラー＞パネルの＜クリエイティブ＞の＜Look＞のリストから＜参照＞をクリックします。

2 ファイルを選択する

前ページで保存したファイルを選択して①、＜開く＞をクリックします②。

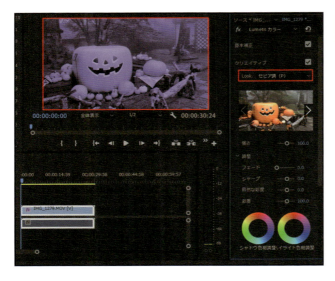

3 Lookが適用される

Lookが適用され、カラー調整のパラメータが選択中のクリップに反映されます。

CHAPTER
05

THE PERFECT GUIDE FOR PREMIERE PRO

[演出効果]

SECTION 01　CHAPTER 05 ▶ 演出効果

「映像の演出」機能を理解する

Premiere Proには、映像をさまざまな形で演出するための機能があります。その中でも、「トランジション」と「モーション」は多彩なアニメーション効果で映像を演出でき、利用頻度の高い機能です。

▶「トランジション」とは？

「トランジション」は、タイムラインに配置したクリップ間に設定する、場面切り替え時のアニメーション効果です。Premiere Proには、8系統・33種類の映像用トランジションが用意されており、用途に合わせてさまざまなアニメーション効果を利用できます。トランジションは＜エフェクト＞パネルの＜ビデオトランジション＞ビンの中に収録されています。

＜エフェクト＞パネルから利用する

◀トランジションは、＜エフェクト＞パネルの＜ビデオトランジション＞ビンの中にまとめられている。ここには系統別のビンがあり、その中に各トランジションがまとめられている。

トランジションで場面転換を演出する

▲立方体が回転するようにして場面が切り替わる＜キューブスピン＞、クリップが徐々に透過しながら次のクリップに切り替わる＜クロスディゾルブ＞など、33種類のトランジションが用意されている。

▶「モーション」とは？

「モーション」は文字どおり、映像にさまざまな「動き」を追加して、演出するための効果です。モーションを設定することで、映像の拡大／縮小や回転、上下左右の自由な位置への移動、半透明化、スローモーション／早送りなどのアニメーション効果を付けることができます。さらにモーションでは、クリップに適用したエフェクト（P.130参照）やタイトル（P.270参照）をアニメーションで動かすようにすることもできます。

＜エフェクトコントロール＞パネルから利用する

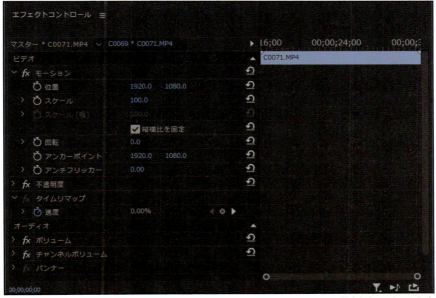

▲モーションの設定と動きの調整は、＜エフェクトコントロール＞パネルで行う。ここで設定したモーションによる動きは、＜プログラム＞パネルでリアルタイムに確認できる。

モーションで映像にアニメーション効果を加える

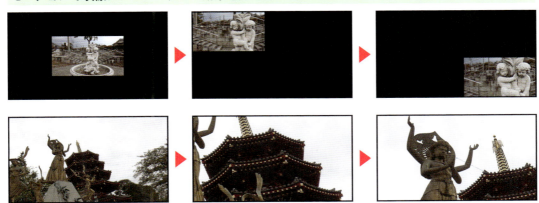

▲映像全体を移動させたり、ズームインとスクロール、ズームアウトという複合的な動きを加えたりできるのがモーションだ。

SECTION 02 クリップをスロー／早送り再生する

CHAPTER 05 ▶ 演出効果

タイムラインに配置したクリップは、クリップ単位でスロー／早送り再生することができます。スロー再生にするには、クリップのデュレーションを変更して、もとのクリップよりもデュレーションを長くします。

▶ 再生速度を変更する

クリップの再生速度を変えるには、以下のように操作してクリップのデュレーションを長く（スロー）／短く（早送り）します。とくに 60fps や 120fps など、フレーム数の多いクリップの場合、そのクリップのデュレーションを長くすると、細切れ感の少ない滑らかな再生品質になります。

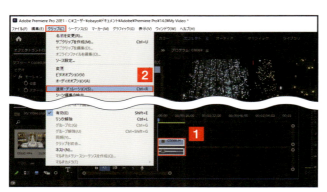

1 メニューをクリックする

速度を変更するクリップを選択しておき①、＜クリップ＞メニューの＜速度・デュレーション＞をクリックします②。

2 速度を指定する

クリップの再生速度を＜速度＞に％単位で指定します①。スロー再生するには「100」より小さい値を、早送りするには「100」より大きい値を指定し、＜OK＞をクリックします②。

3 デュレーションが長くなる

手順②で指定した速度に合わせて、タイムラインのクリップが長くなり、スロー再生されるようになります。

CHECK!
デュレーションの長さの変更を取り消すには、手順②の画面を再表示して、＜速度＞に「100」と入力して＜OK＞をクリックします。

CHECK!
目的のクリップに隣接する後続のクリップがあると、デュレーションを長くすることはできません。

SECTION 03 レート調整ツールでスロー／早送り再生する

CHAPTER 05 ▶ 演出効果

＜レート調整ツール＞は、ドラッグ＆ドロップでクリップのデュレーションを変更して、クリップの再生速度を変化させるための機能です。＜タイムライン＞パネルで再生速度を変更できます。

▶ ＜レート調整ツール＞を利用する

＜レート調整ツール＞を使うと、ドラッグ＆ドロップで映像と音声をスロー／早送り再生にすることができます。＜レート調整ツール＞でクリップのデュレーションを短くすると、そのぶん再生速度が速くなり、早送り再生の効果が得られます。また、デュレーションを長くすると再生速度が遅くなり、スローモーション効果になります。

1 ＜レート調整ツール＞に切り替える

＜ツール＞パネルで＜リップルツール＞を長押しして①、メニューから＜レート調整ツール＞をクリックします②。

2 クリップの両端いずれかをドラッグする

＜タイムライン＞パネルのクリップ両端いずれかにポインタを合わせると、のように変化するので①、左右にドラッグします②。

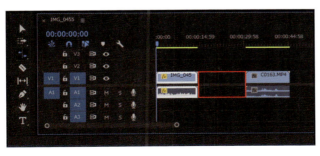

3 クリップが短くなる

クリップを短くすると再生速度が速くなり、長くするとスロー再生になります。クリップを短くした場合は、隣接するクリップとのギャップが発生します（P.116参照）。

POINT

隣接するクリップがある場合

＜レート調整ツール＞で操作するクリップの前後に別のクリップが配置されている場合、デュレーションを短く（再生速度を速く）すると、クリップが短くなったぶんがギャップになります。また、前後のクリップが配置された領域までデュレーションを長く（再生速度を遅く）することはできません。

SECTION 04 クリップを逆再生する

CHAPTER 05 ▶ 演出効果

タイムラインに配置したクリップは、クリップ単位で逆再生できます。逆再生とは、末尾のフレームから先頭のフレームに向けて、クリップを逆方向に再生するユニークな手法です。

▶ 逆再生の設定をする

クリップの逆再生をするには、＜クリップ速度・デュレーション＞を表示して、＜逆再生＞にチェックを入れます。これにより、選択したクリップは末尾のフレームから先頭のフレームに向けて再生されるようになり、動画に映る被写体の動きがもとの動画とは逆になります。スロー再生や早送り再生と組み合わせることで、ユニークな効果を生み出すことができます。

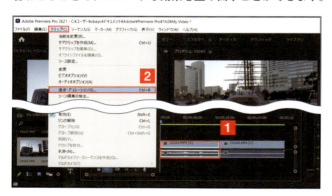

1 メニューをクリックする

スロー再生するクリップを選択しておき**1**、＜クリップ＞メニューの＜速度・デュレーション＞をクリックします**2**。

2 ＜逆再生＞にチェックを入れる

＜逆再生＞にチェックを入れて**1**、＜OK＞をクリックします**2**。

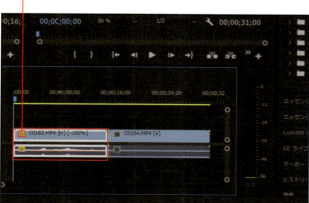

3 逆再生されるようになる

手順**1**で選択したクリップが逆再生されるようになります。逆再生や速度変更が設定されたクリップは、「fx」のアイコンが黄色になります。

CHECK!
逆再生を取り消すには、手順**2**の画面を再表示して、＜逆再生＞のチェックを外し、＜OK＞をクリックします。

SECTION 05 目的の場面で一時的に停止させる

CHAPTER 05 ▶ 演出効果

クリップを任意の場面で静止させ、一定時間後にその続きを再生させるには、その場面に「フレーム保持セグメント」を挿入します。挿入したフレーム以降は別クリップとして分割されます。

▶ フレーム保持セグメントを挿入する

フレーム保持セグメントを挿入すると、再生ヘッドの位置の場面（フレーム）が静止画として挿入され、クリップが3つに分割されます。中央のクリップが静止画となるので、その瞬間が静止したような効果を得られます。被写体の動きが静から動へ転じる瞬間を際立たせるような演出手法です。

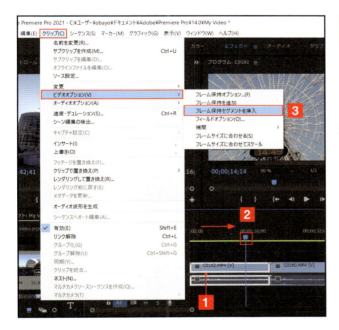

1 メニューをクリックする

＜タイムライン＞パネルでクリップを選択しておき❶、フリーズ（静止）させるフレームに再生ヘッドを移動して❷、＜クリップ＞メニューの＜ビデオオプション＞→＜フレーム保持セグメントを挿入＞をクリックします❸。

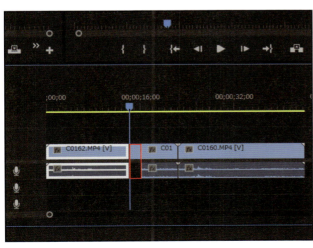

2 クリップが分割される

クリップが3つに分割されました。中央のクリップ（フレーム保持セグメント）が手順❶で再生ヘッドを移動したフレームの静止画です。

CHECK!

フレーム保持セグメントのクリップは静止画のため、＜タイムライン＞パネル上でクリップの左右両端いずれかをドラッグすれば、自由にデュレーションを変更できます。

SECTION 06 トランジションを適用する

CHAPTER 05 ▶ 演出効果

クリップの切り替わり時にアニメーション効果を加えることで、映像全体にメリハリが生まれ、視聴者に場面転換したことが伝わります。アニメーション効果を加えるには、「トランジション」を適用します。

▶ トランジションをドラッグ＆ドロップする

トランジションを使ってクリップ間にアニメーションによる場面転換効果を加えるには、＜エフェクト＞パネルの＜ビデオトランジション＞ビンの中にあるトランジションを、＜タイムライン＞パネルにドラッグ＆ドロップします。このとき、トランジションはクリップとクリップの間付近にドラッグ＆ドロップするようにします。

1 ＜エフェクト＞ワークスペースに切り替える

＜エフェクト＞ワークスペースに切り替えておき❶、＜エフェクト＞パネルの＜ビデオトランジション＞の▶をクリックします❷。

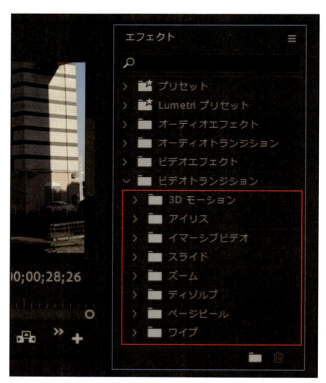

2 ビンを展開する

＜ビデオトランジション＞ビンの中身が展開されるので、ビンの▶をクリックして目的のトランジションを表示します。

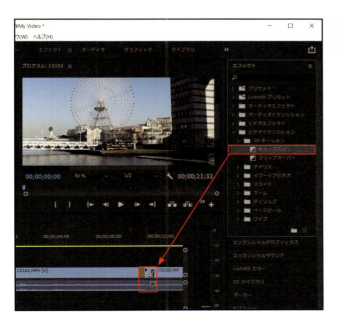

3 トランジションをドラッグ＆ドロップする

トランジションを表示したら、＜タイムライン＞パネルのクリップとクリップの間に、目的のトランジションをドラッグ＆ドロップします。

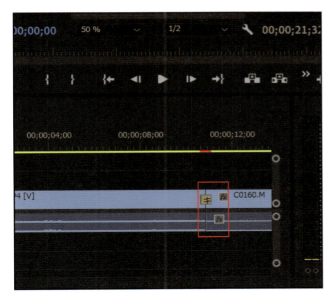

4 トランジションが設定される

クリップとクリップの間にトランジションが設定されます。

CHECK!

トランジションが設定された前後のクリップいずれかを削除したり、トリミング（P.100参照）したりすると、トランジションは解除されます。

POINT

予備フレームの警告が表示される

トランジション設定の際に、前のクリップの末尾、あとのクリップの先頭それぞれがトリミングされていないと、予備フレームに関する警告が表示されます。予備フレームとは、トリミングによって非表示になったフレームのことです。トランジションは予備フレームを使って前後のクリップを合成するため、この予備フレームがないと、前後のクリップの末尾と先頭のフレームを繰り返し再生するようになります。このメッセージは、これに対する警告です。

▲トランジション設定時に表示される警告メッセージ。この場合、＜OK＞をクリックして作業を進めても問題ない。

SECTION 07 トランジションを置き換える

CHAPTER 05 ▶ 演出効果

場面転換時のアニメーション効果が前後のクリップの内容とマッチしないと感じたら、別のトランジションに置き換えます。置き換えはかんたんにできるので、さまざまなトランジションを試してみましょう。

▶ ドラッグ＆ドロップで置き換える

クリップ間に設定したトランジションを別のトランジションに置き換えるには、設定済みトランジションの位置に、新たなトランジションを重ねるようにドラッグ＆ドロップします。そのつど既存のトランジションを削除してから、新たに別のトランジションを配置するような手間は必要ありません。

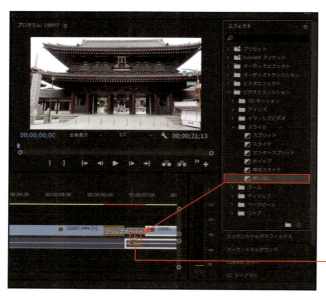

1 トランジションをドラッグ＆ドロップする

すでに配置されているトランジションの上に、別のトランジション（ここでは＜押し出し＞）を重ねるようにドラッグ＆ドロップします。

2 トランジションが置き換えられる

既存のトランジションが別のトランジションに置き換えられます。

SECTION 08 トランジションを削除する

CHAPTER 05 ▶ 演出効果

クリップ間に設定したアニメーション効果を取り消したい場合は、＜タイムライン＞パネルでトランジションを削除します。＜タイムライン＞パネルの表示を拡大しておくと楽に操作できます。

▶ メニューやキー操作でトランジションを削除する

トランジションを削除するには、＜タイムライン＞パネルでトランジションを右クリックすると表示されるメニューで＜消去＞をクリックします。また、トランジションを選択した状態で、Backspace（Macではdelete）キーを押しても削除できます。さらに、トランジションを設定した直後であれば、Ctrl（Macではcommand）＋Zキーを押して操作を取り消すこともできます。

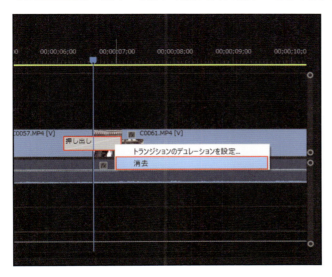

1 トランジションを右クリックする

＜タイムライン＞パネルでトランジションを右クリックして、＜消去＞をクリックします。

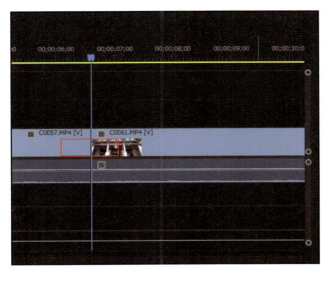

2 トランジションが削除される

トランジションが削除され、クリップ間に設定されていたアニメーション効果が取り消されます。

CHECK!

＜タイムライン＞パネルの表示サイズによっては、トランジションが小さすぎて見えない、選択できない場合があります。このような場合は＜タイムライン＞パネルの表示サイズを拡大します。拡大する方法について詳しくは、P.119を参照してください。

SECTION CHAPTER 05 ▶ 演出効果

09 トランジションの効果時間を変更する

トランジションのアニメーション効果が継続する時間は、初期設定では「1秒」です。効果が持続する時間をより長く、あるいは短くしたい場合は、＜タイムライン＞パネル上でトランジションのデュレーションを変更します。

▶ デュレーションを変更する

トランジションの持続時間（デュレーション）を変更するには、以下のように操作します。デュレーションは秒単位、フレーム単位で指定できます。なお、トランジションの設定直後のデュレーションは1秒ですが、これより短くするとトランジションによるアニメーション効果はほとんど見えなくなってしまう点に注意してください。

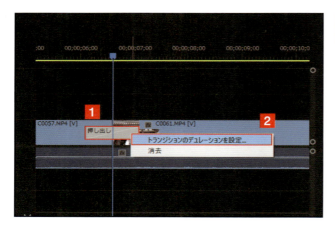

1 メニューをクリックする

デュレーションを変更するトランジションを右クリックして**1**、表示されるメニューで＜トランジションのデュレーションを設定＞をクリックします**2**。

2 デュレーションを指定する

デュレーションをフレーム、秒単位で指定して**1**、＜OK＞をクリックします**2**。

3 デュレーションが変更される

デュレーションが変更され、トランジションのタイムライン上での表示幅も変わります。

> **CHECK!**
>
> トランジションのデュレーションは、＜エフェクトコントロール＞パネルでも変更できます（P.210のPOINT参照）。この場合、デュレーションはドラッグ＆ドロップで変更します。

SECTION
CHAPTER 05 ▶ 演出効果

10 トランジションの効果時間をドラッグで変更する

トランジションによるアニメーション効果の持続時間は、ドラッグで変更することもできます。操作は＜タイムライン＞パネル上で行うので、開始位置や終了位置を確認しながら調整できます。

▶ トランジションの両端をドラッグ＆ドロップする

トランジションの長さ（デュレーション）は、＜選択ツール＞（P.094参照）で＜タイムライン＞パネルからトランジションの両端をドラッグしても変更できます。トランジションの開始位置や終了位置を確認しながら調整できるので便利です。なお、デュレーションを必要以上に長くすると、レンダリングに時間がかかることがある点に注意してください。

1 トランジションの端をドラッグする

＜選択ツール＞に切り替えて■1、＜タイムライン＞パネルのトランジションの左右両端いずれかにポインタを合わせると図のように変化します■2。そのまま左右にドラッグします■3。

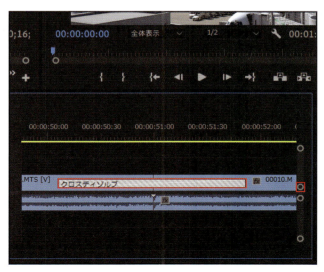

2 デュレーションが変わる

トランジションのデュレーションが変わります。

CHECK!

＜タイムライン＞パネルの表示サイズによっては、トランジションが小さすぎて見えない、選択できない場合があります。このような場合は＜タイムライン＞パネルの表示サイズを拡大します。拡大する場合は◉をドラッグします。

SECTION

11 トランジションの位置を変更する

CHAPTER 05 ▶ 演出効果

トランジションによるアニメーション効果の開始／終了位置を変更したい場合は、＜タイムライン＞パネル、あるいは＜エフェクトコントロール＞パネルでトランジションをドラッグして移動します。

▶ ドラッグ＆ドロップでトランジションを移動する

＜タイムライン＞パネルでエフェクトをクリックすると選択できます。この状態でトランジションを左右いずれかの方向にドラッグすると、その方向にトランジションが移動し、隣接する2つのクリップの場面転換のアニメーション効果の開始／終了位置が変わります。

1 トランジションをドラッグする

＜タイムライン＞パネルでトランジションをクリックして選択し■、そのままドラッグします■。ドラッグ中は、＜プログラム＞パネルの左にトランジション開始直前のフレームの映像、右にトランジション終了直後のフレームの映像が表示されます。

2 トランジションが移動する

トランジションの位置が変わります。

POINT

＜エフェクトコントロール＞パネルの利用

トランジションの移動やデュレーションの変更は、＜エフェクトコントロール＞パネルでも行えます。＜エフェクトコントロール＞パネルでは、トランジションが＜タイムライン＞パネルより大きく表示されるので、トランジションのドラッグによる移動、左右端のドラッグによるデュレーションの変更がしやすくなっています。

＜エフェクトコントロール＞パネルでは、上から順に前のクリップ、トランジション、後のクリップが表示される。

SECTION

CHAPTER 05 ▶ 演出効果

12 トランジションの位置を メニューで調整する

トランジションを前クリップの終端に合わせる、前後のクリップの中央に合わせる、後クリップの先頭に合わせるといった場合は、ドラッグ操作で移動するよりもメニューから調整する方がかんたんです。

▶ ＜エフェクトコントロール＞パネルの＜配置＞で変更する

＜タイムライン＞パネルでトランジションを選択すると、＜エフェクトコントロール＞パネルにトランジションの詳細が表示されます。このとき、＜配置＞のメニューから、トランジションの位置を選択して調整することができます。メニューには、前後のクリップの開始／終了位置にトランジションをぴったり合わせる、前後のクリップの中間位置にトランジションを移動するための項目が用意されています。

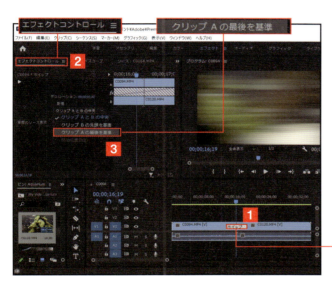

1 メニューを表示する

＜タイムライン＞パネルでトランジションを選択して■、＜エフェクトコントロール＞パネルに切り替え■、＜配置＞のリストから、＜クリップ A の最後を基準＞をクリックします■。

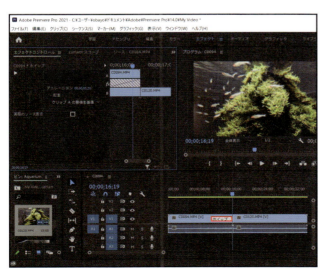

2 トランジションの位置が変わる

トランジションの末尾が前のクリップの末尾に合うように移動されます。この場合、トランジションによるアニメーション効果が終わると同時に次のクリップの先頭フレームが表示されます。

SECTION | CHAPTER 05 ▶ 演出効果

13 トランジション開始／終了時の効果を確認する

トランジションのアニメーション効果は、＜プログラム＞パネルで確認できますが、＜エフェクトコントロール＞パネルなら、開始時と終了時の実際の映像を比較しながら確認できます。

▶ トランジションの効果を比較しながら確認する

トランジションの開始／終了位置を変更する場合は、事前に開始直前のフレーム、終了直後のフレームの映像を確認しながら作業するとよいでしょう。両者を比較するには、＜エフェクトコントロール＞パネルで＜実際のソース表示＞にチェックを入れてクリップの映像をプレビューできる状態にします。

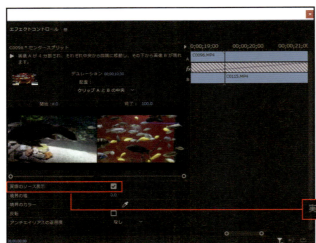

1 ＜実際のソース表示＞にチェックを入れる

＜タイムライン＞パネルでトランジションを選択し、＜エフェクトコントロール＞パネルで＜実際のソース表示＞にチェックを入れると、トランジションの前後のクリップの映像がプレビュー表示されます。左が開始時のクリップ、右が終了時のクリップです。

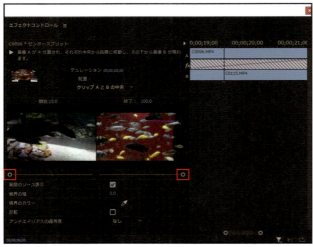

2 トランジションの効果を確認する

それぞれのプレビュー下のスライダーをドラッグすると、実際の映像とトランジションの動きが確認できます。

| SECTION | CHAPTER 05 ▶ 演出効果 |

14 トランジションの アニメーション方向を変更する

＜キューブスピン＞のトランジションは、初期設定では左から右方向へ、立方体が回転しながら場面転換するアニメーションですが、このアニメーションの方向は変えることができます。

▶ アニメーションが動作する方向を変更する

トランジションのアニメーションが動作する方向は、＜エフェクトコントロール＞パネルでプレビューを確認しながら変更できます。トランジションによっては、上下左右、斜めなど、動作を自由に変更できるので、演出意図に合わせて変更しましょう。なお、＜アイリス＞ビンに含まれるトランジションなど、動作方向を変更できないものもあります。

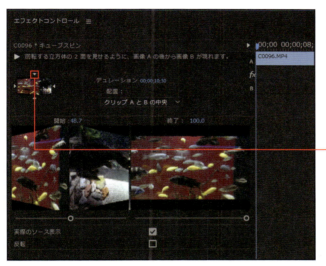

1 動作方向のボタンをクリックする

＜タイムライン＞パネルでトランジション＜キューブスピン＞を選択し、＜エフェクトコントロール＞パネルで、動作方向を設定するボタン（ここでは▼）クリックします。

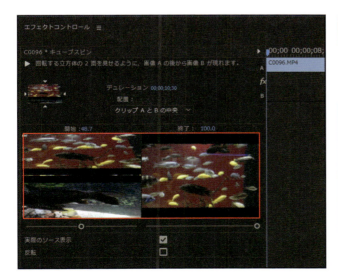

2 動作方向が変更される

＜キューブスピン＞の初期設定の動作である「左から右」から、「上から下」に変更されます。

POINT

動作方向のボタンはトランジションによって違う

＜エフェクトコントロール＞パネルで動作方向を変更するボタンは、選択したトランジションによって異なります。また、＜アイリス＞ビンに含まれるトランジションなどでは、動作方向を変更するボタンは表示されません。

SECTION 15 トランジションでフェードイン／フェードアウトを設定する

CHAPTER 05 ▶ 演出効果

トランジションを応用すれば、さまざまな演出が可能になります。ここでは、映像の始まりと終わりに徐々に映像が現れる「フェードイン」、徐々に消える「フェードアウト」という代表的な演出を解説します。

▶ フェードイン／フェードアウトとは？

映像の代表的な演出効果である「フェードイン」「フェードアウト」は、単色の背景から徐々に映像が現れる、逆に映像が徐々に消えて最後には単色の背景になるものです。モーション（P.199参照）の＜不透明度＞などでも同様の演出はできます。

「フェードイン」

「フェードアウト」

▶ フェードインを設定する

最初に「カラーマット」という単色のクリップを新規作成し、このクリップと通常の映像クリップとの間にトランジション＜クロスディゾルブ＞を設定します。

1 メニューをクリックする

＜ファイル＞メニューの＜新規＞→＜カラーマット＞をクリックします。

2 クリップの表示サイズを指定する

クリップの表示サイズ（解像度）を指定します❶。フェードインを設定する既存のクリップと同じサイズにしておきましょう。指定したら＜OK＞をクリックします❷。

3 背景色を選択する

＜カラーピッカー＞が表示されるので、フェードイン時の単色背景の色をクリックして選択し❶、＜OK＞をクリックします❷。

4 名前を付ける

カラーマットの名前を入力して❶、＜OK＞をクリックします❷。

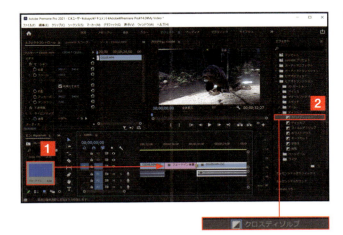

5 カラーマットを配置する

＜プロジェクト＞パネルにカラーマットが追加されるので、＜タイムライン＞パネルのフェードインを設定するクリップの前にドラッグ＆ドロップします❶。続いて、カラーマットの前、あるいは後のクリップとの間にトランジションの＜クロスディゾルブ＞を挿入します❷。

SECTION 16 モーションで動画を移動する

CHAPTER 05 ▶ 演出効果

モーションの一種である＜位置＞を利用すると、映像が画面内を自由に移動するような演出が可能です。ここでは、縮小表示にした映像が画面内の四隅を移動するアニメーションの設定方法を解説します。

▶ ＜位置＞のモーションを使って映像を画面内で移動させる

＜位置＞のモーションを使うと、以下のようにクリップの映像を画面内を移動しながら再生させることができます。モーションの設定では、動きのタイムライン上での開始地点と終了地点に「キーフレーム」を設定し、それぞれのキーフレームにその時点での映像の位置を割り当てます。以下の例の場合、クリップの先頭フレーム、7秒目のフレーム、14秒目のフレーム、23秒目のフレームに全部で4つのキーフレームを設定し、それぞれに中央、左上、右下、中央と映像の位置を割り当てています。
キーフレームの設定は、＜エフェクトコントロール＞パネルで行います。

＜位置＞のモーション

00；00；00；00
00；00；07；00
00；00；14；00
00；00；23；00

＜位置＞のモーションを設定する場合、各キーフレームごとに映像の位置を割り当てることで、キーフレーム間をアニメーションしながら移動する動きが補完される。

＜エフェクトコントロール＞パネルでキーフレームを設定する

◀モーションの設定は、＜エフェクトコントロール＞パネルで行う。ここでは＜移動＞のほか、映像を拡大縮小する＜スケール＞、スロー／早送り再生する＜タイムリマップ＞などのモーションも設定できる。

▶ キーフレームと映像の位置を設定する

実際に映像の位置とキーフレームを設定します。この作業では、＜エフェクトコントロール＞パネルと映像が表示される＜プログラム＞パネルを行き来することになります。以下のように操作して、目的のフレームに再生ヘッドを移動してから、映像の画面上での位置を移動することを繰り返し、必要な数だけキーフレームを設定します。

1 映像をダブルクリックする

＜プログラム＞パネルで映像をダブルクリックすると❶、映像の周囲にハンドルが表示されるので、これをドラッグします❷。

2 映像が縮小される

映像が画面中央に縮小されます。この状態を最初のキーフレームにします。

3 最初のキーフレームを設定する

＜エフェクトコントロール＞パネルで、再生ヘッドをモーションの開始位置に移動し❶、＜位置＞の＜アニメーションのオン／オフ＞をクリックすると❷、再生ヘッドの位置にキーフレームが設定されます❸。

4 映像を移動する

＜エフェクトコントロール＞パネルで次のキーフレームの位置に再生ヘッドを移動してから1、＜プログラム＞パネルで映像をドラッグして目的の位置に移動すると2、次のキーフレームが設定されます3。

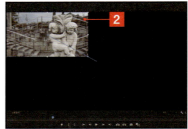

5 同様の操作を繰り返す

同様に＜エフェクトコントロール＞パネルで再生ヘッドを移動し1、＜プログラム＞パネルで映像をドラッグして次の位置に移動すると2、次のキーフレームが設定されます3。

6 映像を中央に戻す

＜エフェクトコントロール＞パネルで再生ヘッドを移動し1、＜プログラム＞パネルで映像をドラッグして中央に戻すと2、最後のキーフレームが設定されます3。

SECTION CHAPTER 05 ▶ 演出効果

17 モーションで動画を拡大／縮小する

映像が時間経過とともに拡大／縮小するアニメーションを設定するには、モーションの＜スケール＞を利用します。キーフレームには、その時点での映像の大きさを割り当てます。

▶ ＜スケール＞を利用する

＜エフェクトコントロール＞パネルにある＜スケール＞では、映像を 0 ～ 10,000% の範囲で拡大／縮小できます。これにモーションを組み合わせることで、映像が時間経過とともに拡大／縮小するアニメーション効果を演出できます。モーションの設定方法は P.217 と同じで、複数のキーフレームに拡大率のパラメータを割り当てます。

1 先頭フレームにキーフレームを設定する

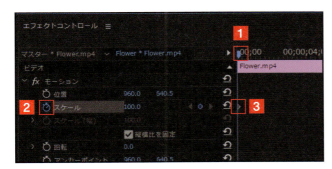

目的のクリップの先頭フレームに再生ヘッドを移動して❶、＜エフェクトコントロール＞パネルの＜スケール＞の＜アニメーションのオン／オフ＞をクリックすると❷、キーフレームが設定されます❸。

2 拡大倍率を指定する

再生ヘッドを別のフレームに移動して❶、＜エフェクトコントロール＞パネルの＜スケール＞に倍率を指定すると❷、映像がその倍率に拡大／縮小され、再生ヘッドの位置にキーフレームが設定されます❸。

> **POINT**
>
> **拡大する位置を変更する**
> 上の手順で＜スケール＞に倍率を指定すると、映像の中央部分が拡大されます。拡大する部分を変えたい場合は、＜プログラム＞パネルで映像をダブルクリックした後、目的の位置までドラッグします。

SECTION 18 モーションで動画を回転する

CHAPTER 05 ▶ 演出効果

映像が時間経過とともに回転するアニメーションを設定するには、モーションの＜回転＞を利用します。回転方向は時計回り／反時計回りのどちらでも設定できます。

▶ ＜回転＞を利用する

＜回転＞の設定は、＜エフェクトコントロール＞パネルで行います。＜回転＞を設定して、これにモーションを組み合わせることで、映像が時間経過とともに回転するアニメーション効果を演出できます。モーションの設定方法は P.216 と同じで、複数のキーフレームに回転する角度のパラメータを割り当てます。

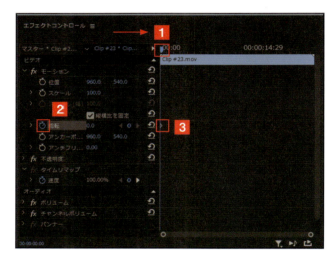

1 先頭フレームにキーフレームを設定する

目的のクリップの先頭フレームに再生ヘッドを移動して①、＜エフェクトコントロール＞パネルの＜回転＞の＜アニメーションのオン／オフ＞をクリックすると②、キーフレームが設定されます③。

2 角度を指定する

再生ヘッドを別のフレームに移動して①、＜エフェクトコントロール＞パネルの＜回転＞に角度を指定すると②、映像がその角度で回転し、再生ヘッドの位置にキーフレームが設定されます。ここでは、一定間隔ごとに 90 度ずつ回転し、最後のキーフレームで 1 回転するように設定しています③。

CHECK!

＜回転＞のパラメータは、値がプラスの場合は時計回り、マイナスの場合は反時計回りに映像を回転します。また、プラスマイナス「360」以上の値にした場合は、映像は 1 回転したあとさらに回転します。

SECTION

CHAPTER 05 ▶ 演出効果

19 モーションで動画を徐々に透明にする

映像が時間経過とともに徐々に透明になっていく、あるいは透明から徐々に映像が現れるようなアニメーションを設定するには、モーションの＜不透明度＞を利用します。

▶ ＜不透明度＞を利用する

＜エフェクトコントロール＞パネルにある＜不透明度＞は、映像の透明度を変化させるエフェクトです。これにモーションを組み合わせることで、映像が徐々に透明になり消える、逆に映像が徐々に現れる「フェードアウト／フェードイン」のアニメーション効果を演出できます。モーションの設定方法は、P.216と同じで、複数のキーフレームに透明度のパラメータを割り当てます。

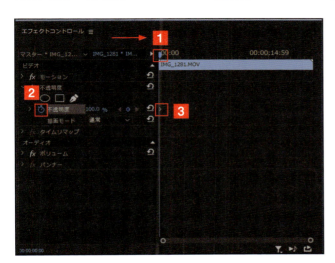

1 先頭フレームにキーフレームを設定する

目的のクリップの先頭フレームに再生ヘッドを移動して■、＜エフェクトコントロール＞パネルの＜不透明度＞の＜アニメーションのオン／オフ＞をクリックすると■、キーフレームが設定されます■。

2 不透明度を指定する

再生ヘッドを別のフレームに移動して■、＜エフェクトコントロール＞パネルの＜不透明度＞に不透明度を指定すると■、映像が半透明になり、再生ヘッドの位置にキーフレームが設定されます。ここでは、一定間隔ごとに不透明度を下げ、最後のキーフレームで完全に映像が透明になるように設定しています。

POINT

フェードインの設定

フェードインを設定するには、1つ目のキーフレームで＜不透明度＞のパラメータを「0.0%」にして、2つ目のキーフレームのパラメータを「100.0%」にします。

SECTION 20 モーションで映像の再生速度を変化させる

CHAPTER 05 ▶ 演出効果

単一のクリップ内で、再生速度を速めたり、遅くしたりするには、エフェクトの＜タイムリマップ＞を利用します。＜タイムリマップ＞では、再生速度を変化させるフレームにキーフレームを設定します。

▶ ＜タイムリマップ＞とは？

＜タイムリマップ＞のエフェクトを使えば、クリップ内の映像の再生速度を自由に変更できます。クリップ全域の再生速度を速めたりスローにしたりできることはもちろん、同じクリップ内で早送り、通常の速度、スローモーションを混在させることも可能です。ただし、＜タイムリマップ＞によって再生速度を変えられるのは、クリップの映像のみです。クリップに含まれる音声の再生速度は変わりません。音声の再生速度を同時に変えるには、AfterEffectを使う必要があります（P.392参照）。

＜タイムリマップ＞による再生速度のコントロール

キーフレーム　　　　キーフレーム　　　　キーフレーム

通常の速度　　　　　早送り　　　　　スローモーション　　　　通常の速度

▲＜タイムリマップ＞ではキーフレームで囲まれた範囲ごとに再生速度を変更できる。

POINT

拡大する位置を変更する

再生速度の設定は、P.200の方法でも行えます。ただしこの方法では、再生速度がクリップ単位で設定されるため、設定後はクリップ全域が同じ再生速度になります。これに対して、＜タイムリマップ＞は単一のクリップ内で再生速度を変化させることができるという違いがあります。

▲クリップのデュレーションを変えることで再生速度も変える＜クリップ速度・デュレーション＞。

▶ ＜タイムリマップ＞で再生速度を変更する

クリップの再生速度を変更するには、＜エフェクトコントロール＞パネルであらかじめ、再生速度を変える位置にキーフレームをすべて設定しておきます。キーフレームの追加は、＜タイムリマップ＞の＜キーフレームの追加／削除＞のボタンから行います。続いて、＜タイムライン＞パネルの＜速度＞バーを表示して、＜速度＞バーを上下にドラッグすることで速度を変更します。

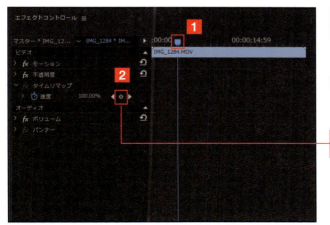

1 最初のキーフレームを設定する

＜エフェクトコントロール＞パネルで再生速度を変化させる位置に再生ヘッドを移動して 1 、＜キーフレームの追加／削除＞をクリックします 2 。

2 続いてキーフレームを設定する

再生ヘッドの位置にキーフレームが設定されます 1 。続いて、別の位置に再生ヘッドを移動し 2 、＜キーフレームの追加／削除＞をクリックします 3 。

3 同様の操作でキーフレームを追加する

2つ目のキーフレームが設定されます。手順 1 と手順 2 の操作を繰り返して、3つ目、4つ目のキーフレームも設定しておきます。

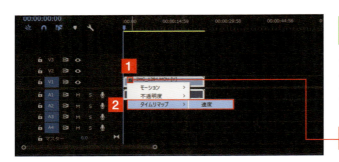

4 ＜速度＞バーを表示する

＜タイムライン＞パネルで再生速度を変更するクリップの＜fx＞と表示された部分を右クリックし①、メニューから＜タイムリマップ＞→＜速度＞をクリックします②。

5 ＜速度＞バーをドラッグする

クリップに＜速度＞バーとともに、キーフレームの位置が表示されます。＜速度＞バーが見づらい場合は、トラックの高さを変更します（P.119参照）。キーフレームで囲まれた部分の＜速度＞バーを上にドラッグします。

6 再生速度が上がる

上にドラッグした部分の再生速度が上がり、そのぶんクリップの長さが短くなります。続いて、別のキーフレームに囲まれた部分の＜速度＞バーを下にドラッグします。

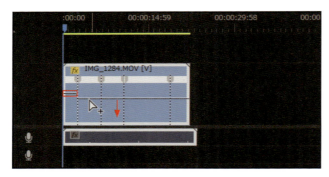

7 再生速度が下がる

下にドラッグした部分の再生速度が下がり、そのぶんクリップが長くなります。

POINT

＜タイムライン＞パネルでキーフレームを追加する

キーフレームは、＜タイムライン＞パネルの＜速度＞バーを Ctrl（Macでは command ）＋クリックしても追加できます。

SECTION 21 モーションを取り消す

CHAPTER 05 ▶ 演出効果

クリップに設定したモーションによるアニメーション効果をすべて破棄したい場合は、モーションを設定したエフェクトの＜アニメーションのオン／オフ＞をクリックします。

▶ モーション・キーフレームを削除する

不要になったモーションの設定を削除すると、設定済みのキーフレームと、キーフレームごとのエフェクトのパラメータはすべてリセットされます。モーションの設定の一部を変更したい場合などは、対象となるキーフレームを個別に削除することもできます。

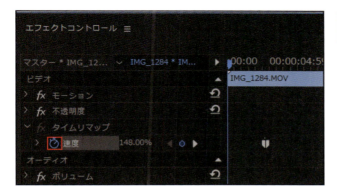

1 ＜アニメーションのオン／オフ＞をクリックする

＜エフェクトコントロール＞パネルを表示します。モーションが設定されたエフェクトの＜アニメーションのオン／オフ＞のアイコンは青く表示されます。これをクリックします。

2 ＜OK＞をクリックする

すべての設定を削除することを確認するメッセージが表示されるので、＜OK＞をクリックします。

CHECK!
キーフレームは、ドラッグしてタイムライン上での位置を変えることができます。

POINT

キーフレームを削除する
キーフレームを削除するには、＜エフェクトコントロール＞パネルのタイムラインで目的のキーフレームを右クリックし、表示されるメニューで＜消去＞をクリックします。

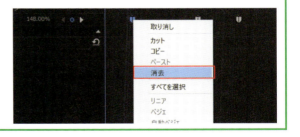

SECTION 22 モーションでエフェクトを動かす

CHAPTER 05 ▶ 演出効果

モーションは、一部のエフェクト（P.130参照）に設定することもできます。これにより、映像の一部だけをカラーに、他をモノクロにして、カラーの部分が徐々に移動するような演出も可能になります。

▶ エフェクトとマスク、モーションを組み合わせる

ここでは、映像をモノクロにするエフェクトである＜モノクロのノーマルコントラスト＞を使い、エフェクトのマスク（P.140参照）に対してモーションを設定することで、映像のカラーになっている部分を徐々に移動させます。

▲マスクした部分だけをカラーにするエフェクトにモーションを設定し、カラー部分が画面左端から右方向に移動するように設定する。

▶ マスクを移動させる

エフェクトのマスクに対してモーションを設定する方法も、＜位置＞（P.216参照）などと同様で、タイムライン上にキーフレームを追加し、各キーフレームにその時点でのマスクの位置を割り当てるという操作を繰り返します。

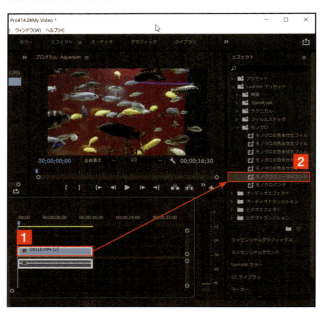

1 エフェクトを適用する

エフェクトを適用するクリップを＜タイムライン＞パネルで選択して**1**、＜エフェクト＞パネルから目的のエフェクト（ここでは＜モノクロのノーマルコントラスト＞）をクリップにドラッグ＆ドロップします**2**。

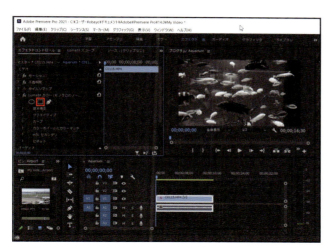

2 マスクのボタンをクリックする

エフェクトが設定されます。＜エフェクトコントロール＞パネルの＜Lumetri カラー＞の＜4点の長方形マスクの作成＞をクリックします。

3 マスクが作成される

映像上にマスクが作成されます。マスクの中央付近にポインタを合わせ①、目的の位置までドラッグします②。

4 マスクのサイズを変える

マスクが移動します。続いて、マスク周囲のハンドルをドラッグして、カラーにする範囲を囲む形にします。

5 マスクを反転する

＜エフェクトコントロール＞パネルで＜マスクの拡張＞の＜反転＞にチェックを入れます。

6 モノクロとカラーが入れ替わる

マスクで囲まれた部分がエフェクトの対象外となり、カラーに戻ります。

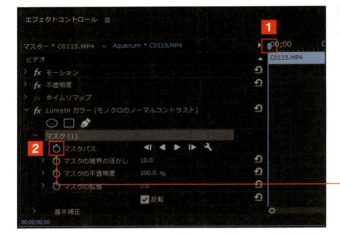

7 キーフレームを設定する

＜エフェクトコントロール＞パネルでクリップの先頭に再生ヘッドを合わせて1、＜マスクパス＞の＜アニメーションのオン／オフ＞をクリックします2。

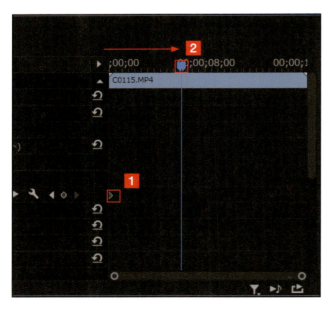

8 再生ヘッドをドラッグする

クリップの先頭にキーフレームが設定されます1。続いて、マスクを移動させる位置まで、再生ヘッドをドラッグします2。

9 マスクを移動する

＜プログラム＞パネルでマスクをドラッグして映像の中央に移動すると①、＜エフェクトコントロール＞パネルの再生ヘッドの位置にキーフレームが追加されます②。再生ヘッドをドラッグして次の位置に移動します③。

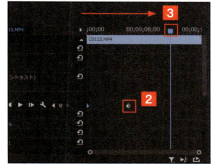

10 さらにマスクを移動する

＜プログラム＞パネルでマスクをドラッグして映像の右端に移動すると①、＜エフェクトコントロール＞パネルの再生ヘッドの位置にキーフレームが追加されます②。

POINT

マスクを消去／選択する

マスクを消去するには、マスクを選択して Backspace（Macでは delete）キーを押すか、右図のようにメニューから消去します。なお、マスクは＜プログラム＞パネルでクリックして選択し、そのまま Backspace キーを押しても削除できます。

▶＜マスク＞を右クリックして、＜消去＞をクリックする。

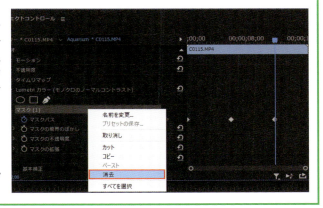

| SECTION | CHAPTER 05 ▶ 演出効果 |

23 パン&ズームで映像を演出する

映像の一部を拡大(ズーム)し、拡大位置を変える(パン)といった複合的な動きも、モーションを使えば可能です。ズームは<スケール>、パンは<位置>にそれぞれモーションを設定します。

▶ 複数のエフェクトとモーションを組み合わせる

モーションは複数のエフェクトに対して別々に設定することもできます。その代表的な例として、ここではパン&ズームをモーションで実現する方法を解説します。パン&ズームは撮影時に用いられる手法の1つですが、Premiere Proのような動画編集ソフトでその動きを付けることは、原理的に映像のぶれが発生しないというメリットがあります。

実際の動作

1 映像の中央部分を拡大する

最初にエフェクトの<スケール>を使って、元の映像から徐々に中央部分が拡大されるモーションを設定します。

2 拡大位置を移動する

続いて、エフェクトの<位置>を使って、拡大位置が映像中央から左上方向に徐々に移動されるモーションを設定します。

〈スケール〉と〈位置〉を使う

ここでは、<エフェクトコントロール>パネルにはじめから用意されている<スケール>と<位置>の2つのエフェクトを使用する。

3 元の大きさ、位置に戻る

最後に、エフェクトの<スケール>と<位置>を使って、映像の拡大率と位置が、徐々にもとに戻るモーションを設定します。

▶ ズームの設定をする

最初に＜スケール＞のエフェクトを使って、映像の中央部分を拡大するように設定します。1つ目のキーフレームはもとの映像サイズにしておき、2つ目のキーフレームで目的の大きさまで拡大するように＜スケール＞のパラメータに値を指定します。

1　1つ目のキーフレームを設定する

クリップの先頭に再生ヘッドを移動して **1**、＜スケール＞の＜アニメーションのオン／オフ＞をクリックするか **2**、＜キーフレームの追加／削除＞をクリックします **3**。

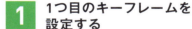

2　2つ目のキーフレームを追加する

再生ヘッドをズームインする位置に移動して **1**、＜スケール＞のパラメータに「100」より大きい値を設定します **2**。値は拡大率を示し、ここでは3倍拡大するため「300」と入力しています。値を入力すると、再生ヘッドの位置にキーフレームが追加されます。

▶ パンの設定をする

続いて、＜位置＞のエフェクトを使って、映像の拡大位置をスクロール（パン）するように設定します。このとき、最初のキーフレームを＜スケール＞のモーションの2つ目のキーフレームと同じ位置に設定すると、ズーム直後にスクロールが開始されるようになります。スクロール量は＜位置＞のパラメータで調整します。

1 1つ目のキーフレームを設定する

前ページで設定した＜スケール＞の2つ目のキーフレームに再生ヘッドを合わせて❶、＜位置＞の＜アニメーションのオン／オフ＞をクリックするか❷、＜キーフレームの追加／削除＞をクリックします❸。

2 再生ヘッドを移動する

再生ヘッドを、スクロール後の映像が表示される位置に移動します。

3 2つ目のキーフレームを追加する

＜位置＞のパラメータ上をドラッグして、映像のスクロール後の位置を調整します。パラメータ左は横位置、右は縦位置を調整するためのものです。値を調整すると、再生ヘッドの位置にキーフレームが追加されます。

▶ 映像をもとの拡大率、位置に戻す

最後に、映像をズームアウトしてもとの大きさ、位置に戻すモーションを設定します。ズームアウトは＜スケール＞のエフェクトに、新たにズームアウトの開始点となるキーフレームを設定し、次に追加するキーフレームでパラメータを「100」に戻します。そのままでは映像の位置がずれてしまうので、＜位置＞のパラメータも調整します。

1 ＜スケール＞にキーフレームを追加する

再生ヘッドの位置を前ページ手順3のキーフレームの位置に合わせ1、＜スケール＞の＜キーフレームの追加/削除＞をクリックしてキーフレームを追加します2。

2 さらにキーフレームを追加する

再生ヘッドを移動して1、＜スケール＞のパラメータを「100」にすると2、映像がズームアウトしてもとのサイズに戻ります。しかし、そのままでは位置がずれています。

3 ＜位置＞にキーフレームを追加する

手順2の位置に再生ヘッドを移動し1、＜位置＞のパラメータをもとの値に戻します2。映像の位置が最初の状態に戻ります。

SECTION 24 被写体の動きに合わせてエフェクトを移動させる

CHAPTER 05 ▶ 演出効果

動きのある被写体に対してエフェクトを設定すると、被写体の移動でエフェクトの位置がずれてしまいます。このような被写体に対してエフェクトを適用し続けるには、「トラッキング」機能を使います。

▶ トラッキングとは？

「トラッキング」は、映像の被写体を自動追尾して、エフェクトのマスクを被写体に重ね続ける機能です。トラッキングの実体は無数のキーフレームに個別にモーションを設定したものです。これを被写体の動きに合わせて手動で行うとかなりの手間になりますが、トラッキングではキーフレームとモーションの設定を自動で行ってくれます。

マスクが被写体の動きに合わせて移動する

▲エフェクトを映像の一部に適用するためのマスク（P.140参照）にトラッキングを設定。被写体の動きに合わせてマスクが追従して動く。また、マスクの大きさも被写体に合わせて変化する。

▶ マスクを設定してトラッキングする

映像にエフェクトを適用したら、その適用範囲をマスクで指定します。トラッキングは被写体の輪郭、色や明るさのコントラストに基づいて被写体の動きを検出するため、自動追尾させる部分しっかり覆うようにマスクを設定しておきましょう。

1 エフェクトを適用する

トラッキングの開始位置に再生ヘッドを移動しておきます**1**。＜エフェクト＞パネルから目的のエフェクトを、＜タイムライン＞パネルのクリップにドラッグ＆ドロップします**2**。

2 エフェクトが適用される

クリップにエフェクトが適用されます。＜エフェクトコントロール＞パネルの＜楕円形マスクの作成＞をクリックします。

3 マスクが作成される

＜プログラム＞パネルの映像のプレビュー上にマスクが作成され、マスクの範囲内にだけエフェクトが適用されます。

4 マスクの位置、大きさを変える

マスクを移動し、大きさを変更して、トラッキングで追尾する被写体を囲むようにします。

5 トラッキングを開始する

＜エフェクトコントロール＞パネルで＜マスクパス＞の＜選択したマスクを順方向にトラック＞をクリックします。

6 トラッキングが開始される

トラッキングが開始され、進行状況が表示されます。クリップの長さやエフェクトによって、かかる時間は変化します。

7 トラッキングが完了する

トラッキングが完了すると、＜エフェクトコントロール＞パネルのタイムラインに白い線が表示されます。キーフレーム（P.216 参照）が多数配置されて1本の線のように見えています。

POINT

被写体の追尾精度を変更する

＜マスクパス＞の＜トラッキング方法＞をクリックすると、トラッキングで被写体を追尾する精度を変更できます。初期設定では、被写体の位置と大きさ、回転の動きをすべて追尾しますが、位置だけ、あるいは位置と回転の動きだけに変更すれば、追尾精度は低くなりますが、トラッキングにかかる時間は短くなります。

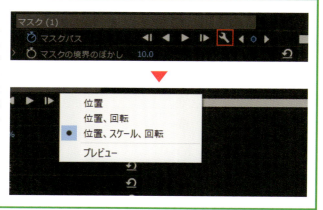

CHAPTER
▼
06

THE PERFECT GUIDE FOR PREMIERE PRO

[合成]

SECTION | CHAPTER 06 ▶ 合成

01 「合成」機能を理解する

異なる映像を1つの画面に同時に表示する「合成」は、動画編集で多用するテクニックの1つです。多彩な合成手段が用意されているので、シーンや目的に合わせて最適な方法を選択できます。

▶「合成」とは？

映像の「合成」とは、異なる映像（クリップ）を1つの画面に同時に表示する手法の全般を指す言葉です。Premiere Proで映像を合成するにはまず、合成する映像を別々のトラックに、タイムライン上で縦に重なるように配置します。この状態で、クリップに対してさまざまなエフェクトなどを適用することで、上下の映像が合成されます。

基本は映像を「重ねる」こと

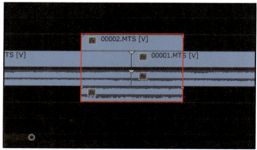

▲＜タイムライン＞パネルで、映像のクリップが上下に重なった部分が合成の対象になる。

映像どうしを合成する

＋

＝

◀▲タイムラインに重ねたクリップに対して、＜キーイング＞のエフェクトなどを使うと、上下の映像が合成される。合成のバリエーションは多彩に用意されている。

▶ 合成のさまざまなバリエーション

合成には、小さい枠（ワイプ）で別の映像を表示するピクチャインピクチャや、映像の一部を透過させて別の映像を重ねるものなど、さまざまなバリエーションがあります。テレビや映画などでよく見られる合成手法のほとんどは、Premiere Proの＜キーイング＞に含まれるエフェクトを使うことで実現できます。

ピクチャインピクチャ

▲重ねたクリップのうち、上のトラックの映像を小さい枠（ワイプ）に表示する。ワイプの位置や大きさはドラッグ＆ドロップで変更でき、枠に影を付けることもできる。

トランジションや不透明度による合成

▲＜ビデオエフェクト＞の＜トランジション＞ビンに含まれるエフェクトや、既定のエフェクト＜不透明度＞による合成では、異なる映像が混じり合うような幻想的な演出が可能。

エフェクトによる合成

＋

＝

＋

◀▲＜キーイング＞ビンに含まれる各種エフェクトを利用すると、映像の色や輝度を透過させたり、図形の形状で切り抜いたりして合成するといったことが可能になる。

SECTION 02　小さな枠に別の映像を重ねる

CHAPTER 06 ▶ 合成

映像に小さな枠を重ね、その枠の中に別の映像を表示する手法を「ピクチャインピクチャ」と呼びます。ピクチャインピクチャでの合成は、重ねたクリップの表示サイズをドラッグ＆ドロップで小さくします。

▶ 枠に表示するクリップを配置する

合成を行う場合は、まずクリップを＜タイムライン＞パネルの複数のトラックに配置します。上下のクリップが重なった範囲が、ピクチャインピクチャが適用される範囲になります。ピクチャインピクチャの枠は複数配置することもできます。

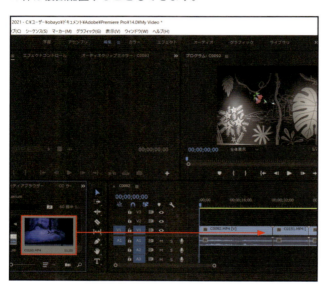

1　クリップをドラッグ＆ドロップする

＜プロジェクト＞パネルから、小さな枠で表示するクリップを＜タイムライン＞パネルの既存のクリップの上のトラックにドラッグ＆ドロップします。

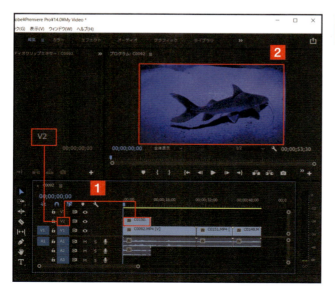

2　クリップが配置される

クリップが＜V2＞のトラックに配置されます**1**。配置直後は、上層のトラックに配置されたクリップの映像だけが表示されます**2**。

▶ 映像の表示サイズを変える

＜タイムライン＞パネルにクリップを重ねて配置したら、上に配置したクリップの映像の表示サイズを変更し、小さな枠にします。この枠のことを「ワイプ」と呼び、ワイプの表示サイズや位置はドラッグ＆ドロップで自由に変更できます。表示サイズや位置は、＜エフェクトコントロール＞パネルから調整することもできます。

1 クリップをドラッグ＆ドロップする

＜プロジェクト＞パネルから、小さな枠で表示するクリップを＜タイムライン＞パネルの既存のクリップの上のトラックにドラッグ＆ドロップします。

2 ハンドルをドラッグする

プレビューの四辺中央、四隅にハンドルが表示されるので、いずれかをドラッグします。

3 サイズと位置を変更する

表示サイズが変更され、上のトラックの映像が小さくなります。ワイプの映像上をドラッグすると、移動できます。

ドラッグして移動

POINT

ワイプが画面からはみ出さないようにする

実際にテレビなどで映像を再生すると、ワイプの位置によっては画面からはみ出してしまうことがあります。このようにならないようにするには、事前に「セーフマージン」を表示しておき、その枠からはみ出ない位置にワイプを配置します。＜プログラム＞パネルのプレビューを右クリックすると表示されるメニューの＜セーフマージン＞をクリックすると、セーフマージンの表示／非表示を切り替えることができます。

SECTION 03 CHAPTER 06 ▶ 合成

ワイプをドロップシャドウで立体的にする

ピクチャインピクチャで合成した小さな枠は、影を付けて立体的に見せることができます。小さな枠に影を付けるには、＜ビデオエフェクト＞に含まれるエフェクトの一種＜ドロップシャドウ＞を適用します。

▶ ＜ドロップシャドウ＞を適用する

＜ビデオエフェクト＞の＜遠近＞ビンに含まれる＜ドロップシャドウ＞は、映像が表示される枠に対して影を付けるエフェクトです。ピクチャインピクチャのワイプに適用することで、ワイプを立体的に浮き上がらせるような視覚効果を得ることができます。

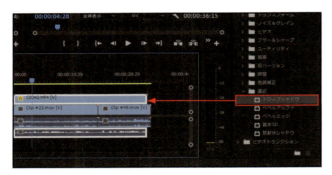

1 エフェクトをドラッグ＆ドロップする

＜エフェクト＞パネルから＜ドロップシャドウ＞のエフェクトを、ワイプになった映像のクリップにドラッグ＆ドロップします。

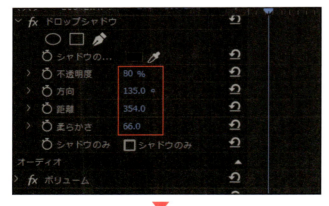

2 パラメータを調整する

＜エフェクトコントロール＞パネルで＜ドロップシャドウ＞の各パラメータを調整して、ワイプに影を付けます。

SECTION 04 ワイプをボタン状にして立体的にする

CHAPTER 06 ▶ 合成

ピクチャインピクチャで合成した小さな枠は、周囲をボタンのような形状にして立体的に見せることができます。このようにするには、＜ビデオエフェクト＞に含まれる＜ベベルアルファ＞を適用します。

▶ ＜ベベルアルファ＞を適用する

＜ビデオエフェクト＞の＜遠近＞ビンに含まれる＜ベベルアルファ＞は、映像の周囲に傾斜を付けたような演出を加えるエフェクトです。ピクチャインピクチャのワイプに適用することで、ワイプがまるでボタンになったような、立体的な視覚効果を得ることができます。

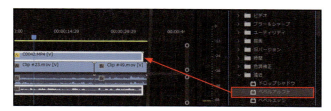

1 エフェクトをドラッグ＆ドロップする

＜エフェクト＞パネルから＜ベベルアルファ＞のエフェクトを、ワイプになった映像のクリップにドラッグ＆ドロップします。

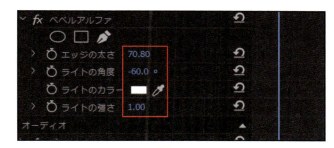

2 パラメータを調整する

＜エフェクトコントロール＞パネルで＜ベベルアルファ＞の各パラメータを調整して、ワイプ周囲の形状を変化させます。

POINT

＜ベベルエッジ＞のエフェクト

＜遠近＞ビンに含まれる＜ベベルエッジ＞は、＜ベベルアルファ＞と似た効果を得られるエフェクトですが、＜ベベルエッジ＞はより広い枠を映像に付けられます。

SECTION 05 ワイプを3D風に変形する

CHAPTER 06 ▶ 合成

ピクチャインピクチャで合成した小さな枠は、角度を変えて3D風に変形することができます。このようにするには、＜ビデオエフェクト＞に含まれる＜基本3D＞を適用します。

▶ ＜基本3D＞を適用する

＜ビデオエフェクト＞の＜遠近＞ビンに含まれる＜基本3D＞は、映像が表示される枠をさまざまな角度に傾けることができるエフェクトです。ピクチャインピクチャのワイプに適用することで、ワイプが変形し、立体的に見えるような視覚効果を得ることができます。

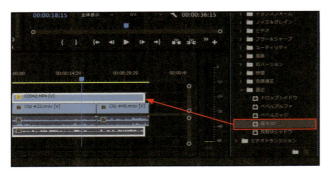

1 エフェクトをドラッグ＆ドロップする

＜エフェクト＞パネルから＜基本3D＞のエフェクトを、ワイプになった映像のクリップにドラッグ＆ドロップします。

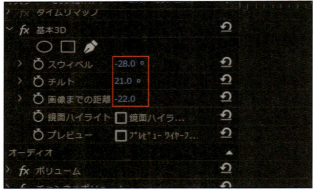

2 パラメータを調整する

＜エフェクトコントロール＞パネルで＜基本3D＞の各パラメータを調整して、ワイプを自由な角度に傾けます。

SECTION

06 傾けたワイプに影を付ける

CHAPTER 06 ▶ 合成

ピクチャインピクチャに＜基本3D＞を適用したあとで、さらにドロップシャドウによる影を付けて立体感を増すことができます。ドロップシャドウは、エフェクトの＜放射状シャドウ＞を適用します。

▶ ＜放射状シャドウ＞を適用する

＜ビデオエフェクト＞の＜遠近＞ビンに含まれる＜放射状シャドウ＞は、映像が表示される枠に対して影を付けるエフェクトです。P.242で解説した＜ドロップシャドウ＞は枠に対して平行に影を付けられるのに対し、＜放射状シャドウ＞はより複雑な光源から生じたような影を付けることができます。

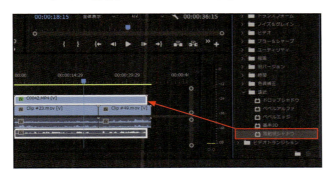

1 エフェクトをドラッグ＆ドロップする

＜エフェクト＞パネルから＜放射状シャドウ＞のエフェクトを、ワイプになった映像のクリップにドラッグ＆ドロップします。

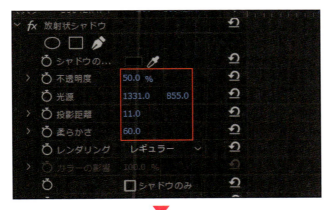

2 パラメータを調整する

＜エフェクトコントロール＞パネルで＜放射状シャドウ＞の各パラメータを調整して、ワイプに影を付けます。

SECTION CHAPTER 06 ▶ 合成

07 ピクチャインピクチャのプリセットを使う

Premiere Proには、ピクチャインピクチャを設定するためのプリセットのエフェクトが多数用意されています。プリセットによっては、映像内でワイプが移動するアニメーション効果も設定されます。

▶ ＜ピクチャインピクチャ＞のエフェクトを使う

＜エフェクト＞パネルの＜プリセット＞ビンにある＜ピクチャインピクチャ＞ビンには、適用するだけでピクチャインピクチャになる50種類以上のエフェクトが用意されています。ワイプ化する映像のサイズは元映像の25％に統一されますが、配置位置は画面の四隅から選択でき、エフェクトによってはワイプが徐々に拡大／縮小するものや、回転するものなど、モーションが設定されているものもあります。

1 エフェクトをドラッグ＆ドロップする

＜エフェクト＞パネルの＜ピクチャインピクチャ＞にあるエフェクトを、＜タイムライン＞パネルの上のトラックにあるクリップにドラッグ＆ドロップします。

2 ピクチャインピクチャが適用される

エフェクトを適用したクリップの映像がワイプ化します。ここで適用した＜PiP 25％ 右下から左下＞は、ワイプが右下から左下へ時間の経過とともに移動するエフェクトです。

CHECK!

ワイプの位置を調整するには、＜エフェクトコントロール＞パネルの＜モーション＞で、＜位置＞のパラメータを変更します。

SECTION 08 不透明度と描画モードで合成する

CHAPTER 06 ▶ 合成

エフェクトの1つである＜不透明度＞を使えば、映像をかんたんに合成できます。前面（上のトラック）のクリップを半透明にすることで、幻想的な効果を演出可能です。

▶ ＜不透明度＞と＜描画モード＞を利用する

映像の合成手法の中でも最もシンプルなのが、前面の映像を半透明にして、背面の映像と重ね合わせることです。この場合、＜エフェクトコントロール＞パネルの＜不透明度＞のパラメータ値を上げて映像を半透明にしますが、同時に＜描画モード＞で合成時の「味付け」を工夫することで、単なる合成に留まらない劇的な演出効果を加えることができます。

1 映像を重ねる

＜タイムライン＞パネルで上のトラック（前面）のクリップを選択し、＜エフェクトコントロール＞パネルで＜不透明度＞のパラメータを右にドラッグして、数値を上げます。

2 ＜描画モード＞を切り替える

前面のクリップが半透明になります。続いて、＜エフェクトコントロール＞パネルの＜描画モード＞で＜乗算＞を選択すると、前面と背面のクリップの色が合成され、幻想的な雰囲気になります。

> **CHECK!**
> ＜描画モード＞には、通常の映像に戻す＜通常＞のほか、全26種類の描画モードが用意されています。

SECTION | CHAPTER 06 ▶ 合成

09 映像の一部を切り取って合成する

映像の一部を切り取って、その部分に別の映像を合成するのも、一般的な手法の1つです。この場合、＜不透明度＞エフェクトの「マスク」を使います。

▶ ＜不透明度＞のペンマスクを利用する

前面クリップの映像から、背景と合成する被写体を切り取るには、＜エフェクトコントロール＞パネルの＜不透明度＞にあるペンマスクを使ってマスクを作成します。ペンマスクなら複雑な形状の被写体も切り取ることができます。背景と合成したときに、合成した映像の境界線が不自然に目立つ場合は、境界線をぼかすようにパラメータを調整します。

1 ＜ベジェのペンマスクを作成＞をクリックする

被写体が映るクリップを上トラック、背景のクリップを下トラックに配置します。上トラックのクリップをクリックし、＜エフェクトコントロール＞パネルの＜ベジェのペンマスクを作成＞をクリックします。

2 映像をクリックする

ポインタの形が変わるので、切り取り形状の起点となる部分をクリックします。

3 アンカーポイントが追加される

クリックした位置にアンカーポイントが追加されます。同様の操作で、ほかの箇所をクリックすると **1**、アンカーポイントが追加され、その間を結ぶ線が表示されます。最後に起点のアンカーポイントをクリックします **2**。

4 マスクが作成される

すべてのアンカーポイントが線で結ばれた図形になります。この図形がマスクとなり、マスクの外側に下トラックの映像が合成されます。

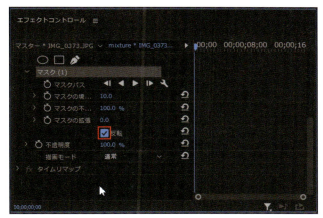

5 合成範囲を反転させる

＜エフェクトコントロール＞パネルで、＜マスク＞の＜反転＞にチェックを入れます。

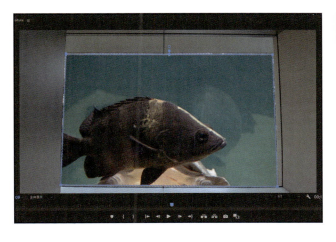

6 合成範囲が反転する

合成範囲が反転され、作成したマスクの中に、下のトラックに配置したクリップの映像が合成されます。

> **POINT**
>
> **境界線の滑らかさを調整する**
>
> ＜エフェクトコントロール＞パネルの＜マスクの拡張＞では、マスクによって映像が合成される際の境界線の滑らかさを調整できます。映像の合成が不自然に見える場合は、このパラメータを大きくするなどして調整しましょう。

SECTION **10** CHAPTER 06 ▶ 合成

トランジションのエフェクトで合成する

場面切り替え効果としてのトランジションとは別に、クリップに対して適用できる＜トランジション＞エフェクトもあります。これを使うと、重なったクリップの映像を半透明で合成できます。

▶ クリップを配置する

クリップの映像を合成するには、＜タイムライン＞パネルのビデオトラック1と2といったように、合成するクリップどうしを異なるトラックに配置します。通常は上のトラックに配置されたクリップの映像が再生時に表示されますが、こちらにエフェクトを適用することで、トラック1と2の映像が合成されます。

1 クリップを別トラックにドラッグ＆ドロップする

＜プロジェクト＞パネルからクリップを＜タイムライン＞パネルにドラッグ＆ドロップします。このとき、既存のクリップとは別のトラックにドラッグ＆ドロップするようにします。

2 クリップが別トラックに配置される

クリップがビデオトラック2（＜V2＞）に配置されます。＜V1＞のクリップと＜V2＞のクリップが重なった部分が合成される範囲になります。

▶ ＜トランジション＞のエフェクトを利用する

＜エフェクト＞パネルの＜ビデオエフェクト＞ビンに含まれる＜トランジション＞の各エフェクトは、P.204で解説したトランジションとは異なり、クリップに対して適用するものです。ここに含まれる全5種類のエフェクトはいずれも、映像を徐々に透過させながら下に重なったクリップの映像と合成するもので、＜変換完了＞のパラメータを調整することで透過度を変更できます。

1 エフェクトをドラッグ＆ドロップする

＜エフェクト＞パネルで＜ビデオエフェクト＞→＜トランジション＞の順で展開して **1**、目的のエフェクト（ここでは＜ブロックディゾルブ＞）をビデオトラック2(＜V2＞)のクリップにドラッグ＆ドロップします **2**。

2 パラメータを調整する

クリップにエフェクトが適用されるので、＜エフェクトコントロール＞パネルの＜ブロックディゾルブ＞に含まれる各パラメータを調整します。＜変換完了＞のエフェクトが映像の透過度を示します。

3 映像が合成される

上のトラックのクリップが透過し、下のトラックのクリップの映像と合成されます。

SECTION 11 特定の色を透明にして合成する ～Ultraキー

CHAPTER 06 ▶ 合成

単色の被写体や背景が含まれる映像の単色部分に、別の映像を合成する手法を「クロマキー合成」といいます。Premiere Proには、＜Ultraキー＞をはじめとするクロマキー合成のエフェクトが用意されています。

▶ クロマキー合成とは？

クロマキー合成は、映像制作の現場で多用される合成手法の1つです。代表的なものは、グリーンバックやブルーバックなどと呼ばれる手法です。これは、単色の背景のセットの前で人物など動きのある被写体を撮影し、それを固定カメラで撮影した風景などの別の映像と合成するものです。これにより、その風景の中に被写体が実際にいるような映像に仕上げることができます。
この手法と同様に、映像内の特定の色を透過させ、その部分に別の映像を合成するのが＜Ultraキー＞というエフェクトです。

トラック1の映像  ＋ トラック2の映像

＝

＜Ultraキー＞で合成した映像

▲トラック2の映像の中で、特定の色（例では車両本体の青）を指定すると、その部分が透明になり、背景のトラック1の映像が合成される。

＜Ultra キー＞を利用する

＜Ultra キー＞は、＜エフェクト＞パネルの＜ビデオエフェクト＞の＜キーイング＞ビンに含まれるエフェクトです。映像の中で透明にする色をクリックすることによって、その部分が透明になり、直下のトラックの映像が合成されます。指定できるのは単色なので、そのほかのパラメータを調整して、相似色を含めて透明にするなどして、合成結果がより自然に見えるようにします。

1 スポイトアイコンをクリックする

クリップに＜Ultra キー＞のエフェクトを設定しておき、＜エフェクトコントロール＞パネルの＜キーカラー＞のスポイトアイコンをクリックします。

2 透明にする色をクリックする

＜プログラム＞パネルで、映像の透明にする色をクリックします。

3 別の映像の背景が合成される

手順2でクリックした色が透明になり、下のトラックのクリップの映像が合成されます。

POINT

うまく透明にならない場合

上記の手順のように操作しても、クリックした部分とその周辺の色の濃淡差によっては、透明になる範囲が狭くなり、イメージどおりにならないことがあります。そのような場合は、＜エフェクトコントロール＞パネルの＜設定＞のリストから＜強＞を選ぶと、濃淡差がある程度吸収され、より広い範囲が透明になります。透明になる範囲を微調整するには、＜マットの生成＞の各パラメータを調整します。

SECTION 12 CHAPTER 06 ▶ 合成

特定の色を透明にして合成する　～カラーキー

映像の特定の色を透明にして、下のトラックに配置されたクリップの映像と合成するエフェクトが＜カラーキー＞です。スポイトツールで＜プログラム＞パネルのプレビュー上をクリックして透明にします。

▶ ＜カラーキー＞を利用する

＜カラーキー＞は、＜ビデオエフェクト＞の＜キーイング＞ビンに含まれるエフェクトです。映像の特定の色を透明にするという点では、P.252で解説している＜Ultraキー＞と似ていますが、＜Ultraキー＞は汎用的に利用できるのに対し、＜カラーキー＞は複雑な背景の透過が苦手なぶん、クロマキーなどの完全な単色の部分を透過するのに向いています。

1 色を指定する

合成するために上下のトラックにクリップを配置したのち、上のトラックのクリップに＜カラーキー＞を適用します。＜エフェクトコントロール＞パネルのスポイトアイコンをクリックして■、＜プログラム＞パネルで透過させる色をクリックします■。

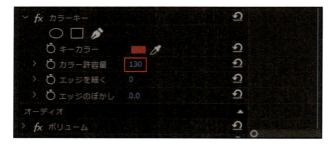

2 パラメータを調整する

必要に応じて、＜エフェクトコントロール＞パネルの＜カラー許容量＞で透過させる色の範囲を調整します。

3 指定した色が透過して合成される

クリックした色が透過され、下のトラックの映像が合成されます。

> **CHECK!**
> ＜カラーキー＞のパラメータの＜カラー許容量＞では指定した色の許容範囲を、＜エッジを細く＞＜エッジのぼかし＞では合成した映像の境界線の滑らかさを、それぞれ調整します。

SECTION 13　暗い部分を透明にして合成する ～ルミナンスキー

CHAPTER 06 ▶ 合成

映像の暗い部分（シャドウ）を透明にして、下のトラックに配置されたクリップの映像と合成するエフェクトが＜ルミナンスキー＞です。明暗差の大きい映像を切り抜いて合成する場合に多用します。

▶ ＜ルミナンスキー＞を利用する

＜ルミナンスキー＞は、＜ビデオエフェクト＞の＜キーイング＞ビンに含まれるエフェクトです。特定の部分のみを透過させるという点では＜カラーキー＞に似ていますが、＜カラーキー＞が色で透過する部分を決定するのに対し、＜ルミナンスキー＞は輝度（明るさ）で透過部分を決定する点が異なります。輝度差が激しい映像を別の映像と合成する場合に多用されます。

1　クリップを重ねてエフェクトを適用する

ビデオトラック1と2に別々のクリップを重ねて配置し、トラック2のクリップに＜ルミナンスキー＞のエフェクトを適用します。

トラック1の映像

トラック2の映像

2　シャドウ部分が合成される

＜エフェクトコントロール＞パネルで、必要に応じて＜ルミナンスキー＞のパラメータを調整すると、クリップのシャドウ（最も暗い部分）が透明になり、下のクリップの映像が合成されます。

CHECK!

＜ルミナンスキー＞のパラメータ＜しきい値＞では、暗い領域の許容範囲を調整できます。また、＜カットオフ＞では＜しきい値＞の値に応じて透明度を調整します。

SECTION 14 マット画像をPhotoshopで作成する

CHAPTER 06 ▶ 合成

図形の形状で映像を切り取り、背景の映像と合成することもできます。このときに必要になるのがマット画像で、図形そのものと透明な背景で構成されます。マット画像はPhotoshopで作成します。

▶ マット画像を作成する

＜アルファチャンネルキー＞（P.260参照）や＜イメージマットキー＞（P.262参照）、＜トラックマットキー＞（P.264参照）などのエフェクトで合成するための素材となるのが、マット画像です。マット画像は透明な背景を含む図形のことで、Premiere Proでも、7章で扱うタイトルや図形はマット画像になります。ただし、複雑な図形は作成できないので、ほかのアプリを使って作成する必要があります。ここでは、Adobe Creative Cloudに含まれる画像編集アプリ「Adobe Photoshop（以降、「Photoshop」と表記）」を使ってマット画像を作成する方法を解説します。

1 ファイルを新規作成する

Photoshopの起動時に表示される画面で、＜新規作成＞をクリックします。または、Photoshopの＜ファイル＞メニューで＜新規＞をクリックします。

2 幅と高さを指定する

ファイルの表示サイズの単位で＜ピクセル＞を選択し1、＜幅＞と＜高さ＞に合成する映像と同じサイズを入力して2、＜作成＞をクリックします3。

3 ツールを切り替える

ツールバーの＜長方形ツール＞のボタンを長押しして❶、表示されるメニューから＜カスタムシェイプツール＞をクリックします❷。

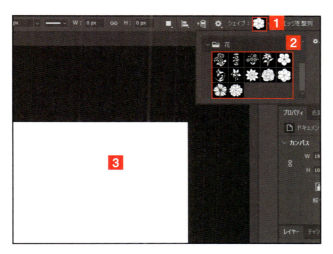

4 図形を選択する

ツールオプションバーの＜シェイプ＞をクリックして❶、表示される一覧から目的の図形をクリックします❷。続いて、キャンバス上をクリックします❸。

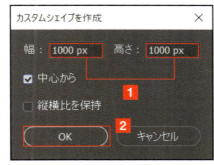

5 図形のサイズを指定する

＜幅＞と＜高さ＞に図形のサイズを指定して❶、＜OK＞をクリックします❷。

6 図形を選択する

図形が作成されます。ツールバーの＜パスコンポーネント選択ツール＞をクリックして❶、図形をクリックすると選択でき❷、ドラッグして移動することができます。

CHECK!

図形を削除するには、＜パスコンポーネント選択ツール＞を使ってクリックして選択しておき、Backspaceキー（Macではdeleteキー）を押します。

7 レイヤーを結合する

<レイヤー>メニューの<画像を統合>をクリックします。

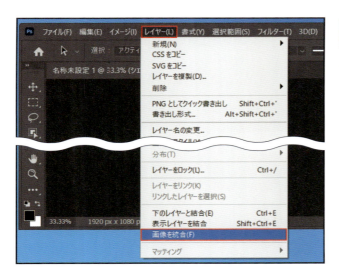

8 ツールを切り替える

ツールバーの<消しゴムツール>のボタンを長押しして１、表示されるメニューから<マジック消しゴムツール>をクリックします２。

9 余白をクリックする

ポインタの形が図のように変わるので、図形以外の背景部分をクリックします。

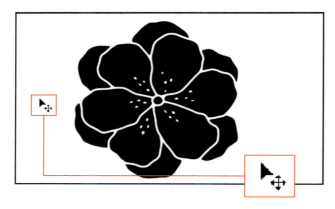

CHECK!

レイヤーを結合後は、図形を選択することができなくなります。そのため、図形の位置の調整は結合前に済ませておきましょう。

10 背景が透明になる

背景が透明になります。これでマット画像が完成しました。

11 ファイルとして保存する

＜ファイル＞メニューの＜書き出し＞→＜書き出し形式＞をクリックします。

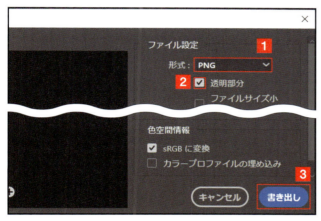

12 ファイル形式を選択する

＜形式＞で＜ PNG ＞を選択し①、＜透明部分＞にチェックを入れ②、＜書き出し＞をクリックします③。

CHECK!

透明情報を含めることができる画像形式は、PNG、GIF、Photoshop 形式（PSD）などがあります。

13 ファイル名を指定する

保存場所とファイル名を指定して①、＜保存＞をクリックします②。

POINT

図形が認識されない場合
PSD 形式で保存したマット画像を Premiere Pro に読み込んでも、図形が認識されないことがあります。このような場合は、同じ画像を PNG 形式で保存し直して読み込みます。

SECTION 15 マット画像を合成する ～アルファチャンネルキー

CHAPTER 06 ▶ 合成

クリップの映像にP.256で作成したマット画像を合成できます。そのまま合成するとマット画像の図形でクリップの映像が覆われるので、＜アルファチャンネルキー＞を適用して調整します。

▶ ＜アルファチャンネルキー＞を利用する

＜アルファチャンネルキー＞は、＜ビデオエフェクト＞の＜キーイング＞に含まれるエフェクトです。マット画像と通常のクリップを合成した際、マット画像に＜アルファチャンネルキー＞を適用すると、図形の部分だけに映像を表示したり、半透明などの効果を加えたりできます。

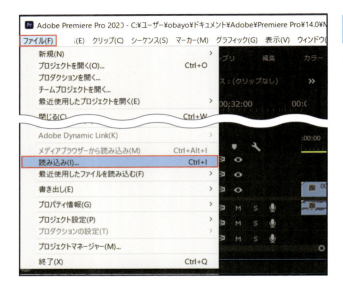

1 マット画像を読み込む

＜ファイル＞メニューの＜読み込み＞をクリックします。または、＜プロジェクト＞パネルの余白部分をダブルクリックします。

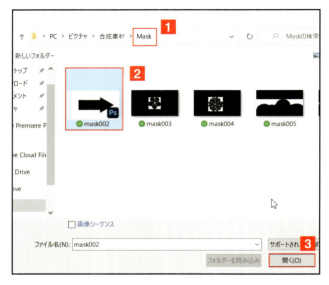

2 マット画像を選択する

マット画像の保存先フォルダーを選択して1、マット画像を選択し2、＜開く＞をクリックします3。

3 レイヤーを結合する

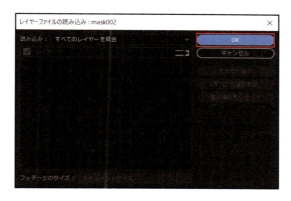

PSD（Photoshop）形式のマット画像の場合、図のような画面が表示されます。そのまま＜OK＞をクリックします。

4 マット画像にエフェクトを設定する

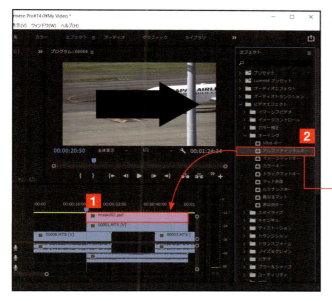

マット画像をタイムラインに配置し①、そこに＜アルファチャンネルキー＞のエフェクトをドラッグ＆ドロップします②。

5 パラメータを変更する

＜エフェクトコントロール＞パネルで＜アルファを反転＞にチェックを入れると①、図形で覆われる範囲が反転します。＜不透明度＞のパラメータの値を下げると②、覆われた部分が半透明になります。

CHECK!

＜アルファチャンネルキー＞の＜マスクのみ＞にチェックを入れると、図形の色情報が削除され、図形が白くなります。

SECTION 16 CHAPTER 06 ▶ 合成

図形で映像を切り抜いて合成する
〜イメージマットキー

マット画像の形状で映像を切り抜き、背景に別の映像を合成することができます。このような合成を行うには、＜キーイング＞ビンに含まれるエフェクトの1つ、＜イメージマットキー＞を利用します。

▶ ＜イメージマットキー＞とは？

＜イメージマットキー＞は、マット画像の図形の中にクリップの映像を合成し、図形の外側にその下のトラックに配置されたクリップの映像を合成するエフェクトです。マット画像はクリップに組み込むため、そのクリップが再生されている間、エフェクトの効果が持続します。

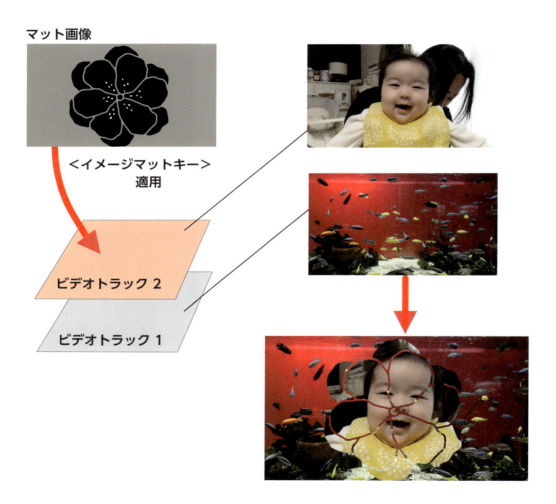

▲上のトラックの映像をマット画像を使って切り抜き、下のトラックの映像を背景にするのが＜イメージマットキー＞。マット画像はエフェクトのパラメータとして管理されるため、マット画像のためにトラックを消費せずに済む。

▶ ＜イメージマットキー＞で合成する

＜イメージマットキー＞を使用する場合、あらかじめ図形内に合成するクリップを上のトラックに、外側に合成するクリップを下のトラックに配置しておきます。その上で、＜イメージマットキー＞のエフェクトを上のトラックに適用します。使用するマット画像は、＜エフェクトコントロール＞パネルから読み込みます。

1 ＜設定＞をクリックする

クリップに＜イメージマットキー＞を適用しておき、＜エフェクトコントロール＞パネルの＜イメージマットキー＞の＜設定＞をクリックします。

2 マット画像を選択する

マット画像の保存先を指定して**1**、マット画像を選択し**2**、＜開く＞をクリックします**3**。

3 図形で切り抜かれる

読み込んだマット画像の図形の中に、上のトラックの映像が合成され、下のトラックの映像が外側に合成されます。

POINT

プレビューできない

使用するパソコンの性能によっては、＜イメージマットキー＞の適用結果が＜プログラム＞パネルでプレビューできないことがあります。この場合でも、書き出した映像には効果が適用されています。

POINT

ルミナンスマット

＜イメージマットキー＞のパラメータの＜コンポジット用マット＞で＜ルミナンスマット＞を選択すると、アルファチャンネル（透明情報）を無視して、図形の枠内の映像の輝度情報に基づいた合成が行われます。この場合、図形枠内の映像の輝度（明るさ）の高い部分だけが切り抜かれ、それ以外の部分は下のトラックの映像に置き換えられます。

SECTION 17 図形のクリップで映像を切り抜いて合成する ～トラックマットキー

CHAPTER 06 ▶ 合成

＜イメージマットキー＞と同様に、マット画像の図形の形状で映像を切り抜き、背景に別の映像を合成するエフェクトが＜トラックマットキー＞です。自由度の高い合成が可能です。

▶ ＜トラックマットキー＞とは？

＜トラックマットキー＞は＜イメージマットキー＞と同様の合成効果をもたらすエフェクトです。異なるのは、クリップ全編に効果が及ぶ＜イメージマットキー＞に対し、＜トラックマットキー＞ではマット画像を独立した静止画クリップとして配置するため、合成効果を適用する範囲を自由に設定できる点です。

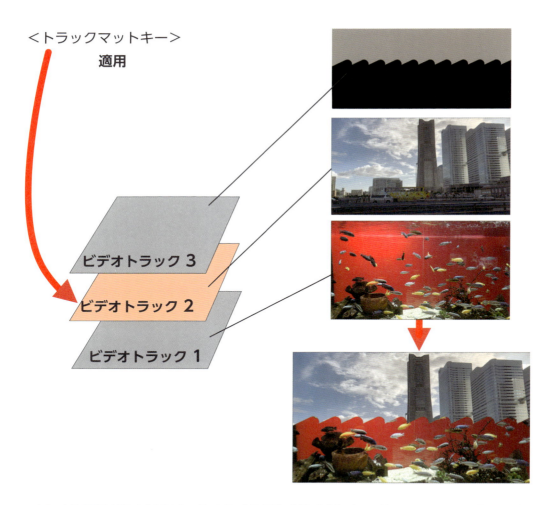

▲トラック1に図形の内側に合成するクリップを、トラック2に図形の外側に合成するクリップを、トラック3にマット画像をそれぞれ配置する。＜トラックマットキー＞エフェクトは、マット画像の直下のクリップ（トラック2）に適用する点に注意。

▶ ＜トラックマットキー＞で合成する

＜トラックマットキー＞のエフェクトを適用するには、前ページの図のように、マット画像と2つのクリップの合計3つのトラックにクリップを重ねて配置する必要があります。以下の手順では、図形の外側にマット画像直下のトラック（トラック2）、内側にさらにその下のトラックの映像を合成するため、＜反転＞にチェックを入れています。

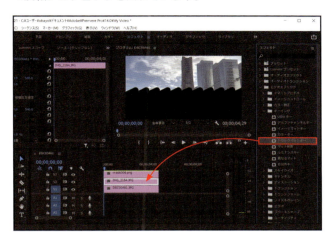

1 エフェクトを適用する

切り抜く映像のクリップ（ここではビデオトラック2のクリップ）に、＜トラックマットキー＞エフェクトをドラッグ＆ドロップします。

2 エフェクトの設定をする

＜エフェクトコントロール＞パネルの＜マット＞でマット画像を配置したトラックを選択し❶、＜反転＞にチェックを入れます❷。

3 映像が合成される

図形の外側にトラック2、内側にトラック1の映像が合成されます。手順❷で＜反転＞にチェックを入れたことで、合成される映像が図形内外で逆になっています。

SECTION 18 カラーマットを合成する ～異なるマット

CHAPTER 06 ▶ 合成

直下のトラックの映像と同じ場所にある同じ色を透過させ、合成するエフェクトが＜異なるマット＞です。このエフェクトを使う際にカラーマットを利用することで、合成の効果を高めることができます。

▶ ＜異なるマット＞の効果

＜異なるマット＞は、＜ビデオエフェクト＞の＜キーイング＞ビンに含まれるエフェクトです。このエフェクトは、カラーマット（P.214 参照）を併用することで効果を発揮します。下図のように、透過させたいクリップの直下に、該当部分と同系色のカラーマットのクリップを配置することで、さらにその下のトラックに配置したクリップの映像を合成します。

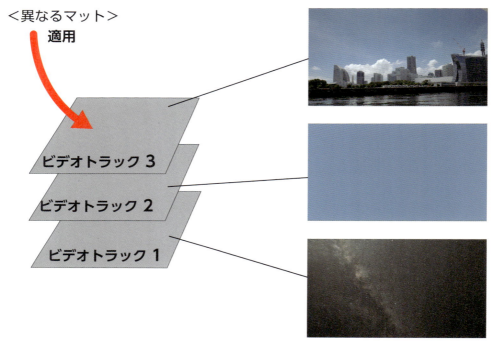

合成の流れ

カラーマットで透過

カラーマットで非表示

合成

▲トラック3の空の部分と同系色のカラーマットをトラック2に配置し、＜異なるマット＞を適用することで、空の部分が透過する。そのままではカラーマットの色が合成されるので、これを非表示にすることで、さらにその下のトラック1の映像を合成する。

▶ ＜異なるマット＞で合成する

＜異なるマット＞のエフェクトは、最上段の透過させるトラックに適用します。続いて、＜エフェクトコントロール＞パネルで合成対象としてカラーマットのトラックを選択します。最後にカラーマットのトラックの＜不透明度＞を「0」にします。

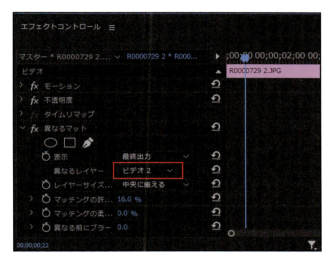

1 合成対象のトラックを選択する

左ページのようにクリップを重ねて配置した状態で、トラック3のクリップに＜異なるマット＞を適用します。＜エフェクトコントロール＞パネルの＜異なるレイヤー＞で、カラーマットのトラック（ここでは＜ビデオ2＞）を選択します。

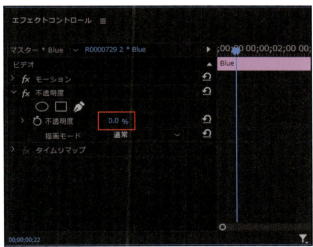

2 カラーマットを非表示にする

＜タイムライン＞パネルでカラーマットのクリップを選択し、＜エフェクトコントロール＞パネルの＜不透明度＞のパラメータを「0」にして非表示にします。

3 合成される

トラック3の映像が透過し、トラック1の映像が透過部分に合成されます。

SECTION 19 赤以外の色を透明にして合成する ～赤以外キー

CHAPTER 06 ▶ 合成

映像の中の赤と同系統の色だけを残し、それ以外の色を透明にして、下のトラックに配置されたクリップと合成するエフェクトが＜赤以外キー＞です。

▶ ＜赤以外キー＞を利用する

＜赤以外キー＞は、＜ビデオエフェクト＞の＜キーイング＞ビンに含まれるエフェクトです。赤以外、つまり緑や青などの部分を透過させて、下のトラックに配置した映像と合成するエフェクトで、赤い部分をそのまま残すため、＜Ultra キー＞などを使ったときに見られる、合成の境界線付近の不自然な色付き（フリンジ）を抑えられるという効果もあります。＜Ultra キー＞での合成を自然に補正するために、＜Ultra キー＞と重ねて適用するという使い方が主流のエフェクトです。

1 2つのクリップを重ねて配置する

トラック1と2に異なるクリップを重ねて配置し、トラック2のクリップに＜赤以外キー＞を適用します。

トラック1の映像

トラック2の映像

2 パラメータを調整する

＜エフェクトコントロール＞パネルで＜しきい値＞や＜カットオフ＞などのパラメータを調整します。

3 映像が合成される

パラメータに応じて、トラック2の映像の赤以外の色の部分が透過し、トラック1の映像が合成されます。

CHAPTER
▼
07

THE PERFECT GUIDE FOR PREMIERE PRO

[タイトル]

SECTION 01 「タイトル」機能を理解する

CHAPTER 07 ▶ タイトル

説明や表題などのテキストを映像に重ねて表示したものを、総称して「タイトル」と呼びます。Premiere Proでは、多彩な文字入力、装飾の機能が＜エッセンシャルグラフィックス＞パネルにまとめられています。

▶ 映像にテキストを重ねて表示する

Premiere Pro に備わるタイトル関連機能を利用すると、映像にテロップと呼ばれる説明文を重ねて表示したり、映像のオープニングやエンディングを作成したりできます。テキスト（タイトル）も、映像や音声と同様に独立したクリップとしてシーケンスに配置されます。タイトル専用のクリップのことを「グラフィッククリップ」と呼んで区別します。

映像の表題や説明を表示するものが「タイトル」

▲映像に重ねるように、テキストを表示するタイトル。テキストサイズやフォント、テキストカラーなどを自由に変更できる。

タイトルは独立したクリップになる

▲タイトルは映像や音声とは別の独立したクリップ（グラフィッククリップ）として配置される。グラフィッククリップのデュレーションが、タイトルの表示範囲となる。

▶ テキストを入力、編集するには？

テキストを入力するには、＜ツール＞パネルの＜横書き文字ツール＞、＜縦書き文字ツール＞を利用します。テキストは＜プログラム＞パネルのプレビュー上に直接入力できるので、位置や背景の映像との兼ね合いを確認しながら作業できます。テキストサイズやテキストカラーの変更は、＜エッセンシャルグラフィックス＞パネルで一括して行います。

＜横書き文字ツール＞と＜縦書き文字ツール＞

＜エッセンシャルグラフィックス＞パネル

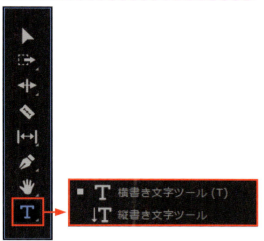

▲＜横書き文字ツール＞で横書きのテキストを、＜縦書き文字ツール＞で縦書きのテキストをそれぞれ作成できる。

▲テキストの各種書式設定は、＜エッセンシャルグラフィックス＞パネルで行う。設定項目が多数用意されているので、多彩なテキスト表現が可能だ。

▶ テキストにエフェクトやモーションを設定できる

入力したテキストには、トランジションやエフェクト、モーションを設定できます。トランジションによってテキストが徐々に現れて消える、テキストを立体的に見せる、映画のエンドロールのようにテキストが下から上にスクロールするといった演出も、こうした特殊効果によって実現可能です。

トランジションで演出する

▲グラフィッククリップのインとアウトポイントにそれぞれトランジションを適用すれば、徐々にテキストが現れ、消えるようになる。

モーションで演出する

▲映像の説明文（テロップ）が長く1画面に収まらない場合でも、テロップにモーションを設定することで、テキストが右から左へ流れていくように演出できる。

SECTION 02 テキストボックスを作成する

CHAPTER 07 ▶ タイトル

テキストを入力するには、＜横書き文字ツール＞か＜縦書き文字ツール＞を利用します。ツールを選択してから＜プログラム＞パネルのプレビューをクリックすると、その位置からテキスト入力を開始できます。

▶ ＜横書き文字ツール＞を利用する

テキストの入力を行う際は、ワークスペースを＜グラフィック＞に切り替えておくことをおすすめします。＜ツール＞パネルと＜プログラム＞パネル、＜エッセンシャルグラフィックス＞パネルというテキスト入力時によく使うパネルが表示されるためです。テキストを入力すると、＜タイムライン＞パネルの既存のクリップの上のトラックに、グラフィッククリップが自動的に追加されます。

1 ツールを選択する

ワークスペースを＜グラフィック＞に切り替えておき①、＜ツール＞パネルの＜横書き文字ツール＞をクリックします②。

CHECK!

＜ツール＞パネルで＜横書き文字ツール＞のボタンを長押しすると表示されるメニューから、＜縦書き文字ツール＞をクリックすると、＜縦書き文字ツール＞に切り替わります。

2 プレビューをクリックする

＜プログラム＞パネルでテキストを表示する位置に再生ヘッドを移動して①、テキスト入力を開始する位置をクリックします②。

3 テキストボックスが作成される

赤い色のテキストボックスが作成されます。同時に、＜エッセンシャルグラフィックス＞パネルの＜編集＞が表示されます。

4 テキストを入力する

そのままテキストを入力します。入力した文字数に応じて、テキストボックスのサイズは変化します。

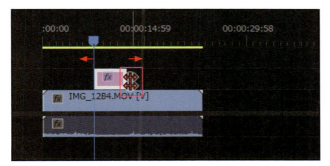

5 クリップ端にポインタを合わせる

シーケンスに自動的にグラフィッククリップが追加されます。デュレーションを調整するには、クリップの両端いずれかにポインタを合わせて左右にドラッグします。

6 デュレーションが変わる

ドラッグの長さに応じてデュレーションが変わります。

CHECK!
グラフィッククリップの初期設定のデュレーションは、5秒（4秒29フレーム）です。

CHECK!
テキストを再編集するには、＜選択ツール＞に切り替えてから、テキストをダブルクリックします。

SECTION CHAPTER 07 ▶ タイトル

03 サイズが固定された テキストボックスを作成する

長文を入力する際などは、ある程度大きく、サイズが固定されたテキストボックスが必要になります。このようなテキストボックスは、文字ツールに切り替えてプレビュー上をドラッグして作成します。

▶ テキストボックスを作成する

サイズ固定のテキストボックスは、数行にまたがるような長文を入力したり、クロールタイトル（P.302参照）を作成したりする際に必要になることがあります。サイズ固定のテキストボックスを作成するには、＜横書き文字ツール＞、あるいは＜縦書き文字ツール＞に切り替えておき、＜プログラム＞パネルのプレビュー上を斜めにドラッグします。

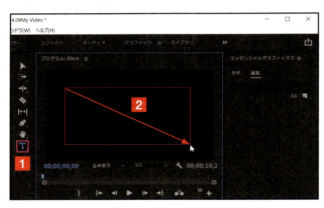

1 ＜横書き文字ツール＞でドラッグする

＜横書き文字ツール＞（＜縦書き文字ツール＞）に切り替えておき **1**、＜プログラム＞パネルのプレビュー上を斜めにドラッグします **2**。

2 サイズ固定のテキストボックスが作成される

斜めにドラッグしたときに表示される矩形のサイズで、サイズが固定されたテキストボックスが作成されます。

POINT

テキストボックスの作成方法による違い

テキストボックスは P.272 の操作でも作成できますが、どのように作成したかによって、その後の動作が異なる場合があります。たとえば、テキストの均等配置（P.280 参照）ができるのは、サイズ固定のテキストボックスのみです。また、サイズ固定のテキストボックスを拡大／縮小（P.277 参照）したときは、テキストのサイズは追随して変化しません。

SECTION 04 テキストを削除する

CHAPTER 07 ▶ タイトル

テキストボックスの削除は、＜エッセンシャルグラフィックス＞パネルか、＜エフェクトコントロール＞パネルから行います。また、＜タイムライン＞パネルからも削除できます。

▶ テキストボックスを削除する

テキストボックスごと、入力したテキストを削除するには、以下の A B いずれかの操作をします。なお、テキストを文字単位で削除する場合は、削除する文字のうしろにカーソルを移動して、Backspace キー（Mac では delete キー）を押します。

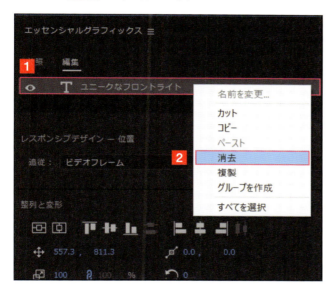

A ＜エッセンシャルグラフィックス＞パネルで削除する

＜エッセンシャルグラフィックス＞パネルで、削除するテキストボックス（レイヤー）を右クリックし 1 、＜消去＞をクリックします 2 。

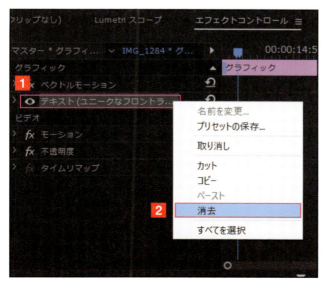

B ＜エフェクトコントロール＞パネルで削除する

＜エフェクトコントロール＞パネルで、テキストボックスの項目を右クリックし 1 、＜消去＞をクリックします 2 。

CHECK!

＜タイムライン＞パネルのグラフィッククリップを選択して、Backspace キー（Mac では delete キー）を押しても、テキストボックスを削除できます。

SECTION 05 | CHAPTER 07 ▶ タイトル

テキストを移動する

テキストの位置はドラッグ＆ドロップで変えることができます。表示できる位置にとくに制限はありませんが、実際に映像をテレビなどで再生したときに、テキストが切れてしまわないように注意しましょう。

▶ ドラッグ＆ドロップで移動する

テキストを移動するには、＜ツール＞パネルで＜選択ツール＞をクリックしておき、対象のテキストボックスをクリックして選択してから、目的の位置にドラッグします。事前に＜プログラム＞パネルのプレビューを右クリックしてから＜セーフマージン＞をクリックし、テレビなどでの表示範囲を確認しながら作業することをおすすめします。

1 テキストボックスを選択する

＜ツール＞パネルの＜選択ツール＞をクリックし❶、＜プログラム＞パネルのプレビュー上のテキストボックスをクリックして選択します❷。

2 テキストボックスを移動する

そのままドラッグ＆ドロップすると、テキストボックスが移動されます。

SECTION 06 | CHAPTER 07 ▶ タイトル

テキストボックスを拡大／縮小する

テキストボックスの大きさを変えるには、テキストボックスの周囲に表示されるハンドルをドラッグします。テキストボックスの作成方法によって、テキストのサイズが変化するかどうかが変わります。

▶ ハンドルをドラッグして大きさを変える

＜プログラム＞パネルでプレビューをクリックしてテキストボックスを作成した場合（P.272参照）、テキストボックスの大きさを変えると、テキストも追従してサイズが変わります。固定サイズのテキストボックス（P.274参照）の場合は、テキストボックスの大きさだけが変わり、テキストサイズは変わりません。

1 テキストボックスを選択する

テキストボックスを選択して1、周囲のハンドルをドラッグします2。

2 テキストボックスの大きさが変わる

文字数に応じて大きさが変わるテキストボックスの場合は、同時にテキストのサイズも変わります。

CHECK!

テキストボックスのサイズは、＜エッセンシャルグラフィックス＞パネルの＜スケール＞のパラメータを変えることでも変更できます。同様に、＜エフェクトコントロール＞パネルでも変更できます。

SECTION 07 テキストボックスを回転する

CHAPTER 07 ▶ タイトル

テキストボックスの角度を変更して、テキストを斜めに表示したり、上下反転させたりすることができます。角度を変更するには、テキストボックスの四隅いずれかをドラッグします。

▶ ハンドルをドラッグして回転する

＜選択ツール＞でテキストボックスをクリックすると選択され、周囲にハンドルが表示されます。この状態で、四隅のハンドルいずれかの外側付近をドラッグすると、テキストボックス全体を回転できます。なお、＜エッセンシャルグラフィックス＞パネル、あるいは＜エフェクトコントロール＞パネルの＜回転＞のパラメータに角度を入力して、テキストボックスを回転させることもできます。

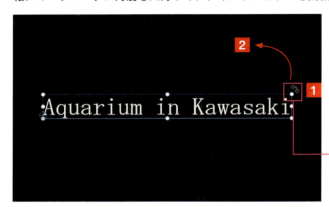

1 四隅のハンドルの外側にポインタを合わせる

テキストボックスの四隅のハンドルいずれかの外側にポインタを合わせると 1、ポインタの形が図のように変化します。この状態でドラッグします 2。

2 テキストボックスが回転する

ドラッグした方向にテキストボックスが回転します。回転の中心にアンカーポイントが表示されます。

POINT

アンカーポイント

テキストボックスの回転の基準（中心）になるのが、テキストボックス選択時に左端に表示される円のアンカーポイントです。アンカーポイントの位置は、＜エッセンシャルグラフィックス＞パネルの＜アンカーポイント＞のパラメータを変化させて変えることができます。

▲アンカーポイントは円で表示される。

SECTION 08 　CHAPTER 07 ▶ タイトル

テキストボックスを映像の中央に揃える

テキストを映像の中央に表示させたい場合は、テキストボックスをドラッグして移動するよりも、＜垂直方向中央＞、＜水平方向中央＞の各ボタンを利用したほうが正確な位置に配置できます。

▶ ＜垂直方向中央＞＜水平方向中央＞を利用する

テキストボックスは、＜垂直方向中央＞あるいは＜水平方向中央＞をクリックするだけで、かんたんに中央に移動させることができます。

1 テキストボックスを選択する

＜プログラム＞パネルで配置を変更するテキストボックスを選択します。あるいは、＜エッセンシャルグラフィックス＞パネルでテキストボックスを選択します。

2 ＜垂直方向中央＞をクリックする

＜エッセンシャルグラフィックス＞パネルで、＜垂直方向中央＞をクリックすると**1**、テキストボックスが縦中央の位置に移動します**2**。

3 ＜水平方向中央＞をクリックする

＜エッセンシャルグラフィックス＞パネルで、＜水平方向中央＞をクリックすると**1**、テキストボックスが横中央の位置に移動します**2**。

SECTION 09 CHAPTER 07 ▶ タイトル

テキストボックス内の テキストの配置を揃える

テキストボックス内のテキストの配置は、「右揃え」「中央揃え」などに変更できます。変更するには、＜エッセンシャルグラフィックス＞パネルに用意されたボタンをクリックします。

▶ ボタンを利用してテキストの配置を変更する

＜エッセンシャルグラフィックス＞パネルには、テキストボックス内のテキスト配置を変更するための7つのボタンが用意されています。初期設定ではテキストは＜左揃え＞になり、テキストボックス左端の枠線を基準にテキストが配置されます。なお、4種類の均等配置（行末に余白ができないようにテキストを配置）はサイズ固定のテキストボックスに対してのみ設定できます。

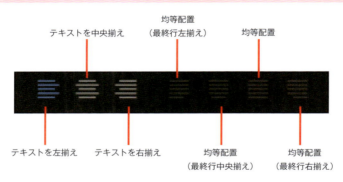

配置を変更するボタン

| テキストを左揃え | テキストを中央揃え | テキストを右揃え |

```
Kawasaki            Kawasaki            Kawasaki
International     International       International
Port                  Port                Port
Village             Village             Village
```

| 均等配置 なし | 均等配置（最終行中央揃え） | 均等配置 |

現在では多くの観光客が訪れるInternational Port。この街が開港当時は小さな漁村に過ぎなかったことが信じられないほどの未来的な都市景観をここから一望できる。

International Port Village最上階

現在では多くの観光客が訪れるInternational Port。この街が開港当時は小さな漁村に過ぎなかったことが信じられないほどの未来的な都市景観をここから一望できる。

International Port Village最上階

現在では多くの観光客が訪れるInternational Port。この街が開港当時は小さな漁村に過ぎなかったことが信じられないほどの未来的な都市景観をここから一望できる。

International　Port　Village最上階

SECTION 10 インデントの幅を調整する

CHAPTER 07 ▶ タイトル

箇条書きのテキストなどを入力する際には、行頭文字と本文の間にタブを入力して余白（インデント）を作るのが一般的です。インデントの幅はテキストボックスごとに調整できます。

▶ ＜タブの幅＞のパラメータを変更する

＜エッセンシャルグラフィックス＞パネルの＜タブの幅＞のパラメータでは、Tabキーを押して作ったインデントの幅をテキストボックス単位で調整できます。初期設定ではパラメータの値が「400」と広く取られているので、パラメータの値を調整して、最適な見た目になるようにしましょう。

1 パラメータを調整する

タブが入力されたテキストボックスを選択します1。タブによる行頭文字と本文との幅が広すぎるので、＜エッセンシャルグラフィックス＞パネルの＜タブの幅＞のパラメータを左にドラッグするか2、直接数値を指定します。

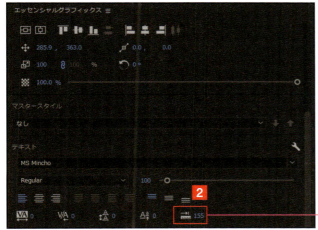

2 幅が狭くなる

パラメータの値が小さくなり、タブの幅が狭くなります。

SECTION 11 文字間隔を調整する

CHAPTER 07 ▶ タイトル

とくに和文と欧文が混在したようなテキストでは、使われているフォントによっては文字間隔が不揃い、あるいはバランスが悪く感じられることがあります。このような場合は字間をパラメータで調整します。

▶ <トラッキング>で調整する

<エッセンシャルグラフィックス>パネルには、字間を調整するパラメータとして<トラッキング>、<カーニング>、<ツメ>が用意されています。これらのパラメータを使って、文字間隔のバランスを整えましょう。ここでは、テキスト全体の字間をまとめて調整する<トラッキング>の利用方法を解説します。

1 テキストボックスを選択する

テキストボックスを選択して①、<エッセンシャルグラフィックス>パネルの<トラッキング>のパラメータ上を右にドラッグします②。

2 字間が広がる

パラメータの値が大きくなり、字間が広がります。左にドラッグしてパラメータの値を小さくすると、字間は狭くなります。

POINT

<カーニング>と<ツメ>について

<カーニング>では、選択した文字とうしろにある文字の間隔を調整できます。<ツメ>では、選択した文字の前後の空きスペースの幅を調整できます。いずれも、調整したい文字をドラッグして選択してから操作します。

SECTION 12 行間隔を調整する

CHAPTER 07 ▶ タイトル

1画面ですべてのテキストを見せたい場合と、映画のエンドロールのような見せ方をしたい場合では、テキストの行間隔が異なります。行間隔を変更する方法もマスターしておきましょう。

▶ ＜行間＞で調整する

＜エッセンシャルグラフィックス＞パネルの＜行間＞は、テキストの行間隔を調整するためのパラメータです。数値を大きくすると行間の余白は広くなり、小さくすると狭くなります。＜行間＞のパラメータの値の変更はテキストボックス単位で行われるため、行間隔の異なる複数のテキストを1画面に表示したい場合は、複数のテキストボックスを作成しておきます。

1 テキストボックスを選択する

テキストボックスを選択して**1**、＜エッセンシャルグラフィックス＞パネルの＜行間＞のパラメータ上を右にドラッグします**2**。

2 行間が広がる

パラメータの値が大きくなり、行間が広がります。パラメータの値を小さくすると、行間は狭くなります。

POINT

＜ベースラインシフト＞について

パラメータの ＜ベースラインシフト＞は、選択したテキストの下端位置を上下に変化させるためのものです。例えば、「TM」を上付き文字にする場合などに利用します。

SECTION 13 / CHAPTER 07 ▶ タイトル

テキストのフォントを変更する

テキストの初期設定の日本語フォントは「MS明朝」ですが、入力後に別のフォントに変更できます。フォントを変更するには、＜エッセンシャルグラフィックス＞パネルの＜フォント＞のリストから選択します。

▶ フォント、フォントスタイル、フォントサイズを変更する

＜エッセンシャルグラフィックス＞パネルの＜テキスト＞グループでは、選択したテキストのフォントやフォントサイズを変えることができます。ここでテキストボックスの文字書式を変更すると、以降追加するテキストすべてに同じ文字書式が適用されます。

1 フォントを選択する

テキストボックスを選択し①、＜エッセンシャルグラフィックス＞パネルの＜フォント＞の▼をクリックして②、リストから目的のフォントをクリックします③。

2 フォントが変更される

フォントが変更されます。＜エッセンシャルグラフィックス＞パネルのフォントの下のリストではフォントのスタイル（フォントによって異なる）を変更でき、スライダーをドラッグしてフォントサイズを変えることができます。

SECTION 14 テキストを透過させる

CHAPTER 07 ▶ タイトル

テキストを透過させるには、＜エッセンシャルグラフィックス＞パネルの＜不透明度＞の値を小さくします。透過させることで、背景の映像とテキストが合成されます。

▶ ＜不透明度＞のパラメータを調整する

＜エッセンシャルグラフィックス＞パネルの＜不透明度＞は、＜プログラム＞パネルで選択しているテキストの不透明度を調整するためのパラメータです。パラメータが「100」の場合、テキストは透過しませんが、数値をそれより下げることで徐々に透過し、「0」になるとテキストは非表示になります。

1 テキストボックスを選択する

＜プログラム＞パネルでテキストボックスを選択して **1**、＜エッセンシャルグラフィックス＞パネルの＜不透明度＞のスライダーを左にドラッグします **2**。

2 テキストが透過する

パラメータの数値に合わせて、テキストが透過します。

SECTION 15 テキストカラーを変更する

CHAPTER 07 ▶ タイトル

テキストの既定のカラーは白ですが、これはあとから別の色に変更できます。見えづらい場合やテキストをより目立たせたい場合などは、テキストカラーを変更しましょう。

▶ カラーピッカーで色を選択する

テキストカラーを別の色に変更するには、＜エッセンシャルグラフィックス＞パネルの＜アピアランス＞で、＜塗り＞のカラーを選択します。＜塗り＞のカラーは、Premiere Pro の色見本である＜カラーピッカー＞で目的の色をクリックすることで選択できます。以下の操作を繰り返すことで、テキストカラーは何度でも設定し直すことができます。

1 テキストボックスを選択する

テキストボックスを選択し 1、＜エッセンシャルグラフィックス＞パネルの＜塗り＞の白いボックスをクリックします 2。

2 目的の色をクリックする

カラースライダーをドラッグして色見本の表示範囲を決め 1、左側に表示される色見本から目的の色をクリックして 2、＜OK＞をクリックします 3。

CHECK!

ここではテキストボックス内のすべての文字に対してテキストカラーを変更していますが、文字単位で選択して同様に操作することで、文字ごとに異なるテキストカラーを設定することができます。

3 テキストカラーが変わる

テキストボックス内のテキストカラーが変わります。白に戻すには、＜カラーピッカー＞を表示し、色見本左下をクリックします。

▶ 映像の中の色をテキストカラーに使う

＜エッセンシャルグラフィックス＞パネルのスポイトツールを使うと、映像内の任意の色をそのままテキストカラーに使うことができます。1つの画面の色数が多いと、視覚的にうるさく感じてしまう場合がありますが、映像に使われている色とテキストカラーを揃えることにより、これを避けることができます。映像の内容によっては有効なテクニックです。

1 スポイトアイコンをクリックする

テキストボックスを選択し①、＜エッセンシャルグラフィックス＞パネルの＜塗り＞のスポイトアイコンをクリックします②。

2 映像の中の目的の色をクリックする

ポインタが図のように変わるので、映像上の目的の色をクリックすると、テキストボックス内のテキストカラーが同じ色に変わります。

SECTION 16 テキストに縁取りを付ける

CHAPTER 07 ▶ タイトル

テキストに縁取りを付けて目立たせるには、＜エッセンシャルグラフィックス＞パネルの＜境界線＞にチェックを入れます。縁取りの幅はパラメータで調整でき、縁取りの色も変えることができます。

▶ ＜境界線＞を有効にする

＜エッセンシャルグラフィックス＞パネルの＜アピアランス＞にある＜境界線＞は、テキストに縁取りを付けて飾るためのパラメータです。画面内で目立たせたいテキストは、＜境界線＞を有効にして演出しましょう。例ではテキストボックス全体に縁取りを付けていますが、個別に文字を選択すれば、文字単位で縁取りを付けることもできます。

1 ＜境界線＞を有効にする

テキストボックスを選択して 1 、＜エッセンシャルグラフィックス＞パネルの＜境界線＞にチェックを入れると 2 、テキストに縁取りが付きます。テキストカラーと同様に、縁取りの色を変えることもできます。

2 縁取りの太さや色を変える

＜境界線＞のパラメータを右にドラッグして数値を上げると、縁取りが太くなります。

SECTION 17 テキストに影を付ける

CHAPTER 07 ▶ タイトル

テキストに影を付けて立体的に見せるには、＜エッセンシャルグラフィックス＞パネルの＜シャドウ＞にチェックを入れます。影の大きさやテキストからの距離を調整でき、影の色も変えることができます。

▶ ＜シャドウ＞を有効にする

＜エッセンシャルグラフィックス＞パネルの＜アピアランス＞にある＜シャドウ＞は、テキストに影を付けるためのパラメータです。テキストが映像から浮かび上がったように演出したい場合は、テキストの＜シャドウ＞を有効にしてパラメータを調整します。シャドウはテキストボックス単位で有効にでき、文字単位でシャドウを付けることはできません。

1 ＜シャドウ＞を有効にする

テキストボックスを選択して①、＜エッセンシャルグラフィックス＞パネルの＜シャドウ＞にチェックを入れると②、テキストに影が付きます。

2 影の太さを変える

手順①で＜シャドウ＞にチェックを入れるとパラメータが表示されるので、それぞれを調整して影の太さなどを変えます。テキストカラーと同様に、影の色を変えることもできます。

SECTION CHAPTER 07 ▶ タイトル

18 テキストボックスを グループ化する

複数のテキストボックスどうしの位置関係は変えず、両方のテキストボックスをまとめて移動したい場合は、テキストボックスをグループ化します。

▶ 複数のテキストボックスをグループ化する

1つのグラフィッククリップに複数のテキストボックスがあり、それぞれの位置関係を変えずに、位置や大きさをまとめて変更したい場合は、テキストボックスを「グループ化」します。グループ化すると、それまで個別に選択できていたテキストボックスが、まとめて選択されるようになり、通常の操作と同様に、画面内を移動させたり、大きさを変えたりできます。

1 テキストボックスを選択する

<エッセンシャルグラフィックス>パネルでグループ化するテキストボックスを選択します❶。複数選択する場合、[Ctrl]（Macでは[command]）キーを押しながらクリックします。<プログラム>パネルでテキストボックスを選択しても同じです❷。

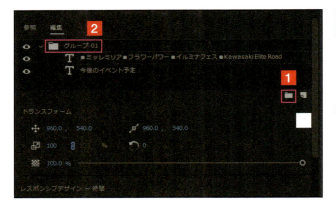

2 <グループ化>をクリックする

<グループ化>をクリックすると❶、選択したテキストボックスが1つのグループとしてまとめられます。<プログラム>パネルでいずれかのテキストボックスをクリックすると❷、グループ化したテキストボックスがまとめて選択されます。

POINT

グループ化を解除する

テキストボックスのグループ化を解除するには、<エッセンシャルグラフィックス>パネルで解除したいテキストボックスを、グループのフォルダー外にドラッグ＆ドロップします。

▲テキストボックスをフォルダー外にドラッグ＆ドロップする。

| SECTION | CHAPTER 07 ▶ タイトル |

19 同じ書式をほかの テキストにも適用する

フォントやフォントサイズ、テキストカラーといった書式全般は「テキストスタイル」として保存できます。別のテキストに同じ書式を適用したいときに便利です。

▶ テキストスタイルを保存する

テキストのフォントやカラーなどを統一したい場合、テキストを入力するたびに同じ書式を設定するのはめんどうです。このような場合は、テキストの書式全般をまとめた「テキストスタイル」として保存しておきます。別のテキスト、あるいはテキストボックスを選択し、保存したテキストスタイルをメニューから選択するだけで同じ書式を適用できます。

1 書式を設定したテキストボックスを選択する

フォントなどの書式を設定したテキストボックスを選択して**1**、＜エッセンシャルグラフィックス＞パネルの＜マスタースタイル＞の☑をクリックし**2**、リストから＜マスターテキストスタイルを作成＞をクリックします**3**。

2 テキストスタイルの名前を入力する

テキストスタイルの名前を入力して**1**、＜OK＞をクリックします**2**。

3 ほかのテキストボックスに書式を適用する

別のテキストボックスを選択して**1**、＜マスタースタイル＞の☑をクリックし**2**、リストから保存したテキストスタイルをクリックすると**3**、同じ書式が適用されます。

SECTION 20 テキストをグラデーションで塗る

CHAPTER 07 ▶ タイトル

テキストカラーは単色だけでなく、グラデーションにすることもできます。グラデーションにする場合はエフェクトを利用します。

▶ ＜カラーカーブ＞を適用する

＜エッセンシャルグラフィックス＞パネルの＜アピアランス＞では、テキストに単色の設定しかできません。テキストカラーをグラデーションにするには、＜ビデオエフェクト＞の＜描画＞ビンの中にある＜カラーカーブ＞エフェクトを適用します。＜カラーカーブ＞エフェクトでは、グラデーションを構成する2つの色（開始色と終了色）を＜カラーピッカー＞で指定し、色の混ざり方などを設定できます。

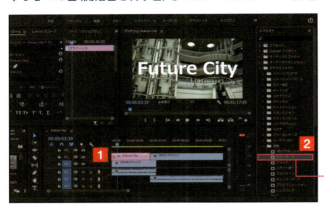

1 エフェクトをダブルクリックする

＜タイムライン＞パネルでテキストが入力されたグラフィッククリップを選択して**1**、＜エフェクト＞パネルの＜カラーカーブ＞をダブルクリックします**2**。

2 エフェクトが適用される

テキストにエフェクトが適用されます。初期設定では黒と白がブレンドされたグラデーションになります。＜エフェクトコントロール＞パネルの＜開始色＞のボックスをクリックします。

POINT

より多くの色を使うグラデーション

エフェクトの＜4色グラデーション＞を適用すると、テキストカラーを、4つの色をブレンドしたグラデーションにできます。各色の指定方法は、＜カラーカーブ＞と同じです。

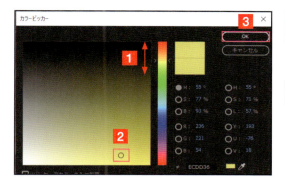

3 開始色を選ぶ

＜カラーピッカー＞が表示されるので、右のスライダーをドラッグして色の系統を選択し**1**、左の色見本から目的の色をクリックして**2**、＜OK＞をクリックします**3**。

4 グラデーションの開始色が変わる

グラデーションの開始色が手順**3**で選択した色に変わります。続いて、＜エフェクトコントロール＞パネルの＜終了色＞のボックスをクリックします。

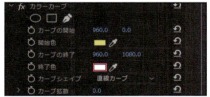

5 終了色を選ぶ

手順**3**と同様に、終了色にする色をクリックして**1**、＜OK＞をクリックします**2**。

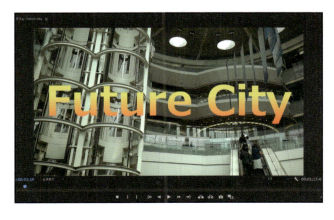

6 グラデーションの色が変わる

手順**3**と手順**5**で指定した色で構成されたグラデーションに変わります。＜カーブシェイプ＞などのパラメータを調整して、グラデーションを変化させることができます。

SECTION 21 テキストを立体的にする

CHAPTER 07 ▶ タイトル

テキストにも、映像と同様にさまざまなエフェクトを適用できます。とくに＜ビデオエフェクト＞の＜遠近＞ビンに含まれるエフェクトは、テキストに立体感を与えたり、金属のような質感にしたりできます。

▶ ＜ベベルアルファ＞を適用する

テキストにエフェクトを適用するには、映像に適用する場合と同じように、＜エフェクト＞パネルから目的のエフェクトを、＜タイムライン＞パネルのグラフィッククリップにドラッグ＆ドロップします。ここでは、テキストを立体的に浮き上がらせる効果を加える＜ベベルアルファ＞エフェクトを適用します。

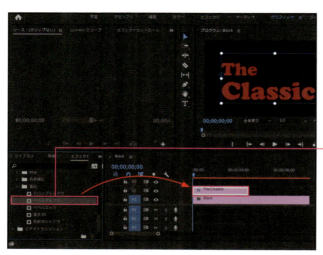

1 ＜ベベルアルファ＞をドラッグ＆ドロップする

＜タイムライン＞パネルのグラフィッククリップに、＜ベベルアルファ＞をドラッグ＆ドロップします。

2 パラメータを調整する

テキストにエフェクトが適用されるので、＜エフェクトコントロール＞パネルの＜ベベルアルファ＞のパラメータを調整します。

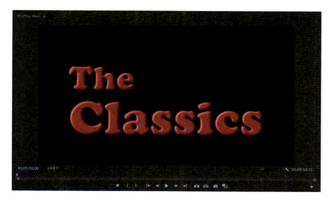

3 テキストが立体的になる

テキストが浮き上がって見えるようになります。

SECTION 22 テキストの中に映像を合成する

CHAPTER 07 ▶ タイトル

＜ビデオエフェクト＞の＜キーイング＞ビンに含まれる＜アルファチャンネルキー＞を利用すれば、テキストの中に別の映像を合成して表示させるというユニークな演出が可能です。

▶ ＜アルファチャンネルキー＞でテキストと映像を合成する

P.260で解説した＜アルファチャンネルキー＞は、テキストの合成にも効果を発揮します。これは、Premiere Proで作成するテキストにもアルファチャンネルが含まれるためです。

1 エフェクトを適用する

テキストが入力されたグラフィッククリップを選択し **1**、＜アルファチャンネルキー＞をダブルクリックします **2**。

2 効果範囲を反転させる

エフェクトが適用されるので、＜エフェクトコントロール＞パネルの＜アルファを反転＞にチェックを入れると、テキストで映像を切り抜いたように合成されます。背景色はもとのテキストカラーになります。

SECTION 23 CHAPTER 07 ▶ タイトル

テキストが徐々に現れる／消えるようにする

テキストが徐々に現れる、あるいは消えるような演出をする場合は、テキストが含まれるグラフィッククリップのインポイントやアウトポイントに、＜ビデオトランジション＞の＜ディゾルブ＞を適用します。

▶ ＜ディゾルブ＞で滑らかにテキストを表示する

P.198で解説した＜ビデオトランジション＞に含まれるトランジションのエフェクトは、クリップ間だけでなく、単一のクリップの前後にも適用できます。これを利用して、テキストが入力されたグラフィッククリップの前後に＜ディゾルブ＞などのトランジションを適用すれば、テキストが徐々に現れる／消える演出効果を加えることができます。

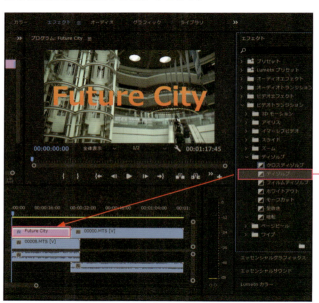
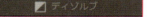

1 ＜ディゾルブ＞をドラッグ＆ドロップする

グラフィッククリップのインポイント（先頭）付近に、トランジションの＜ディゾルブ＞をドラッグ＆ドロップします。

2 トランジションが適用される

クリップの先頭にトランジションが適用され、テキストが徐々に現れるようになります。同様の操作でクリップの末尾に適用すれば、徐々に消えるようになります。必要に応じて、トランジションのデュレーションも変更します。

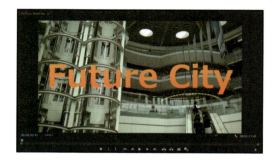

SECTION 24 | CHAPTER 07 ▶ タイトル

図形を描く

Premiere Proでは、円や長方形などの図形を描くこともできます。テキストと組み合わせてオープニングやエンディングを飾ったり、映像と合成してユニークな演出効果を得たりするために利用します。

▶ 円や長方形を描く

図形もグラフィッククリップとなり、テキストと同様にドラッグで移動したり、ハンドルを操作して大きさを変えたりできます。

1 <楕円ツール>を選択する

<ツール>パネルで<楕円ツール>に切り替えて1、<プログラム>パネルのプレビュー上の図形を描く位置をドラッグします2。

2 図形が描かれる

ドラッグした範囲に楕円の図形が描かれます。Shiftキーを押しながらドラッグすると、真円を描くことができます。

POINT

図形やテキストの重なり順を変える

同じグラフィッククリップに複数のテキストボックス、図形がある場合、より後に作成したものが上に重なるように表示されます。この重なり順を変えるには、<エッセンシャルグラフィックス>パネルでテキストボックスや図形を上下にドラッグして並びを入れ替えます。

▲ドラッグして並びを入れ替える。

SECTION 25 フォントを追加する

CHAPTER 07 ▶ タイトル

フォントを追加すれば、タイトルやテロップなどを作成する際の表現の幅が広がります。Adobe Creative Cloudの登録ユーザーは、専用のウェブサイトから好みのフォントを追加できます。

▶ Adobe Fontsからフォントを入手する

Adobe Fontsは、Adobe Creative Cloudの登録ユーザー専用のフォントダウンロードサービスです。欧文／日本語用の多彩なフォントが利用できるので、必要に応じて専用サイトにアクセスしてダウンロードし、システムに組み込みましょう。専用サイトへは、Premiere ProをはじめとするAdobe Creative Cloudアプリからアクセスできます。

1 メニューをクリックする

＜グラフィック＞メニューで＜Adobe Fontsからフォントを追加＞をクリックします。

2 専用サイトが表示される

ブラウザが起動して、Adobe Fontsのサイトが表示されます。ダウンロードしたいフォントをクリックします。

3 ＜アクティベート＞をクリックする

フォントの専用ページが表示されるので、＜アクティベート＞をクリックするとそのフォントを追加し、Premiere Proなどのアプリで使えるようになります。

> **CHECK!**
>
> 手順3のあとに、Adobe IDによるログインを求められることがあります。Adobe IDは、Premiere ProなどのAdobe製品をダウンロード、インストールする際に使うユーザーIDのことです（P.004参照）。

SECTION 26 テンプレートでタイトルを作成する

CHAPTER 07 ▶ タイトル

Premiere Proには、映像作品のオープニングやエンディング、説明のテロップなどに使えるタイトルのテンプレートが多数収録されています。これらのテンプレートは、ドラッグ＆ドロップでシーケンスに組み込みます。

▶ テンプレートを利用する

テキストの書式や配置、オープニング／エンディング、テロップなどのデザインが適用済みのテンプレートのことを「モーショングラフィックステンプレート」と呼びます。モーショングラフィックステンプレートを利用すれば、テンプレート上の既存のテキストを置き換えるだけで、凝ったデザインのタイトルをかんたんに作成できます。

1 テンプレートをドラッグ＆ドロップする

＜エッセンシャルグラフィックス＞パネルの＜参照＞をクリックすると■、タイトルのテンプレートが表示されます。目的のテンプレートを＜タイムライン＞パネルにドラッグ＆ドロップします■。

2 テンプレートが配置される

テンプレートがクリップとしてシーケンスに配置されます。クリップに配置済みのテキストの編集方法は、通常のテキストと同じです。

CHECK!

テンプレートをシーケンスに配置する際に、警告が表示されることがあります。これはテンプレートで使用されているフォントがシステムにインストールされていないことが原因です。この場合、テンプレートのテキストはシステムにインストール済みの代替フォントで表示されます。

SECTION 27 スタッフロールを作成する

CHAPTER 07 ▶ タイトル

映画のエンディングのスタッフロールのように、映像制作に関わったスタッフの名前などを、下から上にスクロールしながら表示していくタイトルのことを「ロールタイトル」と呼びます。ここでは、ロールタイトルの作成方法を解説します。

▶ ロールタイトルとは？

ロールタイトルは、テキストを画面の下から上方向にスクロールさせる、モーションによる演出効果の一種です。グラフィッククリップに対して＜ロール＞を有効にしておけば、あとはそのクリップに改行しながらテキストを入力するだけで、下から上へスクロールするモーションが適用されます。このロールタイトルは、＜エッセンシャルグラフィックス＞パネルで作成できます。

スタッフロールの構成例

表題のクリップ

最終シーンのクリップ

ロールのクリップ

▲中央のクリップにスタッフロールのテキストを作成し、＜ロール＞を有効にすることで自動スクロールさせる。各クリップ間にはトランジションの＜ディゾルブ＞を挿入している。

▶ <ロール>を有効にする

<ロール>を有効にするには、設定するクリップを<タイムライン>パネルで選択しておき、<エッセンシャルグラフィックス>パネルの<ロール>にチェックを入れます。<ロール>の設定項目は、<プログラム>パネルで何も選択していない状態のときのみ表示される点に注意してください。あとは<ロール>を有効にしたクリップにテキストを入力して再生すれば、自動的に下から上へテキストがスクロールするようになります。

1 <ロール>にチェックを入れる

<タイムライン>パネルでグラフィッククリップを選択して**1**、<エッセンシャルグラフィックス>パネルの<ロール>にチェックを入れます**2**。

2 <ロール>が有効になる

手順**1**でチェックを入れると、<プログラム>パネルのプレビューの右端にスクロールバーが表示されます。

CHECK!

<ロール>にチェックを入れると表示される<オフスクリーン開始>と<オフスクリーン終了>は、それぞれにチェックを入れると、クリップの冒頭フレーム、末尾フレームにテキストが表示されなくなります。これにより、再生時にテキストがフレーム外からスクロールしながら現れ、同様にフレーム外に消えるという演出効果になります。

3 テキストを入力する

<ロール>を有効にしたクリップにテキストを入力します。スタッフロール用のテキストは同じテキストボックス内で改行を繰り返しながら入力し、画面からはみ出した場合は右端のスクロールバーをドラッグして最下行を表示します。

SECTION 28 テロップをスクロールさせる

CHAPTER 07 ▶ タイトル

テキストが左右いずれかの画面外から現れ、横方向にスクロールしながら反対側の画面外に消えていくタイトルのことを「クロールタイトル」と呼びます。長文のテロップを付ける場合などに利用します。

▶ クロールタイトルとは？

クロールタイトルは、横方向にスクロールするモーションが設定されたテキストです。映像に対する説明文（テロップ）が1画面に収まりきらないような場合は、クロールタイトルにすることで、すべての説明文の内容を無理なく視聴者に伝えることができます。比較的多用される映像制作手法の1つです。

ここで作成するテロップ

▲映像の下に横長、1行のテキストボックスを作成し、そのテキストボックスが画面右外から、画面左外にスクロールしながら現れ、消えていくモーションを設定する。

▶ テキストの＜位置＞にモーションを設定する

クロールタイトルは、テキストボックスに＜位置＞のモーションを設定して作成します。開始と終了のキーフレームにはそれぞれ、テキストボックスの表示開始位置の座標、画面左外に移動したときの座標を指定します。モーションを設定するのは、＜エフェクトコントロール＞パネルの＜モーション＞に含まれる＜位置＞ではなく、＜テキスト＞の＜トランスフォーム＞に含まれる＜位置＞となる点に注意してください。

1 テキストボックスを作成する

テロップの表示開始位置に再生ヘッドを移動して 、横長、1行のテキストボックスにテキストを入力します ❷。

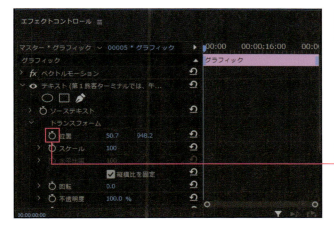

2 モーションを設定する

＜エフェクトコントロール＞パネルの＜テキスト＞内の、＜トランスフォーム＞内にある＜位置＞のストップウォッチアイコンをクリックします。

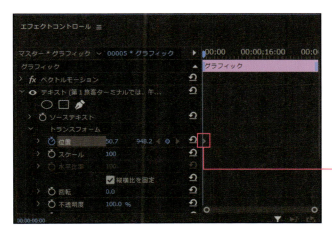

3 開始のキーフレームが設定される

＜エフェクトコントロール＞パネルのタイムラインに開始のキーフレームが設定されます。

4 再生ヘッドを移動する

＜エフェクトコントロール＞パネルで、再生ヘッドをドラッグしてテロップが終了（画面左外に消える）位置に移動します。

5 テキストボックスを画面左外に移動する

＜プログラム＞パネルで、テキストボックスをドラッグして、画面の左外に出るところまで移動します。

6 キーフレームが設定される

＜エフェクトコントロール＞パネルの再生ヘッドの位置にキーフレームが設定され、画面右から左方向にテキストが流れるクロールタイトルになります。

POINT

テロップがスクロールする速度を調整する

クロールタイトルでテキストがスクロールする速度は、開始と終了のキーフレームの間隔によって変化します。間隔が広ければ速度は遅く、狭ければ速くなります。この間隔は、＜エフェクトコントロール＞パネルでいずれかのキーフレームをドラッグして移動することで調整できます。

SECTION **29** CHAPTER 07 ▶ タイトル

タイトルをファイルとして保存する

作成したタイトルは、ファイルとして保存できます。ファイルとして保存しておくことで、別のプロジェクトに読み込んで使用したり、別のパソコンで使ったりすることができます。

▶ ファイルとして書き出す

作成したタイトルは、テキストや図形の位置、塗りのカラー、適用したエフェクトなどの要素をまとめて、モーショングラフィックステンプレートのファイルとして書き出すことができます。タイトルをほかのクリップにも適用したい場合や、バックアップしておきたい場合などは、ファイルとして書き出しておきましょう。

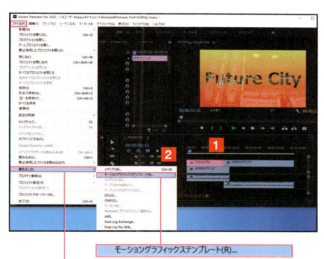

1 メニューをクリックする

＜タイムライン＞パネルで書き出すタイトルのグラフィッククリップを選択して**1**、＜ファイル＞メニューの＜書き出し＞→＜モーショングラフィックステンプレート＞をクリックします**2**。

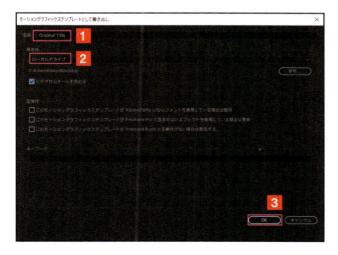

2 ファイル名を入力する

ファイル名を入力し**1**、保存先として＜ローカルドライブ＞を選択します**2**。必要に応じて＜参照＞をクリックして保存先フォルダーを指定し、＜ OK ＞をクリックします**3**。

▶ タイトルのファイルを読み込んで利用する

ファイルとして書き出されたタイトルは、別のパソコンにインストールされた Premiere Pro に読み込んで使用することができます。また、同じパソコンに Premiere Pro を再インストールした場合でも、ファイルを読み込むことでタイトルを復元できます。タイトルのファイルは、＜エッセンシャルグラフィックス＞パネルの＜参照＞をクリックすると表示される画面から読み込みます。

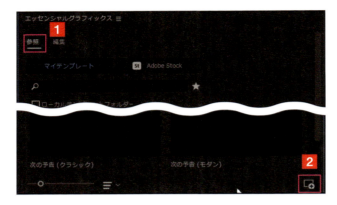

1 ボタンをクリックする

＜エッセンシャルグラフィックス＞パネルの＜参照＞をクリックして **1**、＜モーショングラフィックステンプレートをインストール＞をクリックします **2**。

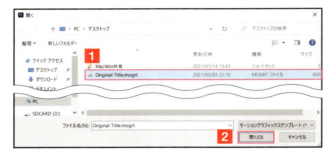

2 ファイルを選択する

前ページで書き出したファイルを選択し **1**、＜開く＞をクリックします **2**。

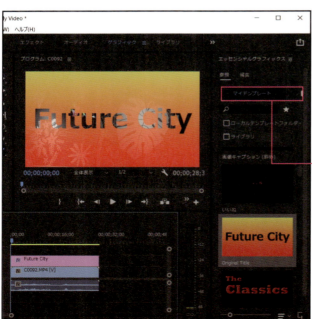

3 タイトルが読み込まれる

＜エッセンシャルグラフィックス＞パネルの＜マイテンプレート＞フォルダーにタイトルが読み込まれます。＜タイムライン＞パネルにタイトルをドラッグ＆ドロップして配置できます。

SECTION 30 モーショングラフィックス テンプレートを追加する

CHAPTER 07 ▶ タイトル

モーショングラフィックステンプレートには、Adobeや他メーカーが提供しているものもあります。イメージに合うものが標準テンプレートにない場合は、これらを利用してもよいでしょう。

▶ Adobe Stock から追加する

「Adobe Stock」は、Adobe 純正のクリエイティブ素材提供サービスです。＜エッセンシャルグラフィックス＞パネルから以下のように操作することで、さまざまなモーショングラフィックステンプレートを現在のプロジェクトに追加し、タイトルとして利用できます。Adobe Stock は月額制の有料サービスですが、提供されているテンプレートの中には無料で利用できるものもあります。また、Premiere Pro などのアプリの登録ユーザーであれば、10 点までのクリエイティブ素材が無料で利用できます（要利用手続）。

1 ＜Adobe Stock＞をクリックする

＜エッセンシャルグラフィックス＞パネルで、＜Adobe Stock＞をクリックします。

2 テンプレートが表示される

Adobe Stock で提供されるテンプレートが表示されます。画面下の<や>をクリックすると、ほかのテンプレートに表示を切り替えられます。

3 テンプレートをダウンロードする

利用したいテンプレートを見つけたら、そのテンプレートにポインタを合わせると右下に表示される＜ダウンロードとライセンス＞をクリックします。有料のテンプレートの場合は、このあとAdobe IDでログインするか、利用申し込みの手続きに進みます。続いて、ダウンロードが開始します。

4 ダウンロードが完了する

ダウンロードが完了すると、テンプレートのサムネイル左上にチェックマークが表示されます。

5 プロジェクトに読み込まれる

＜エッセンシャルグラフィックス＞パネルの＜マイテンプレート＞をクリックすると、テンプレートが追加されていることが確認できます。以降は標準のテンプレートと同じように利用できます。

▶ キーワードでテンプレートを検索する

＜エッセンシャルグラフィックス＞パネルでは、キーワードを入力して、それに合致するモーショングラフィックステンプレートを検索することができます。Adobe Stockで提供されるテンプレートのほとんどは英語表記ですが、以下のように日本語のキーワードでも検索できます。
キーワード検索時に＜無料＞にチェックを入れると、無料で利用できるテンプレートだけがピックアップされます。

1 キーワードを入力する

＜エッセンシャルグラフィックス＞パネルで＜Adobe Stock＞をクリックして①、検索ボックスにキーワードを入力し、Enter（Macではreturn）キーを押します②。

2 テンプレートが検索される

名前やタグにキーワードを含む、モーショングラフィックステンプレートが検索されます。利用する方法は、前ページと同じです。

POINT

そのほかのクリエイティブ素材を利用する
Adobe Stockでは、モーショングラフィックステンプレート以外にも、写真や動画、音楽など、さまざまなクリエイティブ素材が利用できます。これらの素材は、Adobe Stockの公式ウェブページから入手して利用できます。

◀公式ページ（https://stock.adobe.com/jp/）では、モーショングラフィックステンプレート以外にも、ロイヤリティフリー（無料）のさまざまなクリエイティブ素材を入手できる。

▶ サードパーティ製のテンプレートを追加する

Adobe 純正のもの以外にも、多くのサードパーティメーカーが Premiere Pro で使えるモーショングラフィックステンプレートファイル（MOGRT ファイル）を公開しています。その多くは無料で利用できるので、気になるものがあればダウンロードしてみましょう。入手した MOGRT ファイルを利用するには、P.306 で解説している自作のテンプレートと同様に、Premiere Pro に読み込みます。
以下では、音楽素材を中心に、さまざまな動画素材を販売、提供しているサービス「Premium Beat」から、モーショングラフィックステンプレートパックを入手しています。

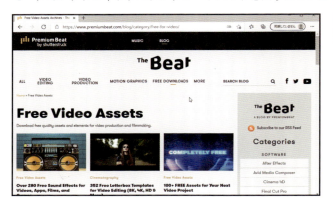

1 入手先のウェブページを表示する

Premium Beat の公式ページ（https://www.premiumbeat.com/blog/category/free-for-video/）を表示します。このウェブサイトでは、モーショングラフィックステンプレートや音源、エフェクトなど、Premiere Pro で使えるさまざまなフリー素材が提供されています。

2 ダウンロードする

利用したいテンプレートを見つけたら、ダウンロードのバナーをクリックします。ここでは 21 個の MOGRT ファイルがまとめられた「21 FREE MOTION GRAPHICS」をダウンロードします。

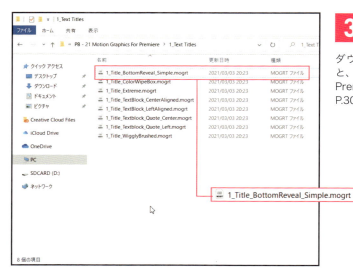

3 ダウンロードしたファイルを展開する

ダウンロードした ZIP ファイルを展開すると、MOGRT ファイルが現れます。これらを Premiere Pro に読み込んで利用する方法は、P.306 と同じです。

CHAPTER 08

THE PERFECT GUIDE FOR PREMIERE PRO

[オーディオ]

SECTION 01 「オーディオ」機能を理解する

CHAPTER 08 ▶ オーディオ

Premiere Proには、音声を操作し、編集するための機能が豊富に用意されています。これらの機能を使えば、映像と同様に音声をトリミングすることや、きめ細かく音量、音質を調整することができます。

▶ <タイムライン>パネルで音声を操作する

音声の編集も、映像と同様に<タイムライン>パネルに配置されたクリップ単位、シーケンス単位で行います。音声のクリップのほとんどは、映像のクリップと一体化していますが、映像は<V1><V2>という「V」で始まるトラックに配置されるのに対し、音声は<A1><A2>と「A」で始まるトラックに配置されます。WAVやMP3といった音声データをプロジェクトに読み込めば、それを音声のみのクリップとして<タイムライン>パネルに配置し、BGMとして利用することもできます。

音声クリップの表示と操作

◀一般的なビデオカメラで撮影した、映像と音声が一体となったクリップは、<タイムライン>パネルに配置すると自動的にビデオトラック(<V1>など)、音声トラック(<A1>など)にそれぞれがふりわけられる。BGMなどの音声単体のクリップは背景が緑色になる。音声クリップには波形が表示されるのが特徴的だ。

音声クリップもさまざまな編集・加工ができる

◀音声クリップも、映像クリップと同様に、<選択ツール>などを使ったトリミングが可能。映像と音声のクリップを分離すれば、音声だけを<タイムライン>パネル上で移動して、映像と音声をずらすといった演出もできる。

フェードイン/フェードアウト

◀音声編集で多用するのが、音量が徐々に大きくなりながら始まり、徐々に小さくなって終わる「フェードイン/フェードアウト」。これはラバーバンドや各種エフェクトを使うことでかんたんに設定できる。

▶ ＜オーディオ＞ワークスペースで音声を操作する

＜オーディオ＞は音声の操作や編集作業に最適なワークスペースです。＜オーディオ＞ワークスペースには、＜タイムライン＞パネルをはじめ、＜オーディオクリップミキサー＞、＜オーディオトラックミキサー＞、＜エッセンシャルサウンド＞、＜オーディオメーター＞などの主要なパネルがまとめられています。

＜オーディオ＞ワークスペース

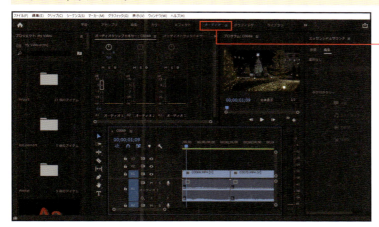

◀音声の操作、編集に必要なパネルがまとめられたワークスペース。音量は、＜オーディオメーター＞パネルで音量の推移や大きさを確認しながら調整するようにしよう。

＜オーディオトラックミキサー＞パネル

▲トラックごとの音量や左右バランスの調整、すべてのトラックの一括調整などが行えるパネル。ナレーションの録音などもここで行う。

＜オーディオクリップミキサー＞パネル

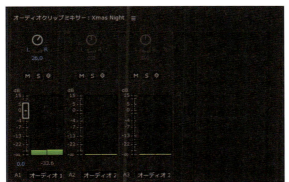

＜エッセンシャルサウンド＞パネル

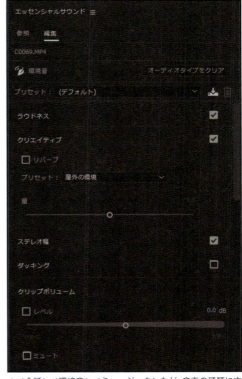

▲＜会話＞＜環境音＞＜ミュージック＞など、音声の種類に応じた調整を行うためのパネル。

◀選択したクリップの音量や左右バランスを調整ができる。

SECTION 02 クリップの音量を調整する

CHAPTER 08 ▶ オーディオ

クリップの音量を調整する方法はいろいろありますが、まずはタイムラインのクリップを操作して調整する方法をマスターしましょう。音量は「ラバーバンド」と呼ばれる直線をドラッグして調整します。

▶ ラバーバンドを操作する

音声クリップの操作時は、ここで解説するようにトラックの高さを広げて、クリップを大きく表示しておくことをおすすめします。トラックの高さを広げると、ラバーバンドが見えやすく、操作しやすくなります。ラバーバンドは、音量やエフェクトの効果をクリップ単位、あるいはキーフレーム単位で調整するための直線です。

1 トラックの高さを広げる

トラックヘッダの余白部分をダブルクリックすると、そのトラックの高さが広がり、音声トラックの場合は左右のステレオ音声の波形が表示されるようになります。

2 ＜レベル＞のラバーバンドを表示する

音量を調整するクリップの＜ fx ＞アイコンを右クリックして**1**、＜ボリューム＞→＜レベル＞をクリックします**2**。

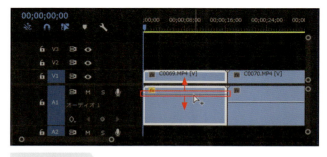

3 ラバーバンドをドラッグする

クリップの中央にラバーバンドの直線が表示されます。これを上にドラッグすると音量が上がり、下にドラッグすると音量が下がります。ここでは P.323 と同様の操作で、クリップの波形を非表示にしています。

> **CHECK!**
> Premiere Pro では、音量を「dB（デシベル）」という単位で表します。クリップの既定の音量に対してプラスの値であれば音量が大きく、マイナスであれば小さくなります。

SECTION 03 <エフェクトコントロール>パネルで音量を調整する

CHAPTER 08 ▶ オーディオ

クリップの音量は、<エフェクトコントロール>パネルの<オーディオエフェクト>に含まれるパラメータを操作することでも調整できます。ここでは、音量を数値で確認しながら調整できます。

▶ <レベル>のパラメータを調整する

<エフェクトコントロール>パネルには、音声専用の既定エフェクトである<ボリューム>と<チャンネルボリューム>、<パンナー>が用意されています。このうち、<ボリューム>のエフェクトの<レベル>の値を変更することによって、選択したクリップ全体の音量を調整することができます。

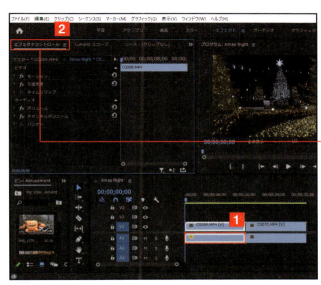

1 <エフェクトコントロール>パネルに切り替える

音量を調整するクリップを<タイムライン>パネルで選択し■、<エフェクトコントロール>パネルに切り替えます■。

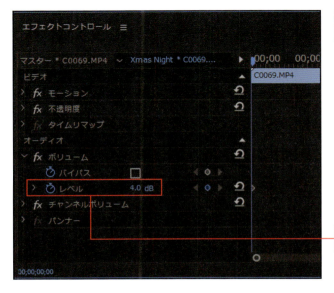

2 <レベル>を調整する

<ボリューム>エフェクトの<レベル>のパラメータ上を右にドラッグすると、音量が上がります。左にドラッグすると、音量が下がります。

SECTION 04 | CHAPTER 08 ▶ オーディオ

＜オーディオトラックミキサー＞パネルで音量を調整する

クリップの音量は、＜オーディオトラックミキサー＞パネルや＜オーディオクリップミキサー＞でも調整できます。操作方法は、目的のトラックに表示されているフェーダーを上下にドラッグするだけです。

▶ かんたんに音量調整する

音量調整は、＜オーディオトラックミキサー＞パネルや、＜オーディオクリップミキサー＞パネルから行う方がかんたんです。前者はトラック単位、後者はクリップ単位で音量を調整でき、「フェーダー」と呼ばれるスイッチを上にドラッグすれば音量が上がり、下にドラッグすれば音量が下がります。

1 音声クリップをトラックに配置する

音声クリップを＜タイムライン＞パネルの音声トラック（＜A1＞など）に配置しておきます。

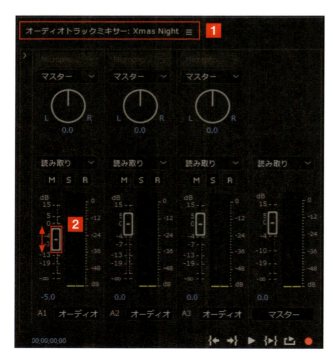

2 ＜オーディオトラックミキサー＞に切り替える

＜オーディオトラックミキサー＞に切り替えて1、音量調整するトラック（ここでは＜A1＞）のフェーダーを上下にドラッグします2。

CHECK!

＜オーディオクリップミキサー＞パネルで音量調整する場合も、同様に目的のトラックのフェーダーを上下にドラッグします。

SECTION 05 チャンネルごとに音量を調整する

CHAPTER 08 ▶ オーディオ

ステレオ音声の左右のチャンネルごとに音量を調整したい場合は、クリップのラバーバンドの種類をチャンネルボリュームに切り替えます。

ラバーバンドをチャンネルボリュームに切り替える

音声クリップには、モノラルなら1つ、ステレオなら2つ、5.1ch サラウンドであれば 5.1 の出力チャンネルが内包されています。撮影時のマイク位置によってはどちらかのチャンネルに音量が偏ってしまうことがあるので、その場合はチャンネルごとに音量を調整しましょう。以下のように、ラバーバンドをチャンネルボリュームに切り替えてから調整します。P.314のクリップ全体の音量調整と同様に、ラバーバンドを上にドラッグすれば選択したチャンネルの音量は上がり、下にドラッグすれば下がります。

1 <fx>を右クリックする

音声クリップの<fx>アイコンを右クリックして 1、メニューから<チャンネルボリューム>→<左>(あるいは<右>)をクリックします 2。

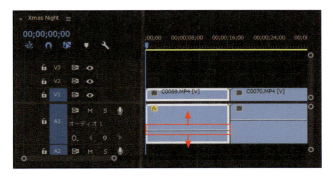

2 ラバーバンドをドラッグする

左(あるいは右)チャンネルのラバーバンドが表示されるので、これを上下いずれかにドラッグして音量を調整します。

POINT

<エフェクトコントロール>パネルで調整する

チャンネルごとの音量調整は、<エフェクトコントロール>パネルでも可能です。既定のエフェクトである<チャンネルボリューム>で、<左><右>などのチャンネルごとにパラメータの値をドラッグして変更します。

SECTION CHAPTER 08 ▶ オーディオ

06 <オーディオクリップミキサー>パネルでチャンネルごとに音量を調整する

<オーディオクリップミキサー>パネルでも、ステレオ音声の左右のチャンネルごとに音量を調整できます。調整する場合は、事前に「チャンネルボリューム」を表示しておきます。

▶ チャンネルボリュームを表示する

<オーディオクリップミキサー>パネルでは、ステレオ音声の左右のチャンネルの音量を、個別に調整できます。<タイムライン>パネルでの調整方法と比べて、ほかのチャンネルとのバランスがわかりやすく、操作しやすいので、<オーディオクリップミキサー>パネルで調整することをおすすめします。

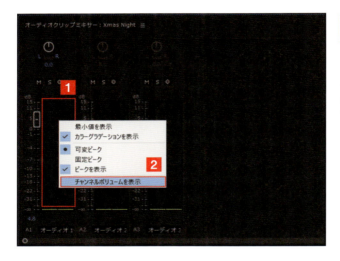

1 右クリックする

<オーディオクリップミキサー>パネルで、目的のトラックのボリュームメーター上を右クリックし**1**、表示されるメニューから<チャンネルボリュームを表示>をクリックします**2**。

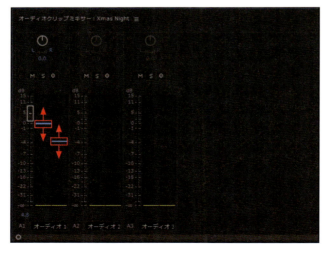

2 チャンネルボリュームが表示される

メーター上にチャンネルボリュームが表示されます。左のチャンネルボリュームを上下にドラッグすると左チャンネル、右のチャンネルボリュームを上下にドラッグすると右チャンネルの音量をそれぞれ調整できます。

> **CHECK!**
>
> 音量調整の目安には、<オーディオメーター>パネルを活用しましょう。音声、あるいは音声込みの動画を再生してみて、<オーディオメーター>パネルのメーターがあまり動かないようであれば音量は低く、メーターが振り切れて赤い表示になることが多い場合は音量が大きすぎることを示しています。

SECTION 07 チャンネルのバランスを調整する

CHAPTER 08 ▶ オーディオ

「パンナー」を操作すると、ステレオの音声など、複数チャンネルの音量のバランスを調整できます。思うようにチャンネルごとに個別の調整ができない場合は、パンナーで調整することをおすすめします。

▶ パンナーで左右のバランスを調整する

「パンナー」は、複数チャンネルの音量を同時に調整するための機能です。左右2チャンネルのステレオ音声の場合、パンナーで左チャンネルの音量を上げると同時に右の音量が下げられるので、音声全体の音量のバランスが整えられます。ラバーバンドを使ったチャンネルごとの音量調整で、極端に音が大きくなる、あるいは小さくなってしまう場合は、パンナーで調整しましょう。

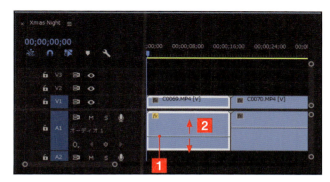

A ＜タイムライン＞パネルで調整する

＜タイムライン＞パネルで、P.317のメニューから＜パンナー＞→＜バランス＞とクリックしてラバーバンドを表示し **1**、上下にドラッグします **2**。中央より上で右チャンネル寄り、下で左チャンネル寄りにバランスを調整できます。

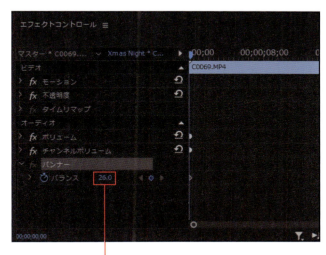

B ＜エフェクトコントロール＞パネルで調整する

＜オーディオエフェクト＞に含まれる＜パンナー＞の＜バランス＞のパラメータでも調整できます。プラスの値で右寄り、マイナスの値で左寄りにバランスが調整されます。

CHECK!

＜オーディオクリップミキサー＞パネル、＜オーディオトラックミキサー＞パネルのダイヤルをドラッグしても、左右のバランスを調整できます。

SECTION 08

CHAPTER 08 ▶ オーディオ

映像にBGMを付ける

音声だけのクリップを映像のクリップに重ねて配置することで、バックグラウンドミュージック (BGM)にすることができます。音声クリップのシーケンスへの配置方法は、通常のクリップと同じです。

▶ 音声クリップを配置する

MP3やWAVなどの音声データも、動画ファイルと同様の方法で＜プロジェクト＞パネルに素材として読み込めます（P.052参照）。読み込んだ素材は、＜タイムライン＞パネルにドラッグ＆ドロップして配置します。Premiere Proのプロジェクトに素材として読み込むことができる音声ファイルの形式については、P.034を参照してください。

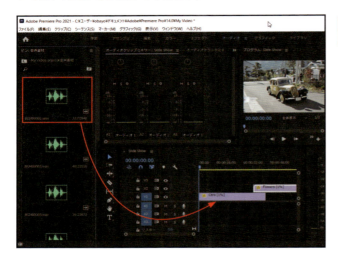

1 音声クリップをドラッグ＆ドロップする

＜プロジェクト＞パネルの音声クリップを、＜タイムライン＞パネルにドラッグ＆ドロップします。

2 BGMが配置される

BGMとなる音声クリップが、＜A1＞トラックに配置されます。音声のみのクリップは、クリップの背景色が緑になります。

CHECK!

シーケンスに配置済みの映像クリップが音声クリップと一体になっている場合は、音声クリップとは別のトラックにドラッグ＆ドロップするようにしてください。既存のクリップに重ねてしまうと、音声が新たなクリップに上書きされてしまいます。

SECTION 09　音声クリップをトリミングする

CHAPTER 08 ▶ オーディオ

音声クリップの不要な部分をカットするには、トリミングをします。トリミング方法は通常の映像クリップと同じく＜選択ツール＞や＜リップルツール＞、＜ローリングツール＞などを使います。

▶ ドラッグしてトリミングする

映像クリップと同様に、音声クリップもトリミングできます。音声の無音部分が不要な場合や、作品として残すのに不適な音声はトリミングでカットしてしまいましょう。なお、映像と一体化した音声も、P.322で解説している方法で映像と音声を分離して、それぞれ独立したクリップにすれば、音声だけをトリミングできます。

1　クリップの端にポインタを合わせる

＜ツール＞パネルで＜選択ツール＞をクリックして選択しておき①、＜タイムライン＞パネルの音声クリップの端にポインタを合わせます②。

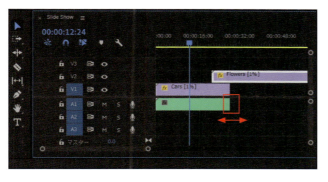

2　ドラッグする

そのまま左右方向にドラッグすると、ドラッグしたぶんクリップが短く／長くなります。ただし、もとのクリップより長くすることはできません。

CHECK!

ここでは＜選択ツール＞でのトリミング方法を解説していますが、＜リップルツール＞や＜ローリングツール＞、＜スライドツール＞を使ったトリミング方法も、映像の場合と同じです。

SECTION

CHAPTER 08 ▶ オーディオ

10 クリップを映像と音声に分離する

映像と音声が一体化している通常のクリップは、映像と音声それぞれのクリップとして分離できます。映像の音声をカットして別のBGMを付ける、音声だけを編集する、といった場合に役立つテクニックです。

▶ クリップを分離する

映像と音声が一体化したクリップを、映像だけ、あるいは音声だけの独立したクリップにするには、以下のように操作します。独立したクリップはドラッグして＜タイムライン＞パネル内を移動したり、不要であれば削除したりできます。クリップを分離しても、＜プロジェクト＞パネルにあるもとのクリップに影響はありません。

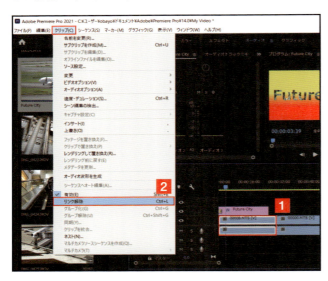

1 メニューをクリックする

＜タイムライン＞パネルで分離させるクリップを選択しておき**1**、＜クリップ＞メニューの＜リンク解除＞をクリックします**2**。

2 クリップが分離される

映像と音声のクリップが分離され、それぞれを別々に選択できるようになります。

POINT

クリップを結合する

リンクを解除して分離したクリップを、再度1つのクリップとして結合するには、分離したクリップを Shift キーを押しながらクリックして選択し、＜クリップ＞メニューの＜リンク＞をクリックします。

SECTION 11 波形の表示／非表示を切り替える

CHAPTER 08 ▶ オーディオ

音声のクリップに表示される波形は、表示／非表示を切り替えることができます。波形が表示されていると、編集操作がしづらくなってしまうことがあるので、必要に応じて切り替えます。

▶ ＜タイムライン表示設定＞で表示／非表示を切り替える

音声クリップに表示される波形は、音量の大小を視覚的に示すためのものですが、実際に音声クリップを操作する際に、波形が邪魔になることがあります。波形は必要に応じて非表示にすることもできるので、非表示にしたい場合は以下のように操作します。同様の操作で、クリップのファイル名の表示／非表示も切り替えることができます。

1 ＜タイムライン表示設定＞をクリックする

＜タイムライン＞パネルで＜タイムライン表示設定＞をクリックし**1**、表示されるメニューで＜オーディオ波形を表示＞をクリックして、チェックを外します**2**。

CHECK!

手順**1**のメニューで＜オーディオ名を表示＞をクリックしてチェックを入れると、クリップにもとのファイル名が表示されます。

2 波形が非表示になる

音声クリップの波形が非表示になります。再度手順**1**のメニューをクリックしてチェックを入れると、波形が表示されます。

SECTION

CHAPTER 08 ▶ オーディオ

12 キーフレームでフェードイン／フェードアウトを設定する

音量が徐々に上がりながら再生され、徐々に下がりながら再生が終了する「フェードイン／フェードアウト」は、一般的に多用される演出効果の1つです。まずは基本的な設定方法を解説します。

▶ ＜エフェクトコントロール＞パネルで設定する

フェードイン／フェードアウトは、＜エフェクトコントロール＞パネルで設定できます。音量を上げる（下げる）範囲を囲むようにキーフレーム（P.216 参照）を設定し、一方のキーフレームをミュート、もう一方を通常音量にすることで、フェードイン／フェードアウトの効果になります。

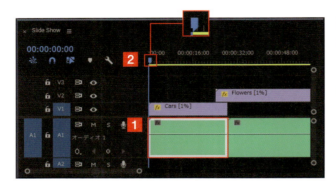

1 クリップを選択する

フェードイン／フェードアウトを設定するクリップを＜タイムライン＞パネルで選択して①、再生ヘッドをクリップの先頭に移動します②。

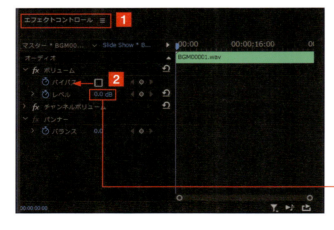

2 ＜レベル＞をドラッグする

＜エフェクトコントロール＞パネルに切り替えて①、再生ヘッドの位置がクリップの先頭にあることを確認し、＜ボリューム＞エフェクトの＜レベル＞のパラメータ上を左にドラッグします②。

3 キーフレームが設定される

キーフレームが設定され①、クリップ全体がミュートされた状態になります。再生ヘッドを右に移動します②。

4 ＜レベル＞を「0.0」にする

＜レベル＞の値が「0.0」になるまでドラッグすると1、再生ヘッドの位置にキーフレームが追加されます2。これで、左のキーフレームから右のキーフレームの間で、ミュートから徐々に音量が上がり、通常の音量になります。

5 再生ヘッドを移動する

さらに再生ヘッドを右に移動し1、＜キーフレームの追加／削除＞をクリックします2。

6 最終フレームをミュートする

手順5の再生ヘッドの位置にキーフレームが追加されます。再生ヘッドを右端に移動し1、＜レベル＞のパラメータを手順3と同じ値「-95.3」にすると2、右端とその左隣のキーフレーム間で音量が徐々に下がります。

POINT

＜エフェクトコントロール＞パネルで調整する

＜エフェクトコントロール＞パネルでキーフレームを設定すると、＜タイムライン＞パネルのクリップにも同じ位置にキーフレームを示す○が表示されます（P.314のように表示した場合）。また、音量のラバーバンドで音量の上下動がわかるようになります。

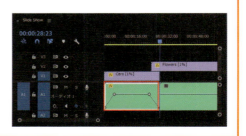

SECTION 13 トランジションでフェードイン／フェードアウトを設定する

CHAPTER 08 ▶ オーディオ

フェードイン／フェードアウトは、＜オーディオトランジション＞のトランジションを適用することでも設定できます。音量を徐々に上下させる3種類のトランジションが用意されています。

▶ オーディオトランジションを利用する

映像のトランジションは、クリップとクリップの切り替え時に場面転換効果として利用されます。一方、音楽のトランジションは、フェードイン／フェードアウトをかんたんに設定するためのものです。フェードイン／フェードアウトのトランジションを音声クリップに適用するには、トランジションを音声クリップの先頭付近／末尾付近にドラッグ＆ドロップします。

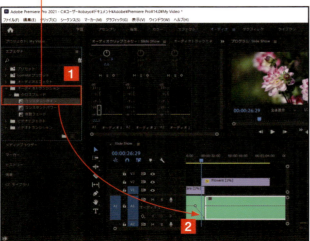

1 トランジションをドラッグ＆ドロップする

＜オーディオトランジション＞→＜クロスフェード＞と展開して 1、＜コンスタントゲイン＞のトランジションを音声クリップの先頭付近（または末尾付近）にドラッグ＆ドロップします 2。

CHECK!

＜コンスタントゲイン＞トランジションは、一定の速度で音量を上げ下げしてフェードイン／フェードアウトを設定します。

2 トランジションが設定される

クリップにトランジションが設定され、デュレーション内で徐々に音量が大きくなります。クリップの末尾付近に設定すると、音量が徐々に小さくなります。

▶ トランジションのデュレーションを変更する

初期設定では、トランジションのデュレーションは1秒です。より長い時間、フェードイン／フェードアウトの効果を持続させたい場合は、デュレーションを変更しましょう。なお、デュレーションを変更するには＜タイムライン＞パネル上で行う方法（P.208参照）と、＜エフェクトコントロール＞パネルで行う方法の2種類があります。

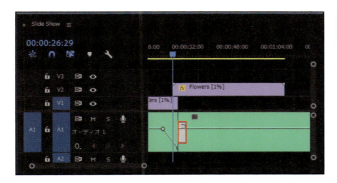

1 トランジションを選択する

＜タイムライン＞パネルでトランジションをクリックして選択します。トランジションが小さくてクリックしづらい場合は、＜タイムライン＞パネルの表示を拡大します（P.119参照）。

2 ＜エフェクトコントロール＞パネルに切り替える

＜エフェクトコントロール＞パネルに切り替えて 1 、トランジションの右端にポインタを合わせます 2 。

3 ドラッグする

そのままドラッグすると、トランジションのデュレーションが長くなり、フェードイン／フェードアウトの持続時間も長くなります。

POINT

コンスタントパワーと指数フェード
＜クロスフェード＞ビンに含まれる＜コンスタントパワー＞、＜指数フェード＞トランジションは、どちらもフェードイン／フェードアウトの音量の上げ下げが滑らかに変化します。一方、＜コンスタントゲイン＞は直線的に音量が変化します。

SECTION 14 クリップの音量を必要に応じて上げ下げする

CHAPTER 08 ▶ オーディオ

映像の場面によっては、一時的に音量を低くして映像にだけ注目させたいといったこともあります。そのような場合は、キーフレームを使って単一クリップ内で音量を調整します。

▶ 音声クリップの音量を場面ごとに変える

単一の音声クリップ内で、場面ごとに音量を変えることができます。この方法はフェードイン／フェードアウトを設定する方法（P.324参照）の応用で、音量を上げる場面、下げる場面にキーフレームを設定します。キーフレームが設定されたフレーム、あるいはキーフレームで囲まれた範囲を一括して音量調整できます。

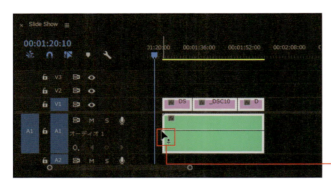

1 Ctrlキーを押しながらクリックする

＜タイムライン＞パネルで波形を非表示にして、音量のラバーバンドを表示しておきます（P.314、323参照）。ラバーバンドの音量を変化させる位置を Ctrl （Macでは command ）キーを押しながらクリックします。

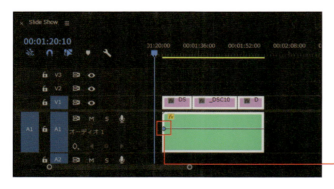

2 キーフレームが設定される

手順 1 でクリックした位置にキーフレームが設定されます。キーフレームを左右にドラッグすると、移動させることができます。

3 ほかのキーフレームを設定する

手順 1 、 2 の操作を繰り返して、ほかのフレームにもキーフレームを設定します。

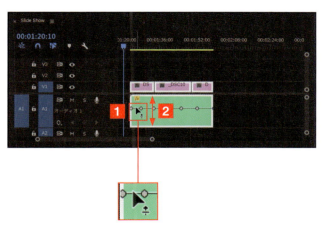

4 ラバーバンドをドラッグする

ラバーバンドにポインタを合わせて**1**、上下いずれかにドラッグします**2**。

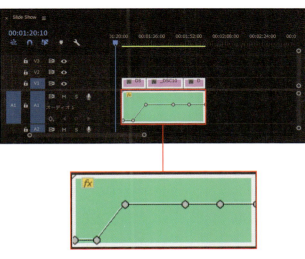

5 音量が変わる

キーフレームで囲まれたラバーバンドがドラッグした方向に下がり（上がり）ます。隣接するキーフレームで囲まれた範囲は、それに合わせて斜線のラバーバンドになります。

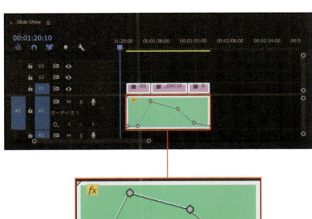

6 ほかの部分の音量も変える

手順**4**、**5**の操作を繰り返して、キーフレームで囲まれた範囲の音量を調整します。キーフレームを上下にドラッグすると、そのフレームを中心に音量を調整できます。

SECTION
CHAPTER 08 ▶ オーディオ

15 エフェクトで音を変化させる

音声クリップにもエフェクトを適用できます。音声クリップ用のエフェクトには、エコーなどをかけて音を劇的に変化させるものや、イコライザーで低音や高音をピンポイントで調整するものなどがあります。

▶ オーディオエフェクトを利用する

音声用のエフェクトは、＜エフェクト＞パネルの＜オーディオエフェクト＞ビンにまとめられています。Premiere Pro には、音声のノイズを除去するものやトーンを変えるもの、左右チャンネルを入れ替えるものなど、多彩なエフェクトが用意されており、＜エフェクトコントロール＞パネルでエフェクトのパラメータを調整できます。

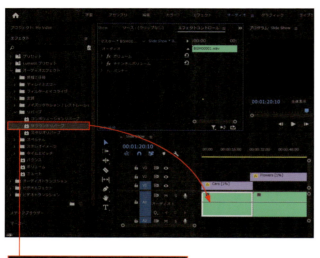

1 ドラッグ&ドロップする

＜エフェクト＞パネルの＜オーディオエフェクト＞ビンの中にあるエフェクトを、＜タイムライン＞パネルの音声クリップにドラッグ&ドロップします。

2 エフェクトが適用される

エフェクトが適用され、＜エフェクトコントロールパネル＞にエフェクトの項目が追加されます。個別のパラメータで値を調整します。

CHECK!

ここで音声クリップに適用した＜サラウンドリバーブ＞エフェクトは、音に広がりを持たせながら、独特のエコー効果をもたらすエフェクトです。

SECTION CHAPTER 08 ▶ オーディオ

16 エフェクトを専用画面で調整する

音声クリップに適用したエフェクトは、＜エフェクトコントロール＞パネルで調整できますが、専用の調整画面も用意されています。イコライザーを操作するエフェクトなどでは、専用画面で調整する方が便利です。

▶ クリップFxエディターを利用する

「クリップFxエディター」は、音声クリップに適用できるエフェクトのほぼすべてで利用できる、パラメータ調整専用の画面です。画面の表示内容はエフェクトによって異なりますが、エフェクトによっては、＜エフェクトコントロール＞パネルよりも直観的にパラメータを操作できます。以下のように操作して、エフェクトの適用後に「クリップFxエディター」を表示してみましょう。

1 エフェクトを適用する

音声クリップに対してエフェクトを適用すると、＜エフェクトコントロール＞パネルのエフェクトの項目に＜編集＞が追加されます。これをクリックします。

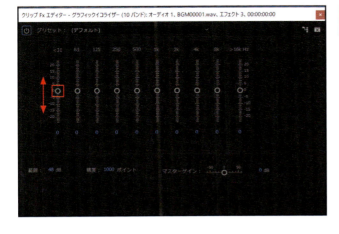

2 クリップFxエディターが表示される

クリップFxエディターのウィンドウが表示されます。ここで設定している＜グラフィックイコライザー（10バンド）＞のエフェクトでは、各スライダーを上下にドラッグして音質を調整できます。

CHECK!

エフェクトによっては、クリップFxエディターのウィンドウでプリセットを選択できるものがあります。ここで選択できるプリセットは、パラメータの組み合わせを記録したもので、選択するだけで音声クリップの音質を変化させることができます。

SECTION 17 エフェクトの効果を同一クリップ内でオン／オフにする

CHAPTER 08 ▶ オーディオ

音声クリップに適用したエフェクトの効果は、同じクリップ内でオン／オフできます。これにより、クリップの前半ではエフェクトの効果なし、後半部分のみにエフェクトを有効にするといったことが可能です。

▶ ラバーバンドでエフェクトのオン／オフを切り替える

エフェクトの効果を同一の音声クリップ内で変化させるには、＜タイムライン＞パネルでエフェクト調整用のラバーバンドを表示し、キーフレームで区切った範囲を上下に動かします。ラバーバンドが上端にあるとエフェクトは有効で、下端にある場合はオフになります。オン／オフを切り替える部分にキーフレームを設定しましょう。

1 エフェクトを適用する

音声クリップにオーディオエフェクトを適用しておきます。ここでは、＜ピッチシフター＞エフェクトを適用しています。

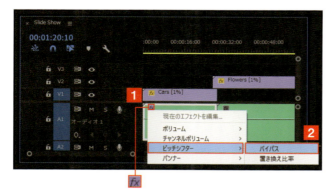

2 ラバーバンドを表示する

＜タイムライン＞パネルで目的の音声クリップの＜ fx ＞を右クリックして❶、表示されるメニューで＜（エフェクト名）＞→＜バイパス＞とクリックします❷。

CHECK!
＜ピッチシフター＞は、音声のピッチ（音程）を変化させるエフェクトです。

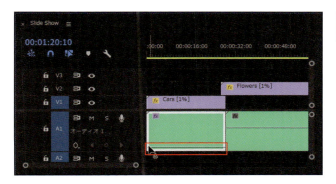

3 Ctrlキーを押しながらクリックする

エフェクトのオン／オフを切り替えるラバーバンドが表示されます。ラバーバンド上を Ctrl（Mac では command）キーを押しながらクリックします。

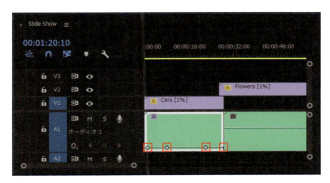

4 キーフレームが設定される

ラバーバンド上にキーフレームが設定されます。同様の操作を繰り返して、エフェクトのオン／オフを切り替える位置にキーフレームを設定しておきます。

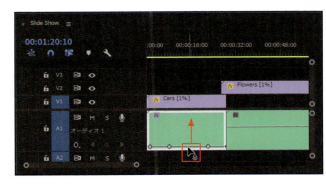

5 ポインタを合わせる

初期設定では、ラバーバンドはクリップの下端にあり、エフェクトはオフの状態です。オンにする位置にポインタを合わせて、上にドラッグします。

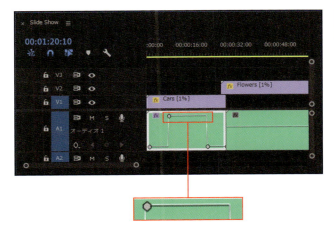

6 エフェクトがオンになる

ドラッグした部分が上端に移動し、この部分だけのエフェクトの効果がオンになります。

SECTION **18** CHAPTER 08 ▶ オーディオ

プリセットで音声の内容に応じた補正をする

音声クリップの内容が会話なのか、BGMなのかによって、調整すべきパラメータは違います。内容に応じた最適なプリセットを適用できる機能が、＜エッセンシャルサウンド＞パネルで利用できる「オーディオタイプ」です。

▶ 音声の内容に合うオーディオタイプを選択する

＜タイムライン＞パネルで音声クリップを選択すると、＜エッセンシャルサウンド＞パネルに＜会話＞＜ミュージック＞＜効果音＞＜環境音＞の各ボタン（オーディオタイプ）が表示されます。ここで音声クリップの内容に合うもの、近いもののボタンをクリックすると、あらかじめ調整済みのプリセットが適用され、音質などが向上します。プリセットはあとから変更したり、個々のパラメータを手動で調整したりできます。

1 クリップのタイプを選択する

＜タイムライン＞パネルで音声クリップを選択し**1**、＜エッセンシャルサウンド＞パネルでクリップの内容に合うオーディオタイプをクリックします**2**。

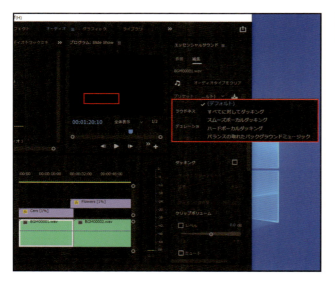

2 プリセットを選択する

＜プリセット＞から目的のプリセットを選択すると、それに合わせてクリップの音声の明瞭度や音量のバランスが自動調整されます。パネル下のパラメータを使って微調整することもできます。

CHECK!

＜エッセンシャルサウンド＞パネルで、＜オーディオタイプをクリア＞をクリックすると、適用されていたプリセットが取り消され、オーディオタイプを選び直すことができます。

SECTION 19 音声だけを再生する

CHAPTER 08 ▶ オーディオ

音声クリップを編集したら、再生して確認します。映像と音声が一体化したクリップは、通常の再生方法では映像も一緒に再生されてしまいます。音声だけを再生する方法を覚えておきましょう。

▶ ＜エフェクトコントロール＞パネルで再生する

通常、クリップやシーケンスの再生には＜ソース＞パネルや＜プログラム＞パネルを使いますが、映像と音声が一体化したクリップの場合、この方法では映像と音声が同時に再生されます。調整を加えた音声のみを再生して確認する場合は、＜エフェクトコントロール＞パネルで＜クリップのオーディオ再生＞をクリックします。

1 クリップを選択する

＜タイムライン＞パネルで音声部分を編集したクリップを選択します。

2 ＜クリップのオーディオ再生＞をクリックする

＜エフェクトコントロール＞パネルの＜クリップのオーディオ再生＞をクリックすると、手順1で選択したクリップの音声のみが再生されます。

3 再生を停止する

音声のみの再生中は、＜クリップのオーディオ再生＞が図のように変化します。これをクリックすると再生が停止します。

SECTION 20 指定した範囲だけを再生する

CHAPTER 08 ▶ オーディオ

クリップの一部に適用したエフェクトの効果だけを確認したい場合は、その部分をイン／アウトポイントで囲んでおくことで、囲まれた範囲だけを再生することができるようになり、作業が効率化されます。

▶ イン／アウトポイントで囲んだ範囲を再生する

＜オーディオトラックミキサー＞で＜ビデオをインからアウトへ再生＞をクリックすると、インポイントとアウトポイント（P.083参照）で囲んだ範囲だけを再生することができます。また、指定範囲を繰り返し再生することもできるので、これらの再生機能を組み合わせて、編集結果の確認などに活用しましょう。

1 イン／アウトポイントを設定する

P.112と同様の操作で、再生する範囲をインポイントとアウトポイントで囲みます。

2 ＜ビデオをインからアウトへ再生＞をクリックする

＜オーディオトラックミキサー＞に切り替えて、＜ビデオをインからアウトへ再生＞をクリックすると、手順1で指定した範囲が再生されます。

CHECK!

＜ビデオをインからアウトへ再生＞は、＜プログラム＞パネルや＜ソース＞パネルでも、＜＋＞をクリックすると表示される画面から追加して利用できます。

CHECK!

ループ再生するには、＜オーディオトラックミキサー＞パネルの ＜ループ＞をクリックします。

SECTION 21　音声クリップの編集をリセットする

CHAPTER 08 ▶ オーディオ

音声クリップに対して行ったパラメータの変更や、適用したエフェクトの取り消しは、＜エフェクトコントロール＞パネルで一括して行います。

● パラメータのリセット、エフェクトの取り消しをする

音声クリップの音量や、適用したエフェクトのパラメータをもとに戻したい場合はリセットします。リセットするには、＜エフェクトコントロール＞パネルの＜オーディオエフェクト＞以下の項目で、リセットしたいパラメータ右端にある＜パラメータをリセット＞あるいは＜エフェクトをリセット＞をクリックします。また、適用済みのエフェクトを破棄する場合も、この画面から操作します。

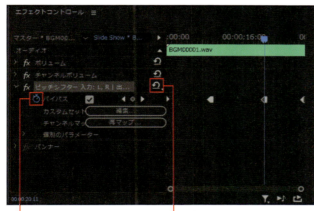

アニメーションのオン／オフ　　　パラメータをリセット

1　パラメータを初期値に戻す

＜エフェクトコントロール＞パネルで、目的のパラメータ右端の＜パラメータをリセット＞をクリックします。キーフレームを設定している場合は、そのパラメータ左端の＜アニメーションのオン／オフ＞をクリックすると、すべてのキーフレームを削除できます。

2　エフェクトを破棄する

音声クリップに適用したエフェクトを破棄する場合は、エフェクトを右クリックすると表示されるメニューで＜消去＞をクリックします。

337

SECTION 22

CHAPTER 08 ▶ オーディオ

音声を一時的に消す／特定トラックの音声だけを残す

複数の音声トラックにクリップを配置している場合、あるクリップの音声を確認しながら編集する場合などは、音声トラックの音声をミュート（消音）すれば、作業中のトラックに集中できます。

▶ ミュートとソロを使い分ける

＜タイムライン＞パネルのトラックヘッダで、＜M＞（ミュート）をクリックしてボタンを点灯すると、そのトラックの音声は再生されなくなります。また、＜S＞（ソロ）をクリックすると、そのトラック以外の音声が再生されなくなります。どちらも再度ボタンをクリックすることでミュート、ソロの状態を解除できます。

1 ＜M＞をクリックする

＜タイムライン＞パネルの＜M＞をクリックして点灯させると、点灯している間はそのトラックの音声は再生されなくなります。

2 ＜S＞をクリックする

＜タイムライン＞パネルの＜S＞をクリックして点灯させると、点灯している間はそのトラック以外の音声は再生されなくなります。

POINT

別のパネルでも使用可能

＜オーディオトラックミキサー＞、＜オーディオクリップミキサー＞の両パネルでも、＜M＞をクリックしてトラックをミュート、＜S＞をクリックしてそのトラック以外をミュートにすることができます。

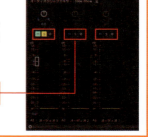

SECTION CHAPTER 08 ▶ オーディオ

23 すべてのクリップの音量を揃える

シーケンスに並べたクリップの音量がばらついていると、ある場面では音量が小さく、別の場面では音量が大きくなり、視聴するのに疲れてしまいます。すべてのクリップの音量を揃えれば、この問題は解消されます。

▶ ノーマライズする

複数のクリップの音量を揃える（ばらつきを抑える）には、以下のように操作します。音量を揃える、シーケンスで統一することを「ノーマライズ」といいます。Premiere Proでは、音量の増幅幅（ゲイン）を指定することで、選択したすべてのクリップの音量を平坦に揃えて、視聴しても疲れないバランスの取れた音量にすることができます。

1 メニューをクリックする

ノーマライズするクリップを＜タイムライン＞パネルで選択して❶、＜クリップ＞メニューの＜オーディオオプション＞→＜オーディオゲイン＞をクリックします❷。

2 ＜ゲインの調整＞を選択する

＜すべてのピークをノーマライズ＞を選択し❶、音量の増減量を数値で指定して❷、＜OK＞をクリックします❸。

> **CHECK!**
> 「ゲイン」は基準となる音量（クリップのもとの音量）に対して、どれだけ音量を増減させるかを示す数値で、単位はdBとなります。

SECTION 24 シーケンス全体の音量を調整する

CHAPTER 08 ▶ オーディオ

クリップの音量はクリップ単位だけでなく、シーケンス内のすべてのトラックを対象に一括して調整することができます。一括調整用のトラックのことを「マスタートラック」といいます。

▶ シーケンスの音量を調整する

シーケンスの音量を一括して調整するには、＜オーディオトラックミキサー＞パネルでマスタートラックのフェーダーを下方向にドラッグします。マスタートラックは、シーケンス内のすべてのトラック、そこに配置されたすべてのクリップを内包する特殊なトラックで、＜タイムライン＞パネルの最下段にも表示されています。

1 ＜オーディオトラックミキサー＞パネルで調整する

＜オーディオトラックミキサー＞の＜マスター＞のトラックのフェーダーをドラッグすると、シーケンス内のクリップの音量を一括して調整できます。

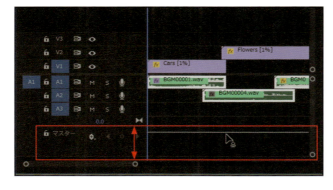

2 ＜タイムライン＞パネルで調整する

＜タイムライン＞パネル最下段の＜マスター＞トラックに表示されるラバーバンドを上下にドラッグしても、シーケンス内のクリップの音量を一括して調整できます。

CHECK

＜マスター＞トラックのラバーバンドにも、P.328と同様の操作でキーフレームを設定できます。これにより、一部だけ音量を変化させたり、フェードイン／フェードアウトをシーケンス全体に対して設定したりできます。

SECTION 25 シーケンス全体にエフェクトを適用する

CHAPTER 08 ▶ オーディオ

＜オーディオエフェクト＞に含まれるエフェクトは、同一トラックの複数クリップにまとめて適用できます。また、シーケンス内のすべてのクリップに一括して同じエフェクトを適用することもできます。

▶ エフェクトをトラック、シーケンス全体に適用する

トラック単位、シーケンス単位で＜オーディオエフェクト＞ビンに含まれるエフェクトを適用するには、＜オーディオトラックミキサー＞パネルを＜エフェクトとセンド＞の表示に切り替えます。ここで、目的のトラック、あるいはマスタートラックにエフェクトを適用すると、それぞれに含まれるすべてのクリップに同じエフェクトを適用できます。

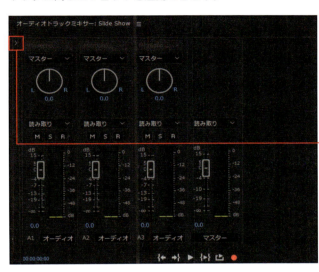

1 ＜エフェクトとセンド＞に切り替える

＜オーディオトラックミキサー＞パネル左上の＜エフェクトとセンドの表示／非表示＞をクリックします。

2 エフェクトをクリックする

トラックごとのスロットが表示されます。目的のトラック、あるいはマスタートラックのスロットの■をクリックし**1**、表示されるメニューからエフェクトをクリックします**2**。

POINT

エフェクトのパラメータ調整

＜オーディオトラックミキサー＞パネルでトラック、シーケンスに一括適用したエフェクトのパラメータは、＜エフェクトコントロール＞パネルには表示されません。パラメータの調整は、＜オーディオトラックミキサー＞パネルで行います。

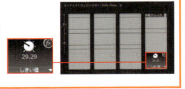

SECTION 26 ナレーション録音の準備をする

CHAPTER 08 ▶ オーディオ

Premiere Proでは、ナレーションの録音ができます。この機能を使う前に、ナレーションで使用するマイクの設定を済ませておきましょう。OSの設定とアプリの設定の双方で、使用するマイクを選択します。

▶ Windowsでマイクの設定をする

Windowsでは、外付けのマイクあるいは内蔵のマイクを「既定のデバイス」として設定します。使用するマイクによっては、別途デバイスドライバーのインストールが必要になることがあるので、マイクのマニュアルなどを参照して、パソコンで利用できる状態にしてから以下のように操作してください。

1 タスクトレイのスピーカーアイコンを右クリックする

タスクトレイに表示されるスピーカーアイコンを右クリックします。

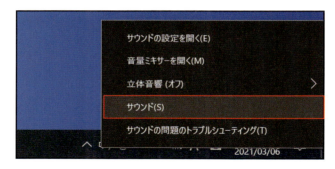

2 メニューをクリックする

メニューが表示されるので、＜サウンド＞をクリックします。

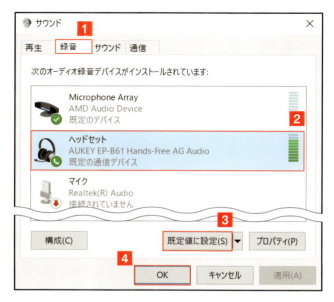

3 マイクを選択する

＜サウンド＞画面で＜録音＞タブをクリックし①、ナレーションに使用するマイクを選択して②、＜既定値に設定＞をクリックします③。最後に、＜OK＞をクリックします④。

▶ Mac でマイクの設定をする

Mac でも Windows の場合と同様に、事前にマイクを接続して、必要に応じてマイクのデバイスドライバーをインストールし、利用可能な状態にしておきます。マイクが利用できるようになったら、システム環境設定の＜サウンド＞パネルで＜入力＞をクリックすると表示される画面で、既定のサウンド入力装置を選択します。

1 システム環境設定を表示する

システム環境設定を表示して、＜サウンド＞をクリックします。

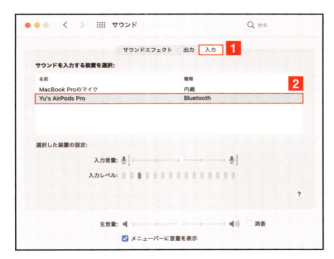

2 マイクを選択する

＜入力＞をクリックして **1**、ナレーションに使用するマイクを選択します **2**。

▶ Premiere Pro でマイクの設定をする

Windows ／ Mac でマイクの設定が済んだら、最後に Premiere Pro の環境設定でナレーションに使用するマイクの設定と確認を行います。環境設定の画面は、Premiere Pro の＜編集＞（Mac では＜ Premiere Pro ＞）メニューで＜環境設定＞→＜オーディオハードウェア＞をクリックして表示します。

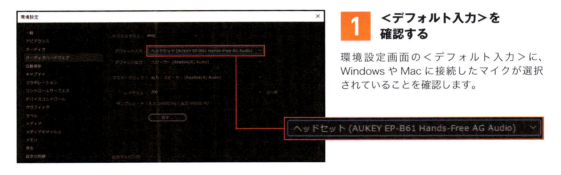

1 ＜デフォルト入力＞を確認する

環境設定画面の＜デフォルト入力＞に、Windows や Mac に接続したマイクが選択されていることを確認します。

SECTION 27 ナレーションを録音する

CHAPTER 08 ▶ オーディオ

「ボイスオーバー録音」は、映像についての説明音声（ナレーション）を録音するための機能です。実際に映像を再生しながら録音し、録音を停止するとナレーションの音声クリップが新規作成されます。

▶ ＜タイムライン＞パネルでナレーションを録音する

ナレーションを録音するには、録音先のトラックの＜ボイスオーバー録音＞をクリックします。再度同じボタンをクリックして録音を終了すると、ナレーションの音声クリップが作成されます。なお、録音中はシーケンスの映像と音声が再生されるので、録音先以外の音声トラックはミュートしておきましょう。

1 ほかのトラックをミュートする

＜タイムライン＞パネルで、音声クリップが配置されたトラックのトラックヘッダで＜M＞をクリックして、ミュートしておきます。

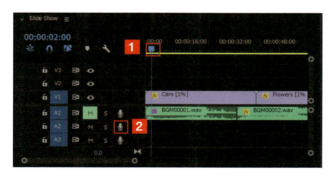

2 再生ヘッドを移動する

ナレーションの録音を開始する位置に再生ヘッドを移動して■、録音先トラックのトラックヘッダで＜ボイスオーバー録音＞をクリックします■。

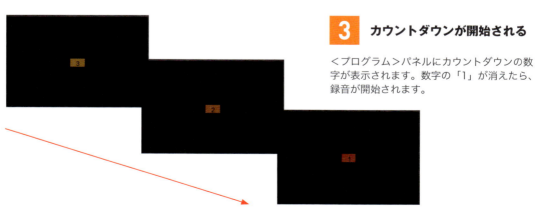

3 カウントダウンが開始される

＜プログラム＞パネルにカウントダウンの数字が表示されます。数字の「1」が消えたら、録音が開始されます。

4 録音が開始される

録音中は＜プログラム＞パネルに「レコーディング中」と表示され、映像が再生されます。映像を見ながらナレーションを録音しましょう。

5 録音を終了する

＜タイムライン＞パネルの＜ボイスオーバー録音＞をクリックして、録音を終了します。

6 音声クリップが作成される

指定したトラックに、ナレーションの音声クリップが配置されます。

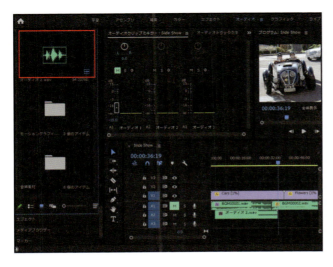

7 音声クリップがプロジェクトに追加される

録音したナレーションの音声クリップは、＜プロジェクト＞パネルにも追加され、ほかのシーケンスなどで再利用できます。

CHECK!

ナレーションを再録音するには、録音済みクリップの先頭フレームに再生ヘッドを移動してから、左の手順のように操作します。これにより、既存のクリップは新たに録音したクリップに上書きされます。

▶ ＜オーディオトラックミキサー＞パネルでナレーションを録音する

ナレーションは、＜オーディオトラックミキサー＞パネルから録音することもできます。＜オーディオトラックミキサー＞で録音する場合、最初に録音先のトラックのトラックヘッダで＜R＞をクリックして赤く点灯させておき、＜録音＞をクリックして待機状態にします。この状態で＜再生／一時停止＞をクリックすると即座に録音が開始されるので、自分のタイミングでナレーションを始めることができます。

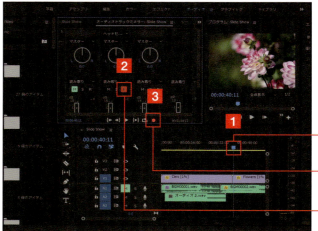

1 ＜R＞をクリックする

再生ヘッドを録音開始位置に移動しておき **1**、＜オーディオクリップミキサー＞で録音先トラックの＜R＞をクリックして赤く点灯させます **2**。続いて、＜録音＞をクリックします **3**。

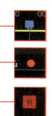

2 ＜再生／停止＞をクリックする

＜再生／停止＞をクリックすると、カウントダウンなしで録音が開始されます。録音を停止するには、＜再生／停止＞を再度クリックします。

POINT

音声クリップの保存先
録音した音声クリップは、ユーザーライブラリの＜ドキュメント＞→＜Adobe＞フォルダー内のPremiere Proのフォルダーに保存されます。Macの場合はホームフォルダ内の＜書類＞→＜Adobe＞フォルダ内が保存先になります。

CHAPTER 09

THE PERFECT GUIDE FOR PREMIERE PRO

[エンコード]

SECTION 01　CHAPTER 09 ▶ エンコード

「エンコード」機能を理解する

Premiere Proを使って編集、加工した映像作品を、ほかのアプリやテレビなどの機器で鑑賞できるようにするには、「エンコード」を実行して、ほかの環境で再生可能な形式のファイルとして書き出します。

▶ エンコードとは？

動画編集における「エンコード」とは、シーケンスを構成するタイトルやトランジション、映像クリップ、音声クリップなどのすべての要素を、単一のファイルとして書き出すことです。エンコードでファイル化することではじめて、編集した映像作品をほかの環境で再生できるようになります。

なお、エンコード時には、映像の解像度の変更やファイル形式の変換など、さまざまな処理が同時に行われるため、パソコンの性能によっては相応の時間がかかります。また、エンコードによって生成した動画ファイルは、Premiere Proの素材として読み込むことはできますが、エンコード前の編集内容に対して変更を加えることはできません。

エンコードは編集したシーケンスを単一ファイル化すること

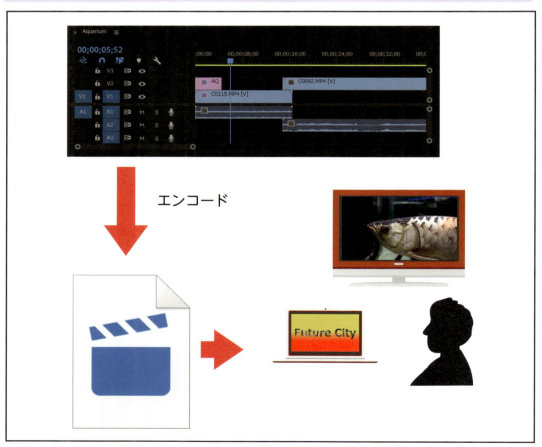

▲複数のクリップやトランジション、エフェクトなどで構成されたシーケンスを、単一のファイルにまとめる処理がエンコードである。ファイル化することで、ほかの環境で再生できるようになる。

▶ <書き出し設定>パネルの利用

エンコードを行う際には、<書き出し設定>パネルを表示します。この画面では、シーケンスのプレビューを確認しながら、書き出し後のファイル形式を選択したり、保存先を指定したりできます。また、動画の表示解像度や画質・音声品質などの設定もここから行います。

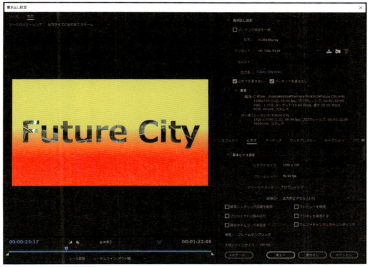

▲<書き出し設定>パネルは、エンコード時のみに表示される特殊なパネル。シーケンスのプレビューを見ながら、エンコードに必要な各種設定を一括して行う。

▶ Adobe Media Encoder CC を使う

Adobe Media Encoder CC（以降「Media Encoder」と表記）は、エンコードの作業に特化したアプリです。Premiere Proと連携させて使用する場合、シーケンスのデータとエンコードの設定を受け取り、バックグラウンドでエンコードを実行します。そのため、エンコード中でもPremiere Proでの作業を続けることができます。

▲Premiere Proとセットでインストールされるエンコード専用アプリ。複数のシーケンスの連続自動エンコードや、エンコード設定（プリセット）の一括適用など、便利な機能を搭載している。

SECTION 02

CHAPTER 09 ▶ エンコード

シーケンスをファイルとして書き出す

エンコードはシーケンス単位で行います。シーケンスを構成するクリップとその配置、エフェクトなどの各種演出効果の適用などの編集が確定したら、エンコードを開始します。

▶ ファイル形式を選択してエンコードする

シーケンスを単一のファイルとして書き出すには、以下のように操作します。ここでは、汎用性が高く、多くの環境で再生できるファイル形式である「H.264」でエンコードする方法を解説していますが、そのほかの形式でも操作方法はほぼ同じです。Premiere Pro で書き出しできるファイル形式については、P.034 を参照してください。

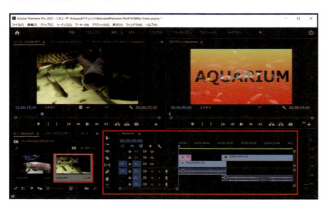

1 シーケンスを開く

エンコードして単一ファイルにするシーケンスを＜タイムライン＞パネルで開いておきます。あるいは、＜プロジェクト＞パネルでシーケンスのアイコンを選択しておきます。

2 メニューをクリックする

＜ファイル＞メニューの＜書き出し＞→＜メディア＞をクリックします。Ctrl（Mac では command）＋ M キーを押しても同様です。

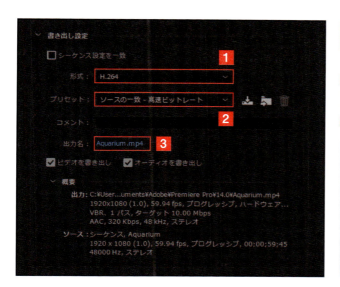

3 ＜書き出し設定＞パネルが表示される

＜形式＞で書き出すファイル形式を選択し **1**、＜プリセット＞でエンコードの処理方法を選択します **2**。続いて、＜出力名＞に表示されているシーケンス名をクリックします **3**。

CHECK!

＜プリセット＞では、エンコードの処理方法を選択します。通常は、もとのシーケンスと同じ表示解像度で、エンコード速度を優先して書き出す＜ソースの一致 - 高速ビットレート＞を選択しておくとよいでしょう。

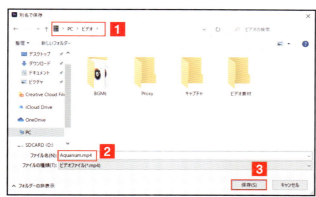

4 ファイル名を入力する

ファイルの保存先を指定して **1**、ファイル名を入力し **2**、＜保存＞をクリックします **3**。

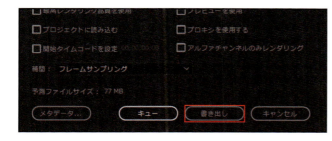

5 エンコードを開始する

＜書き出し設定＞パネルに戻ります。＜概要＞で出力設定を確認し、＜書き出し＞をクリックすると、エンコードが開始されます。

POINT

エンコードする範囲を変更する

＜書き出し設定＞パネルの左側には、シーケンスのプレビューが表示されます。その下に表示されるタイムライン両端にある＜インポイント＞、＜アウトポイント＞をドラッグすると、囲んだ範囲だけをエンコードしてファイル化することができます。

CHAPTER 09　エンコード

351

SECTION 03　エンコードの画質を調整する

CHAPTER 09 ▶ エンコード

映像の画質は、＜書き出し設定＞パネルの＜ビデオ＞タブの＜ビットレート設定＞で調整します。ビットレートの値が大きいほど高画質になりますが、ファイルサイズは大きくなります。

▶ ＜ビットレート設定＞で調整する

＜書き出し設定＞パネルの＜ビットレート設定＞では、シーケンスのエンコード精度と割り当てるビットレートを指定します。通常は固定ビットレート（CBR）のエンコードで十分ですが、動きの速い被写体が映る映像では、十分な品質が得られないことがあります。このような場合は、可変ビットレート（VBR）で精度の高いエンコードをした方がよいでしょう。

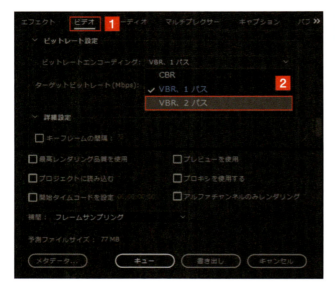

1　エンコード精度を選択する

＜書き出し設定＞パネルで＜ビデオ＞タブをクリックし①、＜ビットレートエンコーディング＞のリストから＜VBR、2パス＞を選択します②。

CHECK!

＜VBR、1パス＞と＜VBR、2パス＞の違いは、前者がエンコードをすぐに開始するのに対し、後者は1度映像全体をスキャンし、解析してからエンコードを開始するという点です。当然、後者の方がエンコードの精度が高くなり、高画質になります。ただし、2パスのエンコードは1パスによるものに比べ、2倍程度時間がかかります。

2　割り当てビットレートを指定する

＜ターゲットビットレート（Mbps）＞に映像全体に割り当てる平均ビットレート数を①、＜最大ビットレート（Mbps）＞に最大ビットレート数を②それぞれ指定します。

CHECK!

ビットレートとは、映像や音声の1秒当たりのデータ量を示す単位です。ビットレートの値が大きくなるほど高画質、高音質になりますが、ファイルサイズも大きくなります。

SECTION 04 エンコード時に解像度を変更する

CHAPTER 09 ▶ エンコード

映像の解像度（表示サイズ）は、エンコード時に変更できます。もとの映像と同じ解像度の映像ではファイルサイズが大きくなりすぎてウェブで公開しづらい場合などは、解像度を下げてエンコードしましょう。

▶ ＜基本ビデオ設定＞で解像度を変える

映像の解像度を変更するには、＜書き出し設定＞パネルの＜ビデオ＞タブにある＜基本ビデオ設定＞で、横と高さのピクセル数を指定します。もとのシーケンスと同じアスペクト比を保つ場合は、横か高さのいずれかのサイズを指定すれば、もう一方は自動設定されます。なお、もとのシーケンスより高い解像度にしてエンコードすることもできますが、画質が著しく低下するためおすすめできません。

1 チェックを外す

＜書き出し設定＞パネルの＜ビデオ＞タブをクリックし**1**、＜基本ビデオ設定＞の＜幅＞と＜高さ＞の右側にあるチェックを外します**2**。

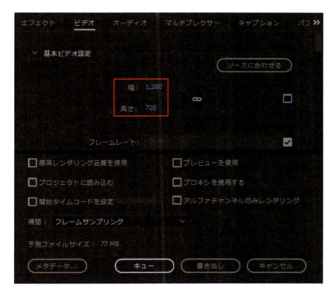

2 解像度を指定する

＜幅＞と＜高さ＞の値を変更できるようになるので、目的の値を指定します。一方を指定すれば、もう一方は元シーケンスのアスペクト比が維持されるように自動設定されます。

> **CHECK!**
>
> アスペクト比を変えるには、＜幅＞と＜高さ＞の右にあるボタンをクリックして、下図のような状態にします。この状態の間、＜幅＞と＜高さ＞にはそれぞれ自由に値を指定できます。
>
>

SECTION

CHAPTER 09 ▶ エンコード

05 エンコード時にエフェクトを適用する

＜書き出し設定＞パネルでは、映像にさまざまなエフェクトを適用することもできます。元シーケンスに変更を加えずに、エンコード後に作成されるファイルだけをモノクロにしたい場合などに便利です。

▶ ＜エフェクト＞で映像に特殊効果を加える

エンコードする映像にエフェクトを適用するには、＜書き出し設定＞パネルの＜エフェクト＞タブの画面で目的のエフェクトにチェックを入れます。ここで適用したエフェクトは、もとのシーケンスには一切影響を与えません。＜エフェクト＞タブには、映像や音声に特殊効果を加える全8種類のエフェクトが用意されています。

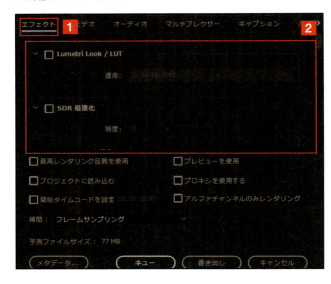

1 ＜エフェクト＞タブをクリックする

＜書き出し設定＞パネルで＜エフェクト＞をクリックすると❶、適用できるエフェクトが一覧表示されます❷。

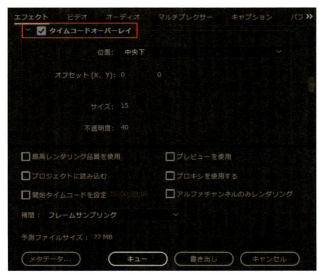

2 プリセットを選択する

エフェクトの＜タイムコードオーバーレイ＞では、映像の任意の位置にタイムコードを表示します。タイムコードの位置や大きさなどは、パラメータで微調整できます。

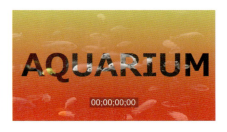

SECTION 06 | CHAPTER 09 ▶ エンコード

エンコード時に音質を変更する

書き出した動画ファイルが再生できない、あるいは音声が聞こえないといった場合は、エンコード時の音声設定を見直します。音声設定は、＜書き出し設定＞パネルの＜オーディオ＞タブから行います。

▶ ＜オーディオ＞タブの画面で音声設定をする

＜オーディオ＞タブの画面では、シーケンス内の音声をどの形式に変換するか、どれくらいの音質にするのかを設定できます。書き出した動画ファイルの音声が再生されない場合は、＜オーディオ形式＞を別のものに切り替えたり、ビットレート（P.352参照）を低くしたりするとよいでしょう。また、＜オーディオコーデック＞の設定の見直しも効果的です。

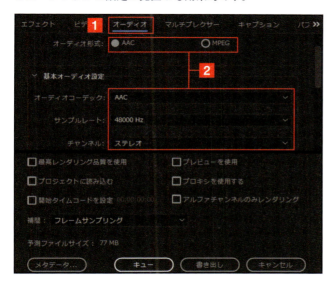

1 オーディオ形式やコーデックを選択する

＜書き出し設定＞パネルの＜オーディオ＞タブをクリックし1、＜オーディオ形式＞と＜オーディオコーデック＞の項目で適切なものを選択します2。

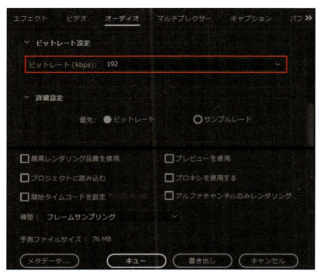

2 ビットレートを選択する

画面を下にスクロールして、＜ビットレート（kbps）＞で目的のビットレートを選択します。

SECTION 07 ファイルに所有者情報を含める

CHAPTER 09 ▶ エンコード

書き出した動画ファイルを配布したり、インターネット上に公開したりする場合は、念のため、所有者情報を含めておくと安心です。第三者に動画を二次利用された際のトラブルを避けるための措置です。

▶ ＜メタデータの書き出し＞パネルを利用する

動画の所有者情報など、映像や音声といったメインとなるコンテンツ以外で、ファイルに含まれるデータを総称して「メタデータ」といいます。書き出すファイルにメタデータを含めるには、＜書き出し設定＞パネルから表示できる＜メタデータの書き出し＞パネルを利用します。所有者情報をファイルに含めておけば、第三者による二次利用時にトラブルが発生しても、元ファイルの正規の所有者であるという証明になります。

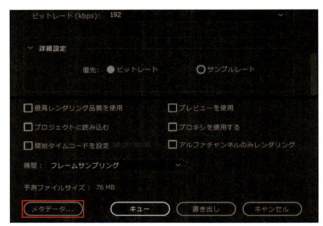

1 ＜メタデータ＞をクリックする

＜書き出し設定＞パネルで、＜メタデータ＞をクリックします。

2 所有者情報を入力する

＜著作権管理＞に含まれる＜所有者＞欄に、自分の名前を入力し■、必要に応じてそのほかの欄も入力し■、＜OK＞をクリックします■。

SECTION 08 | CHAPTER 09 ▶ エンコード

エンコード設定を保存する

エンコードのたびに画質などの設定を行うのは面倒です。各種設定をプリセットとして一括保存しておけば、次回以降はプリセットを選択するだけで、複数の設定が適用された状態でエンコードできます。

▶ プリセットとしてエンコード設定を保存する

＜書き出し設定＞パネルや＜メタデータの書き出し＞パネルで行った各種設定は、プリセットとして保存しておくことができます。プリセットは＜書き出し設定＞パネルからかんたんに呼び出して、別のシーケンスに適用できるので便利です。

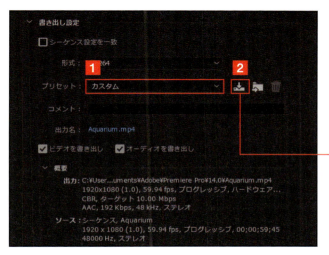

1 設定を済ませておく

＜書き出し設定＞パネルでエンコードの設定を変更すると、＜プリセット＞の表示が＜カスタム＞になります❶。この状態で＜プリセットを保存＞をクリックします❷。

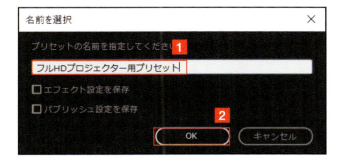

2 プリセットの名前を入力する

プリセットの名前を入力して❶、＜OK＞をクリックします❷。＜エフェクト設定を保存＞や＜パブリッシュ設定を保存＞のチェックを入れると、＜エフェクト＞タブ、＜パブリッシュ＞タブの設定が保存されます。

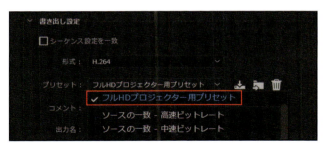

3 プリセットが選択できる

＜プリセット＞のリストに、作成したオリジナルのプリセットが登録され、選択できる状態になります。

SECTION 09 動画をSNSに投稿する

CHAPTER 09 ▶ エンコード

Premiere Proでは、エンコードで書き出した動画をそのままFacebookやYouTubeなどに投稿することができます。動画を多くの人と共有したい場合に利用すると便利です。

▶ YouTubeに投稿する

Premiere Proでは、エンコードで書き出した動画ファイルを各種SNSやオンラインサービスに直接アップロードすることができます。投稿の設定は、＜書き出し設定＞パネルの＜パブリッシュ＞タブで行います。ここでは、YouTubeに動画をアップロードする方法を解説していますが、ほかのSNS、サービスの場合も操作は同じです。

1 ログインする

＜書き出し設定＞パネルで＜パブリッシュ＞タブをクリックし①、＜YouTube＞にチェックを入れて②、＜サインイン＞をクリックします③。

2 アカウント情報を入力する

YouTubeのアカウントのメールアドレスを入力して①、＜次へ＞をクリックします②。続いて表示される画面で、アカウントのパスワードを入力します。

POINT

利用できるサービス、SNS

＜パブリッシュ＞タブから利用できるサービス、SNSは以下のとおりです。
・Adobe Creative Cloud ・Adobe Stock ・Behance ・Facebook ・FTP ・Twitter ・Vimeo
・YouTube

3 アプリにアカウント使用を許可する

Media Encoder（P.349、P.360参照）でのYouTubeアカウント利用を許可するかどうか確認されるので、＜許可＞をクリックします。なお、手順 2 と 3 は次回以降、YouTubeに投稿する際にはスキップされます。

4 タイトルなどを入力する

＜書き出し設定＞パネルに戻るので、＜パブリッシュ＞タブで動画のタイトルや説明文などを必要に応じて入力します。

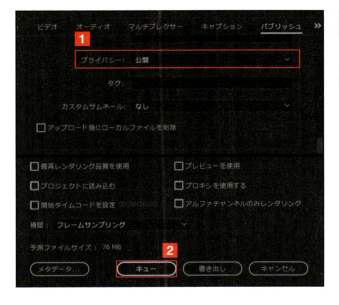

5 公開範囲を設定する

＜パブリッシュ＞タブ内を下にスクロールして、＜プライバシー＞から動画の公開範囲を選択します 1 。最後に＜キュー＞をクリックして 2 、エンコード設定をMedia Encoderのキューに追加します。＜書き出し＞をクリックするとYouTubeに投稿されません。

SECTION 10 | CHAPTER 09 ▶ エンコード
Media Encoderでシーケンスをまとめて書き出す

Media Encoderを使えば、複数のシーケンスをまとめてエンコードすることができます。Media Encoderでのエンコード中、Premiere Proでは別の作業ができるので、時間を無駄にせずに済みます。

▶ Media Encoderを使う

＜書き出し設定＞パネルで＜キュー＞をクリックすると、エンコード処理が別アプリのMedia Encoderに送信されます。送信されたエンコード処理は「キュー」として登録され、エンコードの待機状態となります。キューとして登録したあとは、Premiere Proで別の作業をすることができます。

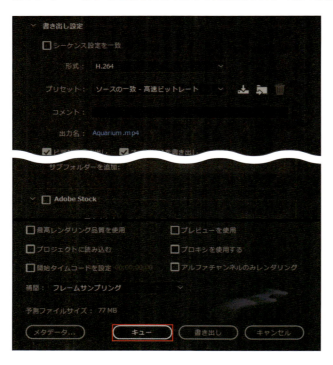

1 ログインする

Premiere Proの＜書き出し設定＞パネルで、エンコードの設定を済ませておき、＜キュー＞をクリックします。

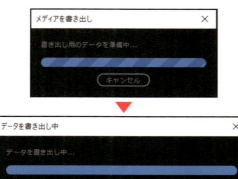

2 Media Encoderにデータが転送される

Media Encoderが起動します。Media Encoderがインストールされていない場合は、P.005の画面からインストールします。Premiere Proのユーザーは無料でインストールできます。

3 キューとして登録される

Media Encoder に、エンコード設定がキューとして登録されます。Premiere Pro で選択したファイル形式などの情報が表示されます。

● エンコードを開始する

前ページと同様の操作を Premiere Pro の＜書き出し設定＞パネルで繰り返せば、Media Encoder に複数のキューを登録することができます。この状態で画面右上の＜キューを開始＞をクリックすると、上段にあるキューから順にエンコードが開始されます。キューの並び順は、エンコードの開始前であればドラッグ＆ドロップで入れ替えることができます。

1 ＜キューを開始＞をクリックする

キューを登録したら、Media Encoder の画面右上の＜キューを開始＞をクリックします。

2 エンコードが開始される

上段のキューから順にエンコードが開始されます。エンコード状況は画面下の＜エンコーディング＞パネルで確認できます。エンコードを停止するには■＜キューを停止＞を、一時停止するには ■■ ＜一時停止＞をクリックします。

＜エンコーディング＞パネル

POINT

キューを削除する

Media Encoder に登録されたキューを削除するには、＜キュー＞パネルで目的のキューを右クリックし、表示されるメニューから＜削除＞をクリックするか、＜キュー＞パネルの＜－＞をクリックします。

SECTION CHAPTER 09 ▶ エンコード

11 Media Encoderで
エンコード設定を変更する

Media Encoderにキューとして登録したあとで、エンコードの設定を変更したい場合は、Media EnconderからPremiere Proの＜書き出し設定＞パネルを呼び出します。

▶ エンコード開始前に設定を変更する

Media Encoderでエンコードを開始する前であれば、一度Premiere Proに戻って、エンコードの設定を変更することができます。変更するには、Media Encoderに登録されたキューの＜プリセット＞の項目をクリックし、Premiere Proの＜書き出し設定＞パネルを表示します。ここで設定を変更すると、登録済みキューに反映されます。

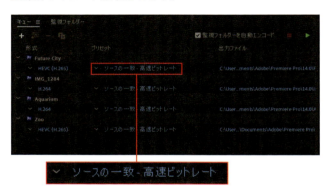

1 ＜プリセット＞をクリックする

Media Encoderで設定を変更するキューの＜プリセット＞をクリックします。

CHECK!

Media Encoder単独でも、登録されたキューの書き出し形式やプリセットを変更できます。変更するには、＜形式＞と＜プリセット＞の▼をクリックして、リストから目的のファイル形式、あるいはプリセットを選択します。

2 ＜書き出し設定＞パネルが表示される

Premiere Proの＜書き出し設定＞パネルが表示されます。必要に応じて各種設定を変更し、＜OK＞をクリックします。

SECTION

CHAPTER 09 ▶ エンコード

12 Media Encoderでプリセットをキューに適用する

動画のファイル形式や解像度などの設定をまとめたプリセットは、Media Encoderにも用意されています。エンコードのキューに対してプリセットをドラッグ＆ドロップすると、キューに設定が反映されます。

▶ ドラッグ＆ドロップでプリセットを適用する

Media Encoderの＜プリセットブラウザー＞パネルには、Premiere Proの＜書き出し設定＞パネルで選択できるものと同様の、エンコード用のプリセットが用意されています。登録済みのキューにこれらのプリセットをドラッグ＆ドロップすれば、Premiere Proでの設定に関わらず、そのプリセットの設定がキューに反映されます。

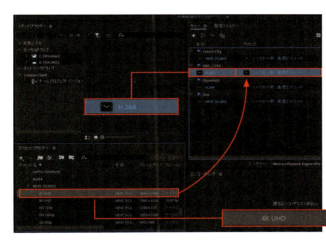

1 プリセットをドラッグ＆ドロップする

＜プリセットブラウザー＞パネルから、＜キュー＞パネルのキューにプリセットをドラッグ＆ドロップします。

2 プリセットが適用される

キューにプリセットの設定が反映されます。

POINT

オリジナルのプリセットを作成する

＜プリセットブラウザー＞パネルで＜＋＞をクリックすると表示されるメニューから、＜エンコーディングプリセットを作成＞をクリックして表示される画面では、ファイル形式や解像度などを自分で設定した、オリジナルのプリセットを作成できます。ここで作成したプリセットは、＜ユーザープリセット＆グループ＞からいつでもキューに適用できます。

SECTION

CHAPTER 09 ▶ エンコード

13 プリセットをファイルとして書き出す

Media Encoderで作成したプリセットは、ファイルとして書き出せます。書き出すことで、ほかの環境でそのファイルを読み込み、同じ設定内容でシーケンスをエンコードできるようになります。

● プリセットをファイルとして保存する

プリセットをファイルとして保存するには、以下のように操作します。同様の操作で、Premiere Proの＜書き出し設定＞パネルで保存したプリセットも書き出すことができます。書き出したファイルは、ビデオプリセット形式で拡張子が「.epr」となり、ほかの環境のPremiere Pro、あるいはMedia Encoderで読み込み、利用することができます。

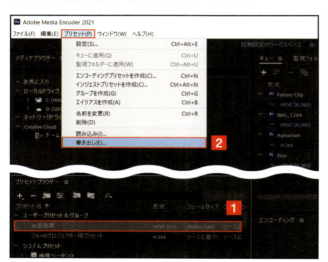

1 メニューをクリックする

＜プリセットブラウザー＞パネルで書き出すプリセットを選択し■、＜プリセット＞メニューの＜書き出し＞をクリックします■。

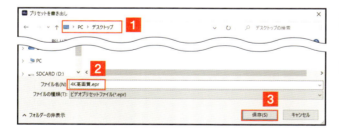

2 ファイル名を入力する

保存先を指定して■、ファイル名を入力し■、＜保存＞をクリックします■。

POINT

ファイルを読み込む

Media Encoderでビデオプリセット形式のファイルを読み込むには、＜プリセット＞メニューの＜読み込み＞をクリックします。Premiere Proで読み込むには、＜書き出し設定＞パネルで＜プリセットをインストール＞をクリックします。

CHAPTER 10

THE PERFECT GUIDE FOR PREMIERE PRO

[VR動画編集]

「VR」を理解する

SECTION 01 / CHAPTER 10 ▶ ＶＲ動画編集

Premiere Proには、360度の全視界を見渡すことができる「VR動画」を作成・編集できる機能が搭載されています。まずは、これまでとは違う次元の没入感を味わえるVR動画を理解しておきましょう。

▶「VR」とは？

VRは「Virtual Reality（仮想現実）」の略で、360度すべての視界を捉える映像や写真を、メガネのように左右の目に近接させたディスプレイ（ヘッドマウントディスプレイ、HMD）を通じて見ることにより、あたかも映像の中に自分がいるような感覚が味わえる、新しい表現技術です。とくに映像やゲームの業界では、従来のテレビやディスプレイのような平面的な出力機器では不可能な、VRによる圧倒的な没入感が注目されています。

360度すべての方向を見渡せる

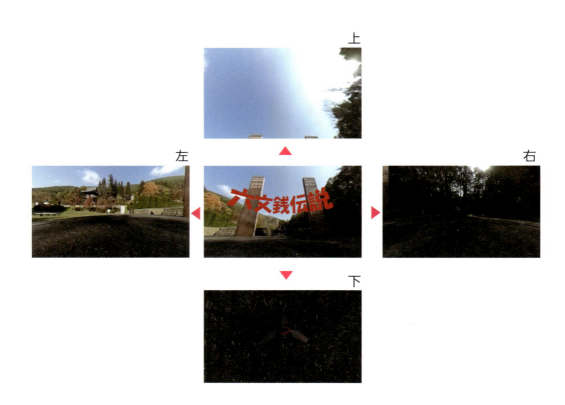

▲専用アプリや機器を通して見ることにより、上下左右のあらゆる風景を見渡すことができるようになる。

▶ VR 動画／写真を撮る・見る

VR（全天球）動画／写真を撮影するには、専用のカメラが必要です。定番は「RICOH THETA」シリーズで、豊富な本体カラーのバリエーションが魅力です。VR 動画／写真ならではの鑑賞方法を楽しみたい場合は、ヘッドマウントディスプレイがあるとよいでしょう。パソコン対応の製品としては、「Oculus Rift」シリーズや「HTC Vive」シリーズなどが有名です。

RICOH THETAシリーズ

▲実売価格：36,000円前後（THETA SC 2V）
URL：https://theta360.com/
※実売価格は2021年3月現在

Oculus Quest 2

▲実売価格：37,000円前後
URL：https://www.oculus.com/
※実売価格は2021年3月現在

▶ Premiere Pro の VR 対応は？

Premiere Pro は、VR 動画／写真にいち早く対応し、360 度の視界を持つ動画や写真を専用のプレビューを使って編集、加工できます。VR 素材専用のエフェクトやトランジションも用意され、通常のクリップと同じようにシーケンスに配置して編集することができます。また、Oculus Quest 2 や HTC Vive などのヘッドマウントディスプレイをパソコンに接続すれば、VR に最適化されたインターフェースで作業できます。ただし、VR 素材を扱ったり、ヘッドマウントディスプレイを利用したりするためには、パソコンのスペックが動作要件を満たしている必要があります。

▲Premiere ProでVR素材を読み込むと、＜プログラム＞パネルのプレビューで＜VRビデオ＞モードを利用できる。プレビューをドラッグすることで、表示される視界を移動させることが可能。

SECTION 02 — CHAPTER 10 ▶ VR動画編集

VR動画を編集可能な形式に変換する

RICOH THETAシリーズで撮影した動画は、そのままではVR素材として利用できません。VR素材として使うには、事前に変換する必要があります。動画の変換は、無料配布されている専用アプリを使います。

▶ 動画の変換が必要

RICOH THETAシリーズで撮影した動画は、ファイル形式こそ一般的なMPEG-4ですが、そのままPremiere Proに読み込んでも、2つの球体の中に異なる動画が映るだけで、VRならではの動画になりません。Premiere Proで正しく表示するためには、純正の「基本アプリ」を使って変換します。

変換前の動画

変換後の動画

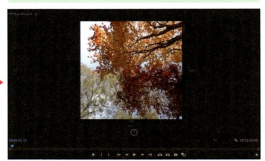

▲動画を変換せずにPremiere Proに読み込んでも、VRビデオモード（P.370参照）にできず、編集や加工ができない。VRビデオモードで表示するために、ファイルを事前に変換しておく。

基本アプリを入手する

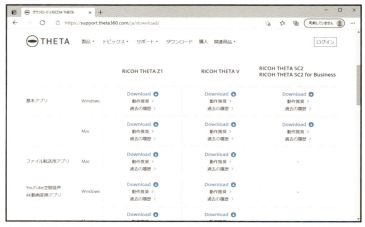

▲変換に使用するRICOH THETAの基本アプリは、Windows／Mac版がともに無償配布されている。公式サイト（https://theta360.com/ja/support/download/）からダウンロードしてインストールしておこう。

▶ 動画を変換する

RICOH THETA の「基本アプリ」をインストールしたら、動画を編集可能な形式に変換します。基本アプリのウィンドウを表示しておき、そのウィンドウにドラッグ＆ドロップすると、確認のメッセージが表示されたあとで変換が開始されます。変換後の動画は、通常の動画と同様の操作で、Premiere Pro のプロジェクトに読み込むことができます。

1 動画をドラッグ＆ドロップする

RICOH THETA で撮影した動画ファイルを、基本アプリのウィンドウにドラッグ＆ドロップします。複数のファイルを選択するには、Ctrl（Mac では command ）キーを押しながらファイルのアイコンをクリックします。

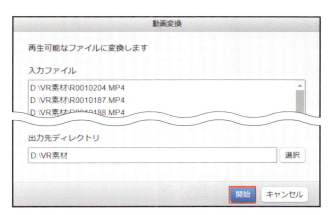

2 確認のメッセージが表示される

図のように表示されたら、＜開始＞をクリックすると変換が開始されます。＜選択＞をクリックして変換後のファイルの保存先を指定することもできます。

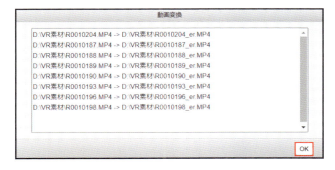

3 変換が完了する

変換が完了したら、＜ OK ＞をクリックします。

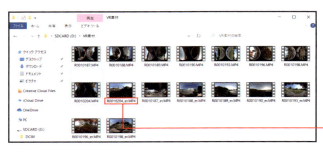

4 動画ファイルを確認する

変換後のファイルは、「（もとのファイル名）_er.MP4」という名前になります。Premiere Pro には、この名前のファイルを読み込んでください。

R0010204_er.MP4

SECTION 03 動画をVRビデオモードで表示する

変換したVR動画ファイルは、通常の動画ファイルとまったく同じ方法でPremiere Proのプロジェクトに読み込むことができます。VR動画のクリップは、VRビデオモードで編集します。

▶ VRビデオモードに切り替える

Premiere Proのプロジェクトに読み込んだVR動画は、通常のクリップと同様にドラッグ＆ドロップでシーケンスに配置します。その後、＜プログラム＞パネルのプレビューをVRビデオモードに切り替えます。VRビデオモードでは画角が正方形になり、プレビュー内をドラッグすることで360度、視界を移動させることができます。

1 クリップからシーケンスを作成する

＜プロジェクト＞パネルから、VR動画のクリップを＜タイムライン＞パネルにドラッグ＆ドロップします。

2 クリップが配置される

クリップから新規シーケンスが作成されます。＜プログラム＞パネルにプレビューが表示されますが、このままでは視点を移動させることができません。

POINT

既存のシーケンスには配置しない

VR動画を編集する場合は、ここで解説するように新規シーケンスを作成し、以降そのシーケンスはVR動画／写真専用にします。通常のクリップが配置された既存のシーケンスにVR動画のクリップを配置しても、映像の整合性が取れず、歪んだ映像になってしまうためです。

3 プレビューを右クリックする

<プログラム>パネルのプレビューを右クリックして **1**、表示されるメニューから<VRビデオ>→<有効>をクリックします **2**。

CHECK!

同様の操作で、VR写真もプロジェクトに読み込み、シーケンスに配置できます。ただし、VR写真のみで構成されたシーケンスでは、VRビデオモードで視点を移動させることはできません（P.372参照）。

4 VRビデオモードに切り替わる

プレビューがVRビデオモードに切り替わり、プレビュー上をドラッグするか、右端、下端のスクロールバーをドラッグすることで視点を移動できるようになります。

CHECK!

ここでは<プログラム>パネルのプレビューをVRビデオモードにしていますが、同様の操作で<ソース>パネルのプレビューもVRビデオモードにすることができます。

POINT

VRビデオモードの表示画角を変える

VRビデオモードでは、プレビューが正方形の画角になりますが、この画角を変更して、横長、縦長にすることができます。画角を変更するには、手順 **3** のメニューで<VRビデオ>→<設定>をクリックし、<VRビデオ設定>の画面で数値を指定します。

▲<モニタービュー水平>の値を大きくするほど横幅が広がる。<垂直>の値を大きくするほど縦幅（高さ）が広がる。

SECTION CHAPTER 10 ▶ VR動画編集

04 視界が自動的に移動するモーションを設定する

VR動画は専用アプリやHMDで視聴するとき、視聴者の操作（動作）によって視界が移動しますが、VR専用のエフェクトを適用することで、自動的に視界を移動させることもできます。

▶ ＜VR回転（球）＞エフェクトとは？

VR動画／写真にも、通常のクリップと同様にエフェクトを適用できます。ここでは、VR動画を自動スクロールさせて視界を移動する＜VR回転（球）＞を適用します。これはVR動画／写真専用のエフェクトで、＜ビデオエフェクト＞の＜イマーシブビデオ＞ビンに含まれています。なお、＜イマーシブビデオ＞ビンには全11種類のVR動画／写真専用のエフェクトが収録されています。

＜VR回転（球）＞エフェクトによる効果

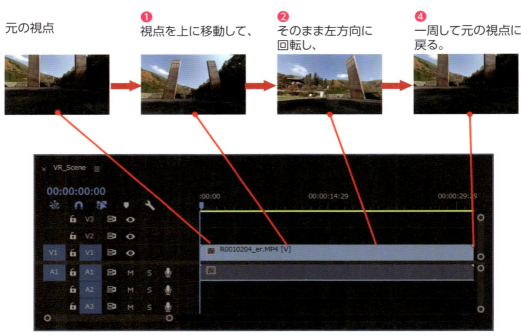

▲時間の経過とともに、VR動画の視界が自動的に移動するように演出するエフェクト。視界が移動するのはモーションの設定による。

POINT

通常のエフェクトも設定できる
VR動画／写真には、＜イマーシブビデオ＞ビンのエフェクト以外のエフェクトも適用できます。ただし、映像を変形させるものなどは通常の映像クリップに適用する場合に比べて、意図しない結果になる可能性が高くなるので、おすすめできません。

▶ エフェクトを適用してモーションを設定する

VR動画/写真のクリップにエフェクトを適用するには、通常のクリップと同様に、目的のエフェクトを＜タイムライン＞パネルのクリップにドラッグ＆ドロップします。エフェクトのパラメータには視界を縦に回転させる＜チルト（X軸）＞、横に回転させる＜パン（Y軸）＞、時計回り／反時計回りに回転させる＜ロール（Z軸）＞があり、それぞれのパラメータにモーションを設定して、視界を自動的に移動させます。

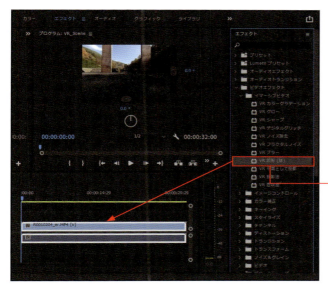

1 エフェクトをドラッグ＆ドロップする

＜エフェクト＞パネルから、＜タイムライン＞パネルのクリップに、＜VR回転（球）＞のエフェクトをドラッグ＆ドロップします。

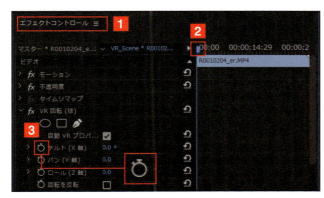

2 エフェクトが適用される

エフェクトが適用されます。＜エフェクトコントロール＞パネルに切り替えて**1**、再生ヘッドをクリップの先頭に移動し**2**、＜チルト（X軸）＞の＜アニメーションのオン／オフ＞をクリックします**3**。

3 キーフレームが設定される

再生ヘッドの位置にキーフレームが設定され**1**、視界移動のモーションの起点になります。再生ヘッドを右方向に移動します**2**。

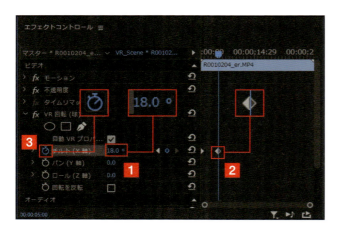

4 縦方向に視界を移動させる

＜チルト（X軸）＞のパラメータの値を変更すると❶、それに合わせて視界が上下方向に移動し、再生ヘッドの位置にキーフレームが追加されます❷。続いて、＜パン（Y軸）＞の＜アニメーションのオン／オフ＞をクリックします❸。

5 キーフレームが追加される

再生ヘッドの位置にキーフレームが追加されます。ここまでで、視界が縦方向に移動するモーションになります。

6 再生ヘッドを移動する

再生ヘッドを右方向に移動します。

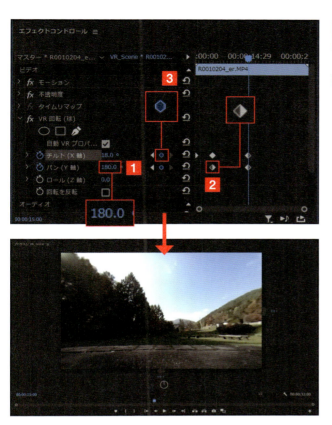

7 横方向に視界を移動させる

＜パン（Y軸）＞のパラメータを変更すると ■、それに合わせて視界が左右方向に移動し、再生ヘッドの位置にキーフレームが追加されます ■。パラメータが＋の値なら左方向、－の値なら右方向に視界が移動します。続いて、＜チルト（X軸）＞の＜キーフレームを追加＞をクリックします ■。

8 視界をもとに戻す

再生ヘッドをクリップの末尾付近に移動して ■、＜チルト（X軸）＞の値を「0」に ■、＜パン（Y軸）＞の値を「360」に ■、それぞれ設定すると、もとの視点に戻ります。＜パン（Y軸）＞を「0」ではなく「360」にすることで、視界が1周回転する効果が得られます。

SECTION 05 VR素材の解像度を揃える

CHAPTER 10 ▶ VR動画編集

動画と写真など、解像度が異なるクリップが混在するシーケンスでは、一部のクリップの映像が粗くなったり、不自然に歪んだりします。これは、＜イマーシブビデオ＞ビンにある＜VR投影法＞で解消できます。

▶ ＜VR投影法＞エフェクトを利用する

＜VR投影法＞は、クリップの解像度をシーケンス全体の解像度に最適化する効果を持つエフェクトです。VR動画とVR写真、あるいは異なるメーカーの全天球カメラで撮影した素材などが混在したシーケンスでは、最初に配置したクリップと異なる解像度のクリップは歪んだり、映像が粗くなったりします。そこで、このエフェクトを使って補正します。

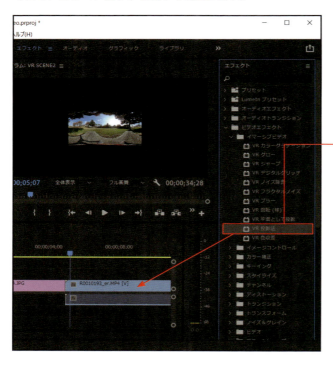

1 エフェクトをドラッグ＆ドロップする

VR写真のクリップのうしろに配置したVR動画のクリップの表示サイズが小さくなってしまいました。このクリップに＜イマーシブビデオ＞ビンの＜VR投影法＞エフェクトをドラッグ＆ドロップします。

CHECK!

VR写真を最初に配置したシーケンスは、360度視界で写真を再生できず、VRビデオモードにも切り替えられません。正しく再生できるようにするには、＜シーケンス＞メニューの＜シーケンス設定＞をクリックすると表示される画面で、＜VRプロパティ＞の＜投影法＞で＜正距円筒＞を選択します。

2 映像の解像度が補正される

VR動画の解像度がシーケンス全体の解像度に最適化されます。

SECTION 06

CHAPTER 10 ▶ VR動画編集

VR動画にトランジションを設定する

VR動画にも、場面切り替え時のアニメーション「トランジション」を適用できます。ただし、通常のトランジションではなく、VR動画専用のトランジションを使います。

▶ トランジションを適用する

VR動画専用のトランジションは、＜ビデオトランジション＞→＜イマーシブビデオ＞ビン内に8種類用意されています。これらのトランジションを適用するには、通常のトランジションと同様に、クリップ間、あるいはクリップの先頭／末尾にドラッグ＆ドロップします。

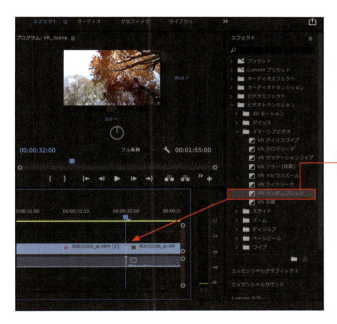

1 トランジションをドラッグ＆ドロップする

＜ビデオトランジション＞の＜イマーシブビデオ＞ビン内のトランジションを、＜タイムライン＞パネルのクリップ間、あるいはクリップの先頭／末尾にドラッグ＆ドロップします。

CHECK!

＜VRランダムブロック＞は、次の映像がブロック状になって、徐々に現れてくるトランジションです。

2 トランジションが適用される

トランジションが適用され、クリップ間の切り替え時に演出効果が追加されます。

CHECK!

VR動画専用のトランジションも、通常のトランジションと同様にデュレーションを変更することができます（P.208参照）。また、トランジションの削除方法も同じです（P.207参照）。

SECTION 07 VR動画にタイトルを付ける

CHAPTER 10 ▶ VR動画編集

通常のクリップと同様に、VR動画/写真にもテキストを重ねて表示できます。テキストは、VRビデオモードに切り替えたときやエンコードしたファイルを再生した際に、変形して表示されます。

▶ タイトルを入力する

VR動画/写真にテキストを入力するには、通常のクリップの場合と同様に、＜ツール＞パネルの＜横書き文字ツール＞、＜縦書き文字ツール＞を使用します。なお、VRビデオモードが有効になっている状態では、VR動画/写真のプレビュー上にテキストを入力できません。事前にVRビデオモードを無効にしておく必要があります。

1 テキストを入力する

＜横書き文字ツール＞、あるいは＜縦書き文字ツール＞を使って、テキストを入力します。入力はVRビデオモード（P.370参照）を無効にした状態で行います。

2 VRビデオモードに切り替える

プレビューをVRビデオモードに切り替えると、映像に合わせてテキストが自動的に変形します。

> **CHECK!**
>
> VR動画上に入力したテキストも、＜エッセンシャルグラフィックス＞パネルでフォントやフォントサイズ、色などの書式を設定できます（P.284～287参照）。

SECTION CHAPTER 10 ▶ VR動画編集

08 VR動画をエンコードする

VR動画／写真は、シーケンスをエンコードして単一のファイルとして書き出すことで完成します。通常のシーケンスと同様に、各種設定は＜書き出し設定＞パネルで行います。

▶ H.264形式で書き出す

VR動画／写真が含まれるシーケンスは、再生アプリやヘッドマウントディスプレイの多くが対応しているH.264形式のファイルとして書き出します。また、設定項目の＜VRビデオとして処理＞にチェックを入れておくことも忘れないでください。このチェックを入れることで、ほかのアプリに対してファイルがVR仕様であることが明示され、自動的にVR再生モードで映像が表示されるようになります。

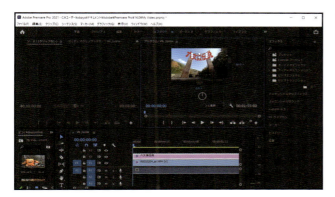

1 シーケンスを開いておく

VR動画／写真が配置されたシーケンスを開いておきます。

2 メニューをクリックする

＜ファイル＞メニューの＜書き出し＞→＜メディア＞をクリックします。

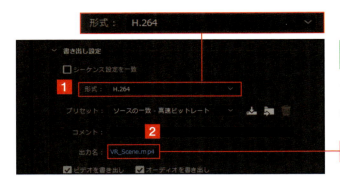

3 <書き出し設定>パネルが表示される

<書き出し設定>パネルが表示されるので、<形式>で<H.264>選択し①、<出力名>をクリックします②。

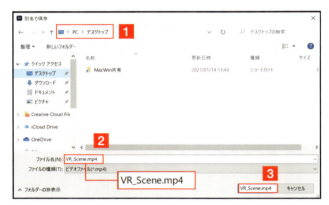

4 ファイル名を入力する

保存先を指定して①、ファイル名を入力し②、<保存>をクリックします③。

5 <VRビデオとして処理>にチェックを入れる

<ビデオ>タブをクリックして①、<VRビデオとして処理>にチェックを入れ②、<書き出し>をクリックします③。

CHECK!

<書き出し設定>パネルでの各種設定は、通常のシーケンスをエンコードする場合と同じで、VR動画の画質や音質などを調整したり、エフェクトを適用したりできます（P.354参照）。ただし、元シーケンスから解像度を変更すると、映像が不規則に歪んでしまうことがあります。

POINT

VR動画をSNSに投稿する

P.358と同様に操作すれば、VR動画をSNSに投稿することができます。とくにFacebookやYouTubeはVR動画の視聴に対応しているので、投稿後、映像内をドラッグして視界を移動させることができます。

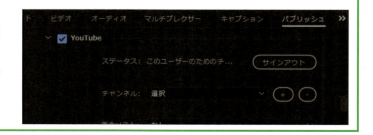

Appendix

THE PERFECT GUIDE FOR PREMIERE PRO

[外部ツール連携]

SECTION 01 「Adobe After Effects」を理解する

Appendix ▶ 外部ツール連携

After Effectsは、エフェクトによる演出や、高度なアニメーションに特化したアプリです。After Effectsで作成した見栄えのするクリップは、Premiere Proの素材として使えます。

▶ After Effects でできることは？

「Adobe After Effects」（アフターエフェクツ、以降「After Effects」と表記）は、エフェクトやトランジションによる演出効果と、図形やテキストなどを使ったモーショングラフィックス作成に特化したアプリです。Premiere Pro にも同種の機能はありますが、After Effects では利用できるエフェクトの数が数百種類以上と多彩で、より見栄えのする演出が可能です。作成した映像は、クリップとして Premiere Pro にスムーズに受け渡すことができます。

高度なエフェクト

＜壊れたテレビ2-寿命＞

＜CC Rainfall＞

▲エフェクトをクリップにドラッグ＆ドロップするだけで、壊れたテレビのような映像に変えたり、雨や雪を降らせたりといった、Premiere Proでは手間のかかる演出が可能。エフェクトの効果は自由にアニメーションさせることもできる。

モーショングラフィックスの作成

＜CC Mr.Mercury＞

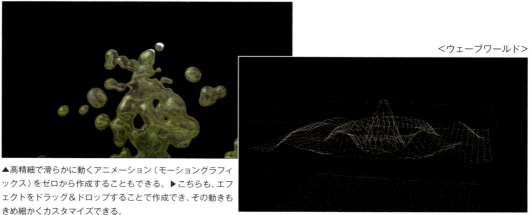

＜ウェーブワールド＞

▲高精細で滑らかに動くアニメーション（モーショングラフィックス）をゼロから作成することもできる。▶こちらも、エフェクトをドラッグ＆ドロップすることで作成でき、その動きもきめ細かくカスタマイズできる。

▶ After Effectsの基本画面

After Effectsの画面も、Premiere Proと同様に各種パネルで構成されています。以下では、エフェクトの利用やモーショングラフィックスの作成時にとくに多用する4つのパネルとその位置を示しています。作業を始める前にこれらを覚えておきましょう。なお、各パネルを移動したり、分離したりしてカスタマイズする方法はPremiere Proと同じです。

＜プロジェクト＞パネル
After Effectsでの編集対象となる動画や音声、静止画などを読み込み、ここで管理できる。

＜コンポジション＞パネル
編集中の素材のプレビューを表示し、エフェクトの効果をリアルタイムで確認できる。

＜エフェクト&プリセット＞パネル
各種エフェクトやエフェクトとモーションを組み合わせたプリセットがまとめられている。

＜タイムライン＞パネル
素材を配置し、エフェクトのパラメータの変更やアニメーション効果の設定などを行う。

▶ プロジェクト、コンポジションとは？

After Effectsでは最初にプロジェクトを作成し、プロジェクト単位で各種素材を管理、編集します。また、素材に対してエフェクトを適用したり、モーショングラフィックを作成したりする最小の編集単位がコンポジションです。これはPremiere Proのシーケンスと同じと考えるとよいでしょう。ただし、Premiere Proでそのコンポジションを使うときは、単一のクリップとなります。

編集のベースとなる「プロジェクト」

▲映像編集の「作業場」となるのがプロジェクト。プロジェクトがファイルで管理される点は、Premiere Proと同様だ。

最小の編集単位「コンポジション」

▲動画ファイルなどの素材(フッテージ)に対し、エフェクトを加えたり、モーショングラフィックスを作成したりしたものがコンポジション。素材とコンポジションは＜プロジェクト＞パネルで管理する。

SECTION 02 After Effectsに素材を読み込む

Appendix ▶ 外部ツール連携

最初に、編集する素材（フッテージ）を＜プロジェクト＞パネルに読み込みます。読み込んだ素材を＜タイムライン＞パネルに配置すると、自動的にコンポジションが作成されます。

▶ 素材の読み込みとコンポジションの作成

＜プロジェクト＞パネルに素材を読み込む方法は、Premiere Proと同様です。読み込みはファイル単位、あるいはフォルダー単位で行えます。読み込んだ素材は、ドラッグ＆ドロップで＜タイムライン＞パネルに配置すると、自動的にコンポジションが作成されます。以降はコンポジション単位で編集します。

1 プロジェクトを作成する

After Effectsを起動すると、この画面が表示されます。ここで＜新規プロジェクト＞をクリックします。すでにプロジェクトを作成済みの場合は、＜プロジェクトを開く＞をクリックします。

2 ＜プロジェクト＞パネルが表示される

メイン画面に＜プロジェクト＞パネルが表示されるので、この余白部分をダブルクリックします。

CHECK!
プロジェクトを作成した直後は、まだファイルとして保存されていません。＜ファイル＞メニューから＜保存＞をクリックして、ファイルとして保存しておきましょう。

3 ファイルやフォルダーを選択する

読み込む素材のファイル、あるいは素材が含まれるフォルダーを選択して**1**、＜フォルダーを読み込み＞（あるいは＜読み込み＞、Macでは＜開く＞）をクリックします**2**。

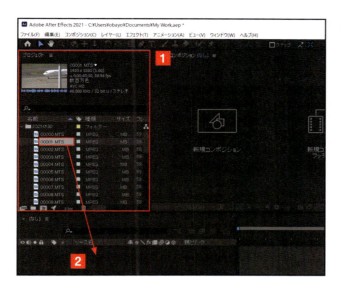

4 素材が読み込まれる

＜プロジェクト＞パネルに素材が読み込まれます①。フォルダーを読み込んだ場合は、同じフォルダーが＜プロジェクト＞パネル内に作成され、その中に素材が読み込まれます。目的の素材を＜タイムライン＞パネルにドラッグ＆ドロップします②。

CHECK!

タイムラインに配置された素材は、＜選択ツール＞を使って両端をドラッグすることでトリミングできます。また、素材を左右にドラッグすることで位置を変えることもできます。

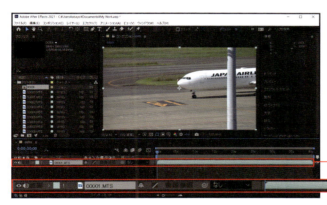

5 素材が配置される

＜タイムライン＞パネルに素材が配置されて編集可能になると同時に、同名のコンポジションが作成されます。＜コンポジション＞パネルには、プレビューが表示されます。

POINT

コンポジションの解像度や名前を変更する

コンポジションの解像度は、最初に配置した素材と同じサイズになりますが、これをあとから変更することができます。また、同じ画面でコンポジションの名前を変更することもできます。

▲＜コンポジション＞メニューの＜コンポジション設定＞をクリックする。

◀＜幅＞と＜高さ＞に解像度を指定して①、＜OK＞をクリックする②。＜コンポジション名＞で名前を変更することもできる。

SECTION Appendix ▶ 外部ツール連携

03 コンポジションをPremiere Proのクリップにする

After Effectsのコンポジションは、Premiere Proでそのままクリップとして利用できます。以降はAfter Effectsでの編集結果が、リアルタイムでPremiere Proのクリップに反映されます。

▶ Premiere Pro に After Effects のコンポジションを読み込む

Premiere Proのクリップとして、After Effectsのコンポジションを読み込むには、以下のように操作します。クリップは＜プロジェクト＞パネルに読み込まれ、ドラッグ＆ドロップでシーケンスに配置できるほか、デュレーションの変更やトリミングなども通常のクリップと同様に行えます。

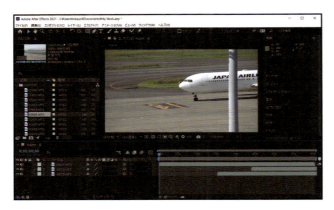

1 コンポジションを作成しておく

After Effectsでコンポジションを作成し、プロジェクトを保存しておきます。

2 メニューをクリックする

Premiere Proで＜ファイル＞メニューをクリックして、＜Adobe Dynamic Link＞→＜After Effectsコンポジションを読み込み＞をクリックします。

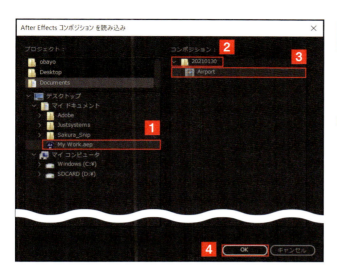

3 コンポジションを選択する

After Effectsのプロジェクトファイルを選択すると1、プロジェクト内のビンが表示されるので、目的のコンポジションが含まれるビンを展開し2、コンポジションを選択して3、< OK >をクリックします4。

4 コンポジションがクリップとして読み込まれる

Premiere Proの<プロジェクト>パネルにコンポジションがクリップとして読み込まれます1。これを<タイムライン>パネルにドラッグ＆ドロップします2。

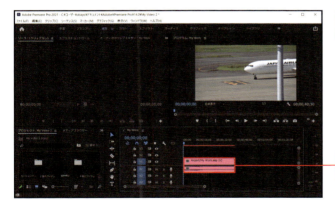

5 クリップが配置される

コンポジションのクリップがシーケンスに配置されます。このクリップは、通常のクリップと同様にトリミングや配置の移動が可能です。

POINT

空のコンポジションを作成する

上記の手順では既存のコンポジションを読み込んでいますが、何の素材も配置されていないコンポジションをPremiere Proから作成することができます。この場合、最初にコンポジションの解像度などを指定します。

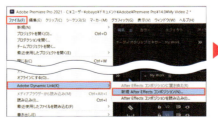

▲Premiere Proで<ファイル>→<Adobe Dynamic Link>→<新規After Effectsコンポジション>とクリックする。

▲解像度を指定して1、< OK >をクリックする2。

▶ After Effectsでの編集をPremiere Proのクリップに反映する

前ページの操作で、Premiere Proに読み込んだコンポジションは、そのままAfter Effectsで編集し続けることができます。読み込み前の編集結果はもちろん、読み込み後にAfter Effectsで加えた編集も、リアルタイムでPremiere Proのクリップに反映されます。この動作は、Adobe Dynamic Linkという機能によるものです。

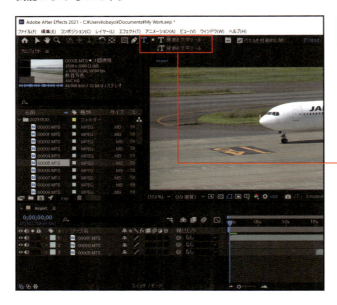

1 ＜横書き文字ツール＞に切り替える

After Effectsで、Premiere Proに読み込んだコンポジションを開いておきます。ツールバーの＜横書き文字ツール＞を選択します。

2 テキストを入力する

＜コンポジション＞パネルのプレビュー上をクリックして、テキストを入力します1。テキストの書式などは、＜文字＞パネルや＜段落＞パネルで変更できます2。

3 Premiere Proに反映される

Premiere Proに切り替えると、After Effectsでコンポジションに入力したテキストが、クリップに反映されていることを確認できます。

SECTION 04 Premiere Proのクリップをコンポジションにする

Appendix ▶ 外部ツール連携

Premiere Proに読み込んだクリップを、After Effectsのコンポジションとして読み込むことができます。コンポジションとして読み込まれたクリップは、After Effects上で直接編集できるようになります。

▶ Premiere Pro のクリップをコンポジションとして読み込む

既存の Premiere Pro のクリップを、After Effects のコンポジションとして読み込むことができます。読み込み後、クリップと同名のコンポジションが After Effects の＜プロジェクト＞パネルに追加され、編集できるようになります。この方法で作られたコンポジションを編集すると、即座に Premiere Pro のクリップに反映されます。

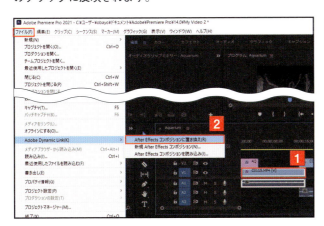

1 コンポジションを置き換える

Premiere Pro の＜タイムライン＞パネルで、クリップを選択します❶。＜ファイル＞メニューの＜ Adobe Dynamic Link（K）＞→＜ After Effects コンポジションに置き換え＞をクリックします❷。

2 コンポジションが作成される

After Effects が起動して、＜プロジェクト＞パネルに元クリップと同じ名前のコンポジションと、元クリップの動画ファイルが追加されます。

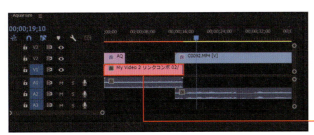

3 クリップが変化する

Premiere Pro では、読み込み後のクリップは音声と映像に分離され、「リンクコンポ」という名前が付きます。

SECTION Appendix ▶ 外部ツール連携

05 After Effectsで
エフェクトを適用する

After Effectsで映像にエフェクトを適用する場合は、＜エフェクト＆プリセット＞パネルから目的のエフェクトを＜タイムライン＞パネルのクリップにドラッグ＆ドロップします。

▶ ドラッグ＆ドロップでエフェクトを適用する

After Effectsには、Premiere Proにはない多彩なエフェクトが用意されています。ここでは、After Effects固有のエフェクトで、映像を絵画調に変える＜カートゥーン＞を適用する方法を解説しますが、ほかのエフェクトでも操作方法は同じです。エフェクトの「効き目」の調整は、＜エフェクトコントロール＞パネルの各パラメータの値を変更することで行います。

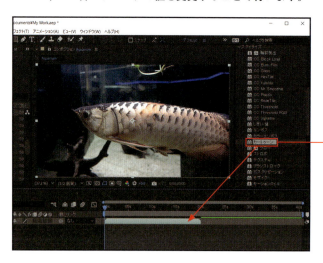

1 エフェクトをドラッグ＆ドロップする

＜エフェクト＆プリセット＞パネルの＜スタイライズ＞ビンにある＜カートゥーン＞を＜タイムライン＞パネルのクリップにドラッグ＆ドロップします。

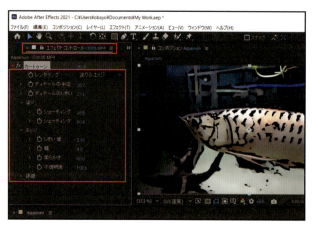

2 エフェクトが適用される

エフェクトが適用されます。エフェクトのパラメータは、＜エフェクトコントロール＞パネルで調整します。

CHECK!

＜タイムライン＞パネル左側のレイヤー一覧で、クリップ名を展開すると表示されるリストから、エフェクトのパラメータを調整することもできます。

CHECK!

エフェクトを解除するには、＜エフェクトコントロール＞パネルで目的のエフェクトを選択し、Backspace（Macではdelete）キーを押します。

SECTION 06　アニメーションにする エフェクトを適用する

Appendix ▶ 外部ツール連携

適用するだけでアニメーション効果を加えるエフェクト（モーションエフェクト）が豊富に用意されている点も、After Effectsの特長の1つです。モーションエフェクトもドラッグ＆ドロップで適用できます。

▶ モーションエフェクトを利用する

モーションエフェクトも、＜タイムライン＞パネルのクリップにドラッグ＆ドロップして適用できます。After Effectsには100種類以上のモーションエフェクトが用意されているので、映像を劇的に変化させたり、ユニークな動きを加えたりなどのアレンジがかんたんにできます。モーションエフェクトは、＜アニメーションプリセット＞フォルダーにまとめられています。

1 エフェクトをドラッグ＆ドロップする

＜エフェクト＆プリセット＞パネルで＜アニメーションプリセット＞→＜Image-Special Effects＞と展開し①、＜壊れたテレビ2-寿命＞エフェクトを＜タイムライン＞パネルにドラッグ＆ドロップします②。

2 エフェクトが適用される

映像にブラウン管テレビが壊れたときのような、歪みの効果が加えられます。歪みは再生時にアニメーションで動きます。エフェクトの調整は＜エフェクトコントロール＞パネルで行います。

POINT

稲光やレンズフレアを合成する

上記で紹介したもののほかにも、モーションエフェクトは多数用意されています。＜シミュレーション＞フォルダーには、雨や雪を降らせるものがあり、＜描画＞フォルダーには稲光やレンズフレアを合成するものがあります。

SECTION 07 Appendix ▶ 外部ツール連携

After Effectsで再生速度を変化させる

映像の再生速度を1つのクリップ内で早めたり、スローモーションにしたりできるのが「タイムリマップ」レイヤーです。After Effectsでは、タイムリマップで速度コントロールが直観的・柔軟に行えます。

▶ タイムリマップを利用する

「タイムリマップ」は、クリップの再生速度をコントロールするためのレイヤーです。同名のエフェクトは Premiere Pro にもありますが、クリップのデュレーションを変えず、映像と音声を連動させてコントロールできるのは、After Effects のタイムリマップだけです。タイムリマップを利用するには、以下のように操作します。

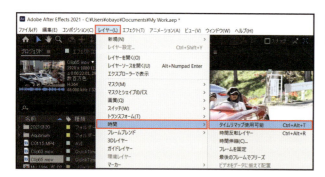

1 メニューをクリックする

再生速度を変化させるコンポジションを開いておき、＜レイヤー＞メニューの＜時間＞→＜タイムリマップ使用可能＞をクリックします。

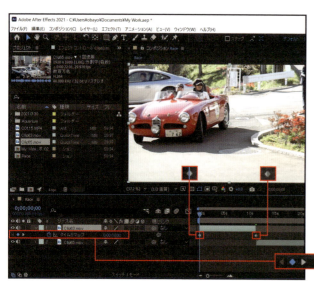

2 レイヤーが追加される

＜タイムライン＞パネルに、＜タイムリマップ＞のレイヤーが追加され、クリップの先頭と末尾にキーフレームが設定されます。

POINT

レイヤー
After Effects では、＜タイムライン＞に配置された各クリップ、クリップに適用される特殊効果などを総称してレイヤー（重ねるもの）と呼びます。

3 再生ヘッドを移動する

再生ヘッドをドラッグして、再生速度を変化させる始点となる位置に移動し**1**、＜現時点でキーフレームを加える、または削除する＞をクリックします**2**。

4 キーフレームが追加される

再生ヘッドの位置にキーフレームが追加されます。このキーフレームを以降では**A**と呼びます。

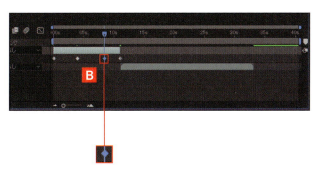

5 さらにキーフレームを追加する

同様の操作で、別の位置にキーフレームを追加します。このキーフレームを以降では**B**と呼びます。

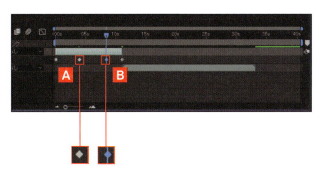

6 キーフレームをドラッグする

キーフレーム**B**を右方向にドラッグすると、**A**と**B**の間隔が広がり、そのぶん**A B**間のフレームの再生速度が遅くなります。また、**B**と末尾のキーフレームの間隔が狭くなるので、再生速度が速くなります。

CHECK!

タイムリマップのレイヤーを削除するには、＜タイムライン＞パネルで＜タイムリマップ＞を選択し、Backspace（Macではdelete）キーを押します。

SECTION Appendix ▶ 外部ツール連携

08 After Effectsでトランジションを適用する

After Effectsにも、場面転換時のアニメーション効果であるトランジションが用意されています。トランジションを適用したら、転換の開始点、終了点をそれぞれ設定する必要があります。

▶ トランジションを利用する

After Effectsのトランジションは、＜エフェクト＆プリセット＞パネルの＜トランジション＞フォルダーに用意されています。ほかのエフェクトと同様に、＜タイムライン＞パネルのクリップにドラッグ＆ドロップすることでトランジションを適用できます。Premiere Proに比べてトランジションの数が多く、多彩なトランジションから好みのものを選ぶことができます。

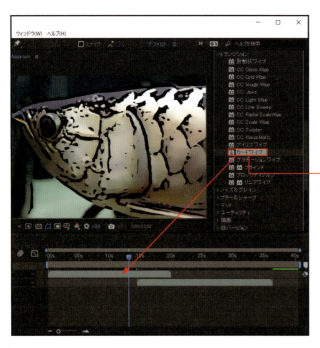

1 トランジションをドラッグ＆ドロップする

＜タイムライン＞パネルの目的のクリップ上にトランジション（ここでは＜カードワイプ＞）をドラッグ＆ドロップします。

CHECK!

＜カードワイプ＞は、画面に敷き詰めたカードがめくれていくように、場面転換するトランジションです。

2 レイヤーを展開する

＜タイムライン＞パネルでトランジションを適用したクリップのレイヤーを展開して、さらに＜エフェクト＞→＜(トランジション名)＞のレイヤーを展開します❶。続いて、クリップの先頭に再生ヘッドを移動します❷。